Afra Beemsterboer

ALS ALLE ANDEREN

Westfriesland

Eerste druk in deze uitvoering 2007

www.kok.nl
www.afrabeemsterboer.nl

ISBN 978 90 205 2848 0
NUR 344

Omslagontwerp: Bas Mazur

HOOFDSTUK 1

Het was een vaste gewoonte geworden om 's ochtends eerst het slaapkamerraam wijd open te gooien. Emma hield ervan om na het opstaan haar longen te vullen met een flinke teug frisse lucht. Op haar ellebogen uit het raam hangend genoot ze van de stilte. De ochtend was er één van onovertroffen schoonheid. Er hing nog nevel maar de zon zou die snel doen verdwijnen. Het beloofde weer een mooie dag te worden, hoewel je dat in Ierland nooit met zekerheid kon zeggen. Het was september, de dagen waren nog warm, maar de nachten vochtig. Er hing iets weemoedigs in de lucht. Het einde van de zomer was ophanden, binnenkort braken de donkere maanden weer aan. Dat betekende afscheid van het lichte leven.
Dat gevoel was te concretiseren in een schilderij. Nog een ademteug om sluiting te maken met dat onderbuikgevoel. Emma had deze sfeer al vaak geschilderd, ze moest dat gevoel makkelijk kunnen pakken. Zo'n kriebel die inspiratie betekende, die golf door haar bloed. Hij bleef weg.
Ze liet haar blik rusten op Daboecia Hall dat vanuit de slaapkamer te zien was, half verscholen achter de wijdvertakte ceders. Er hingen nevelflarden omheen. Die vluchtige nevel om dat solide gebouw gaf een strak contrast. Emma liet het achterwege om nogmaals de inspiratie op te roepen door middel van diep ademen.
Ze draaide zich om naar het bed. Paige lag er nog in, uitgestrekt, alle ruimte innemend nu zij haar plekje had verlaten. Ogen dicht, haar in de war, zijn kaken donker van de stoppels. Een heel andere schoonheid dan die daarbuiten, maar net zo onweerstaanbaar.
Emma liet haar handen onder het dekbed glijden naar zijn blote buik. Hij mocht daar nog zo uitnodigend liggen, hij moest opstaan. 'Hé schatje ...' fluisterde ze zachtjes.

'Hmmm ...' Hij was onwillig om wakker te worden, maar genoot van haar aanraking.
'Hé, Paige O'Brien, wakker worden.'
'Is 't al ochtend?' Hij rolde op zijn zij, trok Emma op bed. 'Of werd ik voor iets anders wakker gemaakt?'
Ze negeerde zijn insinuatie met een glimlach. 'Nou, wat dacht je van werk?'
Ze stond altijd als eerste op, maar Paige was onveranderlijk eerder klaar. Gedoucht, geschoren, fris en netjes in de kleren. Aan zijn gezicht was niet te zien dat hij amper een half uur eerder was opgestaan. Emma had, in tegenstelling tot Paige, geen moeite met opstaan, maar haar gezicht behield nog lang die kreukels van een nacht lang slapen.
Emma ontbeet in alle rust thuis. Paige deed dat lopend en gehaast in de Hall.
Op haar uit Nederland meegebrachte fiets vertrok ze naar haar werkplek: haar atelier. Het was dinsdag, die dag was voor Paige en Emma eigenlijk de eerste werkdag van de week, maar hun gezamenlijke vrije dag, de maandag, was er al een poosje bij ingeschoten.
De drukte in de Hall nam hand over hand toe. Het slokte ook Paiges enige vrije dag op. Geen klacht kwam over zijn lippen. Hij leek juist op te bloeien onder zijn steeds meer uiteenlopende zaken. Ze waren nu zeven dagen in de week ieder op hun eigen werkplek te vinden.
Emma en Paige woonden samen, in hun werk waren ze buren. Haar atelier lag niet ver van Daboecia Hall af. Er lag alleen een stuk bos tussen. Ze was in de gelukkige omstandigheid om zelf haar tijd in te kunnen delen. Ze was haar eigen baas. Schilderen was een dagtaak geworden. Door Paige voelde ze zich nog steeds nauw betrokken bij de Hall. Gewoonlijk haalde ze eerst een kop koffie bij hem in de keuken en nam daarbij de dag door, voordat ze zich achter haar schildersezel begaf.
Paige bevond zich in zijn hoekje van de keuken, papieren uitgestald, bellend, een frons van concentratie op zijn voorhoofd.
De onvermoeibare Eilis, die bij de vaste keukenbrigade hoorde, voorzag het koppel van koffie. Emma bedankte op gedempte toon om niet te storen in het telefoongesprek. Eilis knikte.
Paige legde neer. Hij klopte Emma op de knie: hij was er voor

haar. 'Onze buren van de stoeterij hebben ons iets goeds bezorgd. Ze hebben een kamer geboekt voor een aantal weken. We krijgen een Spaanse gast, ene Ramirez.'
'Heeft die man zo lang nodig om het paard uit te kiezen dat hij wil kopen?'
'Hij gaat geen paard kopen. Deze kerel schijnt een enorme paardenkenner te zijn. Hij is hier om advies te geven bij het fokprogramma.'
'Een hoge ome dus op dat terrein.'
Emma kende de mensen van de stoeterij vrij goed. Zij en Paige hadden zo'n twee jaar geleden een poosje intensief met ze te maken gehad. Vanwege een uitbreiding en een renovatie moest een oude stal gesloopt worden. Aan de noordkant van het bedrijf zou een nieuwe verrijzen. Aidan, Paiges oudste broer, kreeg daar lucht van, zoals van alles wat er op bouwgebied in en om Roundwood afspeelde. Hij tipte Emma. Ze was toch op zoek naar een ruimte waar ze haar atelier in kon vestigen? Het was gauw besloten. De stal werd gekocht. Aidan en zijn mensen knapten hem op. Niet lang daarna had Emma haar eigen werkplek.
Sindsdien zag Paige vaker mensen van de fokkerij met zakenrelaties in het restaurant voor een lunch. Af en toe werd er een kamer geboekt voor één of twee nachten. De nabijheid van Daboecia Hall was nuttig voor hen gebleken. Daar rolde nu deze reservering uit.
'Dit moet een mannetjesputter zijn, ja.'
Emma zag aan de verstrooide blik waarmee Paige zijn koffie dronk en in zijn papieren begon te rommelen dat hun momentje erop zat. Ze trok haar jasje aan. 'Ik dacht dat die mensen zelf al zoveel kennis bezaten. Er is dus toch iemand die nog meer weet van paarden.'
'In dit geval: señor Lorenzo Ramirez uit Malaga.'
Emma kuste Paige. 'Ik zie je nog, schat. Werk ze.'
'Goed, meissie, jij ook.'
Ze liep met de fiets aan de hand van het hotel naar haar atelier. Het tuinpad om de Hall heen ging over in een aantal onverharde bospaadjes en twee kwamen uit op het erf dat bij haar atelier hoorde. Aan de noordkant van haar werkplaats stonden minder bomen dan tussen het hotel en haar atelier. Emma kon

de rijbak van de stoeterij grotendeels zien. Ze was vertrouwd met de aanwezigheid van paarden. Als ze haar werk in de steek liet voor een pauze, ging ze weleens kijken bij de trainingen. In het midden stond dan een man of een vrouw die een paard aan een lang touw hield, een lange zweep in de andere hand. Het dier liep rondjes en de oren bewogen om de commando's op te vangen die de pikeur riep. Emma kon het amper horen, maar het paard pikte het op en gehoorzaamde. De trainers maakten geen bezwaar tegen haar bezoekjes, zolang ze zweeg. Mens en paard straalden bij die sessies zoveel concentratie uit dat ze het niet in haar hoofd haalde om geluid te maken.
Er hing een wat gesloten sfeer om de stoeterij. Als ze nog eens een paar woorden wisselde met één van de mensen van O'Reilly's, bleken ze in hun onderwerpen nogal beperkt te zijn. Onveranderlijk vriendelijk, maar wereldvreemd. Ze gingen helemaal op in hun paarden. Emma dacht dat die señor Ramirez dan wel helemaal een zonderling moest zijn.
Ze zocht naar de sleutel in haar tas. Ze moest niet oordelen. In de ogen van haar buren was zij wellicht net zo vreemd. Een Nederlandse die een relatie was begonnen met een Ierse hotelier, maar niet in zijn bedrijf meewerkte. In plaats daarvan scheen ze er gelukkig mee te zijn om te schilderen in een oude stal.
Ze stapte naar binnen en snoof de vertrouwde geur op. Dit was haar domein. Eentje die zo hevig verschilde met die van Paige. In haar atelier was het doodstil als de radio niet voor wat leven zorgde. Heel wat anders dan de hectiek die heerste in Daboecia Hall. De gasten zagen slechts het topje van de ijsberg. De vriendelijke bediening, de professionele uitstraling, terwijl het achter de schermen een heksenketel was. Een goed georganiseerde weliswaar, want het personeel kende zijn taken. Het was altijd werken onder tijdsdruk, de gasten wachtten immers?
Emma werkte in haar eentje. Haar concentratie straalde eerder rust uit dan dynamiek. Ook als ze niet alleen was, als ze les gaf, kwam het erop aan om geduld en kalmte te bewaren. Bij Emma speelde de hectiek zich vanbinnen af. Schilderen was een creatief proces, waarover ze niet eenduidig kon zijn. Soms was het een gevecht dat ze bijna niet kon winnen. Wat ze ook probeerde, het kwam niet goed uit haar penseel of potloden. Het werd te druk op haar schets, of het bleef schraal en minimalistisch op het can-

vas. In andere gevallen had ze geluk. Dan haalde ze het schilderij uit het doek alsof het er al die tijd in verborgen had gelegen. Die keren waren magisch. Dergelijk werk maakte haar gedachteloos. Dan was ze één met dat wat onder haar handen ontstond. Proporties en perspectief vonden een natuurgetrouwe weergave, komend vanuit een herinnering die niet vervormde. Haar geheugen kon selectief fotografisch zijn. Het stelde haar in staat om moeiteloos door te gaan.

Door veel te werken was haar talent gegroeid. Ze was ervaren en gedisciplineerd. Het was een comfortabele basis van waaruit ze nieuwe uitdagingen aandurfde. Fouten maken hoorde daarbij. Een gave hebben betekende nog niet foutloos zijn. Emma baalde van haar eigen blunders, maar ze accepteerde ze als een les. Als ze in haar schilderwerk een zeperd ondervond, dan kwam het omdat ze weer eens te ongeduldig was geweest. Tegenover haar cursisten slaagde ze er heel goed in om de rust te bewaren. Ze leerde hen dat schilderen tijdrovend is. Even iets in elkaar flanzen leidde niet tot succes. Als het misging bij Emma, kwam het meestal omdat ze zich de tijd niet gunde om het papier te laten drogen of juist omdat ze het niet nat genoeg maakte. Een fout die ze steevast moest betalen met de dubbele tijd die ervoor nodig was om het werk alsnog te voltooien.

Tijdens de lessen verzuchtten de cursisten weleens dat het haar allemaal zo moeiteloos afging. Dan pakte Emma haar misbaksels erbij. Als ze uitlegde waarom ze de boot was ingegaan, gaf dat veel hilariteit en de les bleef goed hangen. Geduld en heel veel oefenen, hield ze haar leerlingen voor, was de manier om vooruit te komen. Dat geldt voor alles, was de reactie die ze daarop al meerdere malen had gekregen. Daar was ze het van harte mee eens.

Die ochtend zag ze zich opnieuw geplaatst voor een project dat slechts ambacht betekende. Het was een opdracht die niets met talent en ervaring te maken had. Het was een aangenomen klus, waar ze niet achter stond. Ze was te professioneel om zich er met een Jantje van Leyen van af te maken. De voltooiing was echter een kwestie van doorzetten. Plezier beleefde ze niet aan het kinderportret. Ten eerste was het onderwerp daarvoor al te beladen. Emma had niet kunnen weigeren toen de ouders bij

haar kwamen met het verzoek om een portret te schilderen van hun overleden zoon. Die mensen gingen gebukt onder een groot verdriet. Ze durfde ze niet tegen te spreken toen ze hun wensen kenbaar maakten. Het jochie, dat op zevenjarige leeftijd was gestorven aan een ziekte waaraan hij vanaf zijn geboorte had geleden, moest afgebeeld worden tegen een achtergrond die ze smakeloos vond. Het ventje stond lachend op de foto, met de huiskamer op de achtergrond. Emma had hem willen schilderen in een comfortabele fauteuil, met een knuffelbeest in zijn handen. De ouders waren zeer nadrukkelijk in hun wensen. Er moest een achtbaan op de achtergrond komen, want daar had Jerry zoveel van gehouden.
Ze werkte aan het schilderij met een dubbel gevoel. Ze had medelijden met het arme kind, dat nooit gezond was geweest. Daarnaast was er de tegenzin om die foute achtergrond te schilderen.
De penselen en kwasten moesten gedroogd worden. Emma wreef ze in een oude doek. Ze nam plaats op haar kruk, haar blik op Jerry's foto, terwijl ze in gedachten ophaalde hoe ze de laatste keer de kleuren gemengd had. Dat was een subjectief proces. Ze verplaatste zich in het jongetje. Waarvan hield een jongen van zeven? Dit jongetje was bijzonder geweest door zijn ziekte, maar ongetwijfeld had hij voor stoere kleuren gekozen, net als zijn gezonde leeftijdgenootjes. De kleur was terug in haar herinnering. Ze begon te mengen.
Voor dit doek moest ze het van haar techniek hebben. Hierbij kwam geen bezieling kijken. Dat was mogelijk, zuiver op je techniek gaan. Toch zocht ze naar dat warme gevoel, diep in haar buik. Ze kreeg geen aansluiting. Dat bracht het kleine momentje van eerder die ochtend terug toen ze, de geur van de nieuwe dag opsnuivend, eveneens misgreep naar haar innerlijke bron. Dat het niet gebeurde bij aangenomen werk waar ze niet achter stond, was logisch. Daar was het bijna een gekozen blokkade die ze ertegenover zette. Opdrachten als deze waren dingen die je moest incasseren. Ook dit hoorde bij ervaringen. Ze werd er uiteindelijk niet slechter van.
Emma stapte van de kruk af, bij het schilderij vandaan, om het vanuit een ander perspectief te zien. Ze bond haar haren in een staart met een elastiekje. Waarschijnlijk zit er nu weer ergens

een blauwe veeg in mijn haar, peinsde ze. Jerry's portret werd goed. Er hing veel verdriet omheen door zijn overlijden. Op het schilderij toonde hij de wereld een lachend snoetje.
Emma riep zichzelf tot de orde. Het moest nu over zijn met die muizenissen. Een ouderpaar had een kind verloren en zij deed moeilijk over de opdracht die daaruit voortvloeide? En dat gepieker omdat ze een keertje geen contact had met haar talent? Waren dat haar zorgen? Dan ben je hard op weg om verwend te raken, meisje, foeterde ze in stilte.
Maar ik ben ook verwend, stelde Emma vast. Ze had van datgene waar ze het meest van hield, haar werk kunnen maken in een eigen studio. Dat was luxe. Dit tegenwicht, in de vorm van een ongewilde opdracht, was dan een geringe prijs om te betalen.
Haar blik dwaalde van het doek op de ezel af naar de dakramen. Tussen de oude gebinten, die bewaard waren gebleven bij de verbouwing, waren grote ramen gekomen in de muren en het dak, om zo veel mogelijk licht vanaf de noordkant binnen te laten. The Stables, toepasselijker naam was er niet voor een atelier dat eerst een paardenstal was geweest, was eigendom van Paige en Emma, maar sinds twee jaar was het haar plek. Ze had er haar eigen stekje, ruimte genoeg voor het uitstallen van haar benodigdheden. Er was plek voor een groep cursisten van acht personen.
Achter in de studio was een klein, maar compleet appartementje. In het keukentje was plaats voor een eethoek en er stond een bank. Er was een douche en een toilet in een compact hokje. Van het toilet maakten ook de cursisten gebruik. Daarom had Emma een gedeelte van het appartement afgeschermd met gordijnen. Erachter was het wat meer privé, daar stonden het bureau met haar computer en een bed. Ze had er nog nooit een nacht geslapen. Ze sliep het liefst in Paiges armen. Ze maakten weleens gebruik van het bed achter de gordijnen. Als Paige een paar uur vrij had in de middag, bedreven ze de liefde op het oude, krakende ledikant. Een betere storing in haar werk kon ze niet bedenken. Sterker nog, als Paige haar in zijn armen trok voor diepe zoenen, werd het werk bijzaak. De bedrijvigheid op Daboecia Hall gonsde verder en aan de andere kant gingen ze bij O'Reilly's verder met de trainingen van hun paarden, maar

Paige en Emma beleefden hun herdersuurtje in het schemerige hoekje van het appartement.
De cursisten, die op de lesavonden gebruik maakten van het toilet, hoefden niet te weten dat ze hier haar liefdesnestje had. De gordijnen dienden ertoe het bed aan het oog te onttrekken. Grinnikend bij de herinnering aan de heerlijke vrijpartijen die ze met Paige beleefde in dat afgeschermde hoekje, nam ze haar penselen weer op. Een positieve gedachte, een mooie herinnering verjoeg het gepieker. Ze was weer in de val getrapt die altijd op de loer ligt als je in je eentje werkt. Bepaalde gedachten bewerkstelligden een vrije val in haar stemming. Jezelf in de put denken ging zoveel sneller dan je eruit denken. Als ze in mineur raakte, sloten de muren van The Stables haar in op een beklemmende manier, die haar benauwde. Daarentegen, als er niets aan de hand was, was het een lieflijke plek. Het was, sinds ze de ruimte in gebruik had genomen, steeds meer een gezellig onderkomen geworden. In het zomerseizoen stond ze wekelijks op de markt in Roundwood, waar ook veel antiek werd verkocht. Veel van de aankleding van haar studio kwam daar vandaan. Langs de buitengevel van haar studio stond een verzameling potten, emmers, bakken en manden, die gevuld waren met planten, afkomstig uit de tuin van Daboecia Hall.
Het getringel van een fietsbel kondigde de komst van de postbode aan. Emma opende de deur alvast voor de man. Natuurlijk kon Jimmy Chilton de enveloppen door de brievenbus laten glijden, maar zo zat hij niet in elkaar. Een trotsere en secuurdere postbode dan de ietwat simpele Jimmy konden de plaatselijke posterijen zich niet wensen. Op zijn ronde maakte Jimmy een praatje met degenen die hij zijn vrienden noemde; en hij was een allemansvriend. De grootte van zijn ronde was waarschijnlijk aangepast aan zijn voorliefde voor babbeltjes met de dorpelingen. Emma stond bij Jimmy in hoog aanzien, omdat zij zo gul de buitenlandse postzegels op haar enveloppen aan hem afstond. Naast postbode en kletsmajoor was Jimmy ook nog filatelist. Aan het enthousiaste belletje te oordelen zat er vandaag weer een brief van haar moeder uit Nederland bij de post.
'Good morning, ma'am,' groette de man in wiens grote lichaam nog een kinderziel huisde.
'Good morning, Jimmy, lovely day isn't it?'

'Aye, 't is!' beaamde hij, met een onhandige, bruuske knik van zijn grote hoofd. Langer kon hij niet wachten om haar glunderend mede te delen dat ze weer post uit Nederland had. Niet in staat om rustig af te wachten, wiebelde hij zijn gewicht van het ene been op het andere.

Emma wist ondertussen hoe het spelletje gespeeld moest worden. 'Meen je dat nou, Jimmy?'

'Aye, ma'am, kijk maar!' Hij stak het stapeltje toe, de brief met haar moeders handschrift bovenop.

'Werkelijk!' reageerde Emma gespeeld-verbaasd. Ze bekeek de rest van de enveloppen, alsof ze Jimmy even vergeten was. 'Oh, wacht even, Jimmy. Wilde jij misschien de postzegel hebben?'

Zijn wangen trilden, zo hard knikte hij. 'Oh yes, ma'am, if you please!'

'Nu meteen zeker?'

Emma vreesde een moment dat de postbode zou omvallen, zo hevig wiebelde hij op zijn benen. Ze liep naar binnen om een schaar te pakken. 'Momentje, Jim.'

'Mag ik effe kijken wat u an het schilderen ben?' Op slag een stuk meer timide, betrad hij het atelier.

'Kijk maar even, hoor, maar je weet het, hè?' Emma keek hem vanonder haar wenkbrauwen aan.

'Nergens ankommen!' Als een welopgevoede kleuter sloeg hij zijn handen op zijn rug. Hij herkende het geportretteerde jochie. 'Dat is Jerry Brennan. De kleine stumper.'

'Dus je hebt hem gekend?'

Weer een stevige knik. 'Aye!'

'Dan kun je ook wel zeggen of het goed wordt.' Emma trok een serieus gezicht.

Jimmy bloosde. Nu werd er wel heel plotseling vertrouwen in zijn deskundigheid gesteld. 'Het jochie staat er lief op, maar die achtbaan vind ik geen gezicht.'

Lachend sloeg Emma hem op de schouder. 'Jim, je hebt er kijk op!'

Hij stopte de postzegel zorgvuldig in de zak van zijn dienstoverhemd.

'Misschien heb je wel talent? Zeg, dan kom je les nemen bij mij.'

Zo gemakkelijk was Jimmy Chilton niet beet te nemen. 'Op de dag dat u bij mij in de leer komt als postbode.'

Lachend nam ze afscheid. 'Ik moet weer aan de gang. Doe je de groeten aan je ouders? Tot ziens, Jimmy.'
Als antwoord kreeg ze weer die karakteristieke knik. 'Goodbye, ma'am.'
Ze nam haar post weer op. Wat had ze in de gauwigheid gezien daarnet? Een brief van het Kilkenny Design Centre. Haar pink rafelde de envelop. Haar ogen vlogen over de regels. Het centrum wilde een expositie organiseren in mei van het volgend jaar. Het organisatiecomité nodigde daarvoor alle in Ierland gevestigde artiesten die uit het buitenland afkomstig waren, uit. Het thema luidde dan ook: Ierland, gezien door buitenlanders. Bij interesse graag zo snel mogelijk opgave. Op de rest van de informatie sloeg ze minder acht, omdat ze in gedachten de betekenis en de mogelijkheden langsging.
Het Kilkenny Design Centre was een vooraanstaand collectief. In de kunstwereld genoot het een grote bekendheid. Ze was er zelf nooit geweest, maar kende de reputatie van het centrum dat in een gedeelte van een oud kasteel gevestigd was. Het was een eer om uitgenodigd te worden, zelfs nu de selectie wat breed was. Kunstkenners en verzamelaars uit de hele wereld wisten de weg naar Kilkenny te vinden. Een plaatsje in het centrum krijgen betekende dat je naam op de kaart stond.
Emma zeeg op haar kruk neer. Even haakten haar gedachten nog vast aan de betekenis van de uitnodiging, voordat ze begonnen te buitelen over wat ze ging schilderen, hoeveel doeken en hoe ze dat ging indelen bij haar andere werk. Haar handen lagen weliswaar stil in haar schoot, maar ze jeukten al. Het verzoek had dezelfde uitwerking als altijd wanneer ze voor een stevige uitdaging werd gezet. Alsof de deur naar een nieuwe schatkamer werd geopend. Bleef daar maar eens weg. Emma zei nooit nee tegen een opdracht. Dit was zoveel meer, dit was een gouden kans.
Ze had de uitnodiging aangenomen.
Ze ging het nog bespreken met Paige. Hij zou geen bezwaren aanvoeren, dat wist ze al van tevoren. Hij juichte het altijd toe, als Emma nieuwe wegen ging bewandelen op schildergebied. Haar geliefde was er een voorstander van dat ze haar talent zo veel mogelijk ontplooide. Zo direct ging ze weer naar de Hall om iets voor de lunch op te halen of daar te gebruiken. Dan kon

ze Paige vertellen wat haar ten deel was gevallen. Ze greep niet meteen naar haar mobiel om het hem mede te delen. Ze hield het nog even voor zichzelf, zodat het op haar kon inwerken.
Paige nam haar als kunstenares een stuk serieuzer dan zij zichzelf deed. Hij was van mening dat hij haar gekooid hield, omdat ze een relatie hadden. Soms leek het of hij bang was haar te verliezen als hij haar in haar artistieke vrijheden beperkte. Paige hoefde niet te denken dat hij haar in hun relatie kooide, als Kilkenny Design Centre haar al had ontdekt.
Emma zag niet hoe een relatie haar talent in de weg kon staan. Ze vond derhalve dat heilige ontzag van Paige voor haar artistieke kant een beetje overdreven. Hij was juist een tegenwicht in haar leven. Hij hield haar voeten op de grond. Haar leven zou zoveel eenzijdiger zijn als ze het niet deelde met een partner. Haar relatie had haar leven verrijkt. Emma hing de gedachte aan dat dat invloed had op haar werk.
Emma schilderde zoveel dat Paige niet meer elk afzonderlijk werk kende, maar hij was een trouwe bewonderaar. Hij vond het prachtig als haar ster weer een stukje verder rees, zijn angst verbijtend dat ze hem nog eens zou ontglippen als ze te groot voor hem werd. Uiteraard wilde Emma verder met schilderen. Ze vergiste zich niet in de macht van publiciteit, maar roem zei haar weinig. Daar hoefde Paige echt niet bang voor te zijn. Als ze moest kiezen tussen schilderen of haar geliefde, dan koos ze zonder aarzelen voor de laatste.
Na een dag schilderen zat ze nogal eens 'in haar hoofd'. Niets woog daar beter tegen op dan Paige met zijn aardse problemen rondom Daboecia Hall. Andersom, om hem te vermaken en om hem te helpen relativeren, vertelde ze over haar beslommeringen, maar dat woog nauwelijks op, vond ze. Haar problemen waren niet groter dan lege tubes en pasteltabletjes of zo nu en dan een verknald doek. Een blokkade zoals ze in Nederland een paar keer had meegemaakt, dat joeg haar angst aan. Niet weten wanneer en of haar gave weer terugkwam, dat was een verschrikking. Zeker nu haar penselen haar broodwinning betekende. Terugvallen op Paige, van zijn inkomsten leven, het was ondenkbaar voor Emma.
Aangekomen op dat punt in haar gedachten, wrong ze haar handen, die eerder werkeloos maar jeukend in haar schoot lagen.

Ierland, gezien door buitenlanders, dat was het thema voor de expositie. Het eerste wat haar te binnen schoot, was haar eigen omgeving weer te geven en dat in te zenden voor de tentoonstelling. Juist die morgen was gebleken dat haar woonplaats niet meer inspireerde. Was dat slechts één moment geweest? Of waren Roundwood en omgeving niet langer bronnen om uit te putten? Eerder die morgen had ze het weggelachen door de verhitte gedachten die op de voorgrond traden, maar misschien was het toch iets ernstiger dan dat. Was ze stiekempjes weer bezig tegen een blokkade aan te lopen? God verhoede!
Haar mobieltje ging over. Paige stond er in de display.
'Dag lief,' begroette Emma haar vriend.
'Hi Em, hoor 'es, ik moet vanmiddag naar Avoca om inkopen te doen. Heb je zin om mee te gaan? Of heb je niks nodig? Misschien heb je niet eens tijd?'
'Oh, geweldig! Ja, ik heb van alles nodig voor de cursussen die volgende week van start gaan. Ik ga graag mee.'
'Zullen we afspreken dat je over een half uur in de Hall bent, dan eten we eerst nog even wat. Daarna kunnen we weg.'
'Dat geeft mij mooi de gelegenheid om mijn lijstje uit te printen. Ik zie je over een half uur. Tot straks.'
'Tot straks.'
Opnieuw een obstakel in de voltooiing van het portret van de kleine jongen. Het was maar goed dat ze een ruime periode had afgesproken met zijn ouders.
Tegen enen, op de afgesproken tijd, sloot Emma de studio af. Op dat moment dacht ze aan de brief van haar moeder. Ze draaide zich om om weer naar binnen te gaan en 'm te pakken, toen ze voetstappen hoorde. Iemand kwam naderbij over het pad van houtsnippers. De man kon een werknemer van O'Reilly zijn. De lange waxcoat met pelerine hing tot op zijn kuiten. Hij droeg een leren hoed met een vlechtbandje. Hij koos voorzichtig zijn pad, alsof hij hier vreemd was. Zijn blik was naar de grond gericht. Dat deed Emma vermoeden dat hij niet van de stoeterij was. Daarvoor kwam hij ook van de verkeerde kant. Hij was niet eens een Ier, zag ze, toen het haar opviel hoe bruin zijn handen waren. Ze maakte geen enkel geluid, toch merkte hij haar op. Hij schrok niet van haar aanwezigheid. Kalm richtte hij zijn hoofd op. Emma's adem stokte. Zijn bruine ogen kne-

pen even samen om beter te focussen. Ze kende die halve, scheve glimlach die hij haar als groet schonk. 'Señora.' klonk het ademloos, hij knikte erbij. Zijn gezicht was donker, getekend door een buitenleven, zijn ogen waren bruin in plaats van blauw, maar het was alsof ze Paige zag. Onverstoorbaar liep de man verder, uiteraard in de richting van de stoeterij. Dit kon niemand anders zijn dan Lorenzo Ramirez, de Spanjaard die O'Reilly's van advies ging dienen en die te gast was in Daboecia Hall.

Emma keek hem na. Hij liep voorbij de rijbak naar de stallen en werd begroet door Derek Richardson, de man die de scepter zwaaide over het bedrijf. Hij nam zijn hoed af. Zelfs zijn haar leek op dat van Paige. Ze zag hem nu van een afstand. Het maakte de gelijkenis nog sprekender. Paige won het in lichaamslengte. Waar haar Ierse geliefde boven de één meter negentig uitkwam, bleef de Spanjaard daar een aantal centimeters onder steken. Daar vergiste Emma zich niet in, ook al droeg de man rijlaarzen met een hoger dan gemiddelde hak.

Om te voorkomen dat hij haar zag staren, maakte ze zich uit de voeten. De bruine ogen keken haar echter nog steeds aan. Met het korte oogcontact had hij indruk gemaakt. Het gebeurde ook niet dagelijks dat je de dubbelganger van je man tegenkwam, al was het dan de mediterrane uitgave. De Spanjaard was ouder dan Paige, ergens voor in de veertig. Waarschijnlijk zag Paige er zo uit over een jaar of zes. Lorenzo Ramirez was een boeiende verschijning. In artistiek opzicht kennelijk, want haar handen begonnen te tintelen. Wat zou ze hem graag op doek willen vastleggen!

'Waar is Paige?' vroeg Emma aan Eilis, toen ze hem niet in de keuken trof.

'In de tuin, helemaal achterin, bij de fruitbomen of de uienbedden.'

'We zouden samen lunchen en daarna naar Avoca gaan,' legde ze uit.

'Weet ik.' Eilis stak haar het bordje met sandwiches toe. 'Breng het hem maar. Je kunt best buiten eten. Het is lekker weer.'

Emma lachte om Paiges werkneemster. Ze deed zich altijd wel robuust voor, maar ze was een groot liefhebster van romantiek.

Al was het maar dat twee geliefden samen hun broodjes konden opeten op een tuinbankje.
Emma floot naar haar vriend toen ze de tuin inliep. Vanuit de verte kwam hij aanlopen.
'Ik dacht: hij zit vast op me te wachten,' lachte ze, omdat dat nooit het geval was als ze hem op de Hall trof. Paige was altijd ergens mee bezig.
Hij trok haar in zijn armen voor een kus. 'Hé meissie, kijk 'es wat een oogst aan uien ik heb. Eilis en ik kunnen weer een vracht chutney maken. En de appels zijn ook rijp,' voegde hij eraan toe, toen er eentje voor hun voeten op de grond plofte. Hij pakte een sandwich. 'Hoe was jouw ochtend?'
'Verwarrend.' Emma nam plaats op de tuinbank, het bordje op haar knieën. Ze wilde beginnen over de Spanjaard, die zo'n indruk had gemaakt, maar er was iets dat veel belangrijker was. 'Ik ben uitgenodigd door het Kilkenny Design Centre voor een expositie volgend jaar mei.'
'Hè?' hijgde Paige onelegant, terwijl hij op de bank naast haar ging zitten. 'Emma?'
Ze lachte om zijn verblufte gezicht. 'Ja, goed hè? Of vind je dat ik niet moet meedoen?'
Paige verslikte zich bijna in zijn haast om antwoord te geven. 'Natuurlijk moet je meedoen! Dat is ... och! Je zit me te stangen!'
Emma legde hem uit dat Kilkenny buitenlandse, in Ierland wonende kunstenaars had uitgenodigd hun visie op het nieuwe vaderland te geven.
'Wat ga je schilderen? Heb je al enig idee?'
Emma had het juist ingeschat, dat Paige helemaal voor het idee was. Hij leek wel enthousiaster dan zijzelf. Dat kwam wellicht door die vreemde leegte die ze eerder op de ochtend gevoeld had.
'Ik dacht eraan Roundwood en omgeving te schilderen, maar ... ik weet niet of ik dat nog steeds een leuk onderwerp vind.' Dat zei het duidelijk genoeg voor Paige, vond ze.
'Het onderwerp is heel breed gehouden, als ik je goed begrijp. Je bent dus niet aan Roundwood gebonden.'
Paige had helemaal gelijk. Ze was veel te kortzichtig geweest. Door dat navelstaren had ze problemen gezien die niet bestonden. De dreigende wolken die haar hadden achtervolgd, ver-

dwenen op slag. Er was niets meer aan de hand geweest dan het feit dat ze, op een beïnvloedbaar moment, geen gezelschap had dat haar kon helpen relativeren. Paige had haar humeur flink opgebeurd.
'Dat is waar. Ik heb er nog niet goed over nagedacht. Het kan natuurlijk van alles zijn.'
Voor de zoveelste keer maar weer verpletterend eerlijk, zei Paige: 'Ik ben trots op je.'
'Dat weet ik, lieverd, dank je wel.' Ze streelde zijn wang. 'Maar je zegt het te vroeg. Ik heb alleen nog maar de uitnodiging ontvangen.'
'Ik vermoed dat Thomas MacDonnell hier achterzit.'
'Hè Paige, nu doe je alles weer teniet. Ik wilde zo graag denken dat ik die uitnodiging op eigen verdienste had gekregen.' Ze sloeg de kruimels van haar benen. 'Maar het zou best kunnen. Thomas is een enorme promotor geweest.'
De uitgever uit Dublin had ervoor gezorgd dat Emma een eigen expositie had gekregen een paar jaar geleden, uitgerekend in Daboecia Hall. Door die expositie waren Emma en Paige uiteindelijk een paar geworden. Het was hun grapje dat Thomas hen gekoppeld had. Waarschijnlijk was de uitgever zich niet van zijn koppelkwaliteiten bewust. Wel bezat hij een enorme geestdrift. Als hij ergens warm voor liep, zelfs al viel het buiten het uitgeven, ging hij er helemaal voor. Destijds had hij zijn Nederlandse collega, Laurens de Groot, voor zijn karretje gespannen. Laurens moest Emma bewerken om materiaal voor de expositie te leveren.
'Ik zal die kleine krullenbol eens bellen. Eens horen of hij er meer van weet.'
'Wil je er niet eerst eens gaan kijken, in dat centrum?' vroeg Paige.
'Ja, dat zou ik wel willen. Kun jij met mij meegaan?'
'Oh meissie, het is een gekkenhuis hier. Ik zie niet hoe ik er op dit ogenblik tussenuit kan breken. Misschien wil ma wel met je mee. Is dat een waardige plaatsvervanger?'
'Ik heb het liefste jou mee, maar je moeder kan er goed mee door.' Emma had een goede band met haar schoonmoeder. Een middag met Maeve op stap zou wezenlijk anders zijn dan met Paige, maar niettemin leuk. Maeve en Emma zouden al kweb-

belend het Kilkenny Design Centre aan een onderzoek onderwerpen. 'Is ze al terug van vakantie?'
'Jawel, gister.'
'Heeft ze jou gebeld?'
'Nee, Maura heeft net een mailtje gestuurd. Een cc-tje naar jou.'
'Heb mijn mail nog niet gecheckt,' bekende Emma. 'Vreemd dat ze niet gebeld heeft. Niets voor Maeve.'
Ze kwam terug op Paiges eerdere vraag. 'En dat was nog niet eens alles wat ik vanmorgen heb meegemaakt.' Emma stak haar wijsvinger op.
'Oh, dat vingertje weer ... Nu komt er wat!' wist Paige.
'Ik heb je dubbelganger gezien! Het is die Spaanse gast die hier logeert, die Lorenzo Ramirez. Hij lijkt precies op jou.'
'Oh ja?' Het zei Paige niets.
'Heb je hem nog niet gezien dan? Hij kwam daarnet langs de studio lopen.'
'Nee, Margreth heeft hem ingeschreven en ik heb haar er niet over gehoord.'
'Hij is donkerder, heeft bruine ogen, hij is een jaar of zes ouder dan jij en een paar centimeter kleiner.'
Paige was niet onder de indruk. 'Klinkt als het sprekende evenbeeld van mezelf. Geen wonder dat Margreth het niet over hem gehad heeft. Ik denk dat je verbeelding een tikkeltje overspannen is, mijn lief.'
'Nou, ik schrok er toch van.'
'Dat kan, wij knappe kerels maken nou eenmaal verpletterende indrukken.'
Emma praatte over Paiges uiting van zelfingenomenheid heen. 'Ik zou hem wel willen schilderen, deze señor Ramirez. Wil jij hem vragen of hij daarvan gediend is?'
'Dat doe je zelf maar, hoor. Je zult meer van hem te zien krijgen dan ik. Hij moet in de buurt van jouw atelier aan het werk.'
'Ik ken hem toch niet?'
'Lieve meid, ik ook niet. Luister, hij moet hier een aantal weken zijn. Er doet zich wel een gelegenheid voor. Je loopt toch wel eens naar O'Reilly's voor een praatje?'
'Ja.'
'Dan knoop je binnenkort eens een praatje aan met mijn evenbeeld.'

Voor Paige lag het niet zo ingewikkeld. Emma had meer moeite met het idee. Lorenzo Ramirez leek haar nou niet bepaald de benaderbare man bij uitstek. Hoewel hij veel op Paige leek, was zijn uitstraling veel strenger. De Spanjaard leek nogal op zichzelf te zijn. Dat had ze uit die korte ontmoeting wel opgemaakt. Dat hoofse knikje, dat kortaf uitgesproken woordje.
'Nou, gaan we nog naar Avoca?' Paige haalde haar uit haar overpeinzingen.
'Jazeker. Het was tof van je om me mee te vragen.' Het was een goede gelegenheid om in zijn buurt te zijn. Die wilde ze wel aanpakken. 'Ik wilde eigenlijk zelf gaan, op donderdagmiddag.'
'Dan had je de auto niet kunnen krijgen, schat. Donderdagmiddag moet ik in Dublin zijn voor een bespreking met de man die de website bouwt voor de winkel. Caitlin gaat mee. Darryl gaat de site met ons doorlopen voor een laatste controle voordat-ie online gaat. En we hebben ook nog een afspraak met de mensen van Superquinn.'
'Dat is waar ook. Die middag had je al wat anders. Was ik vergeten.'
'Zeg Em … een ideetje. Jij wilde donderdagmiddag naar Avoca, maar daar gaan we zo direct al heen. Heb je nu die middag over?'
'Och, over niet direct, maar ik kan wel wat schuiven met mijn schema. Hoezo?'
'Misschien kun je die middag met mijn moeder naar Kilkenny.'
'Goed plan. Als je moeder ook kan …'
Paige liet zijn mobieltje al over gaan. 'Gooi de tank maar vol op mijn pas.' Hij duwde Emma het telefoontje in handen. Voordat haar schoonmoeder opnam, kon ze nog net zeggen: 'Dat is tof van je. Dank je wel.'
'Maeve O'Brien,' klonk het op de bekende bedeesde en vragende toon.
Emma groette en legde Maeve de vraag voor. Ze kon haar verhaal bijna niet doen door de verheugde en enthousiaste uitroepen. De afspraak was gemaakt. Net voordat ze wilde ophangen, vroeg Emma nog: 'Hoe was je vakantie?'
'Goed … goed. Daar hebben we het nog wel over op weg naar Kilkenny. Ik zie je donderdag.'

Paige had niet alleen de leiding over het hotel-restaurant. Daarnaast was hij bezig met het verder uitbouwen van de winkel die bij Daboecia Hall hoorde. De tuin bij de Hall, waar twee tuinmannen fulltime werk hadden, bracht zoveel op dat het te veel was voor het restaurant zelf. Dat overschot aan groente en fruit werd verkocht in The Daboecia Shop in Roundwood, als jam, compotes en chutneys. Je kon er allerlei soorten koffie en thee krijgen. Veel gasten van het restaurant vroegen om recepten van de gerechten die ze hadden genoten. Van een aantal werden ook daarvan de ingrediënten verkocht. Daarnaast waren er zowel verschillende soorten meel te koop om thuis brood van te bakken als kant en klaar gebakken brood. Er was kookgerei te koop. De winkel bood een aantrekkelijk assortiment dat zich steeds verder uitbreidde. Hij werd gedreven door Paiges zuster, Caitlin, en een aantal medewerksters. De website was bedoeld om aankopen via internet mogelijk te maken. Bovendien bereikte je er een veel groter publiek mee.
Als Paiges plannen lukten, waren The Daboecia Shop en internet binnenkort niet de enige verkooppunten van de huisgemaakte producten. Hij was in onderhandeling met Superquinn, de grootste supermarktketen in Ierland, om een plekje op hun delicatessenafdeling te krijgen. Van een eigen plaatsje in de schappen was hij al bijna zeker, de besprekingen traden nu meer in detail. Als Paige terugkwam van zo'n bijeenkomst, had hij het over marketingconcepten en dergelijke. Allerlei slimme handelsstrategieën die Emma's pet te boven gingen. Ze wist wel dat hij met iets groots bezig was. Daboecia kon, met de steun van Superquinn in de rug, uitgroeien tot een in heel Ierland bekende handelsnaam. Met het hotel als vriendelijk en landelijk front, mikte Paige op nationale bekendheid voor zijn bedrijf en producten. Het was heel ambitieus, zozeer dat het Emma wel eens duizelde. Het maakte haar trots. Al keek ze dan vanaf het randje toe, ze was trots op wat Paige bereikt had en nog wilde bereiken.
Als hij eenmaal binnen was bij Superquinn, wilde hij zijn assortiment uitbreiden. Hij zat zelf vol ideeën, maar nieuwe waren nog altijd welkom bij hem.
Daar was Emma wel eens bang voor. Dat Paige het door die vele bedrijfstakken zo druk zou krijgen, dat ze hem amper meer te

zien kreeg. Maar hij was zo bevlogen dat ze dat niet durfde uit te spreken. Ze kon hem niet beknotten in zijn ambities, terwijl hij haar ook altijd motiveerde om haar grenzen te verleggen en haar horizon te verbreden.

Toen Emma exposeerde in Daboecia Hall, bijna vier jaar geleden, was Paige bezig met het opzetten van de verkoop van eigen producten. Het begon op kleine schaal. De potjes stonden op een hoekje van Margreth's balie. Nu was er een hele winkel voor nodig, waar zeven medewerkers elkaar afwisselden.

Bij de eerste evenementen die werden georganiseerd in Daboecia Hall waren er slechts zeven personen actief in de bediening, inclusief Paige. Nu waren het er meer dan twintig.

Nadat Emma bij Paige was komen wonen, had ze geprobeerd haar eigen rolletje te vervullen in de Hall. Ze had achter de bar gestaan, ze had geserveerd. Een kortstondige periode had ze iets willen betekenen in de keuken, maar het werkte niet. Ze was niet voor het horecabedrijf in de wieg gelegd. De aard van het werk lag haar niet. Daarbij was Paige, als hij achter het fornuis stond, een autoritaire en strenge heerser over de keuken. Zijn woord was wet. De hectiek maakte dat hij wel eens ongezouten kon uitvallen als zijn medewerkers niet onmiddellijk zijn bevelen uitvoerden. Dat bracht het werk in een restaurantkeuken met zich mee. Emma kon daar niet tegen. Ze nam dat dilettante gedrag persoonlijk op, al was Paige de beminnelijkheid zelve als hij zijn kokstenue niet droeg.

Er waren meerdere redenen waarom Emma niet paste in de organisatie. Ze had haar eigen werk op schildergebied. De combinatie van werkzaamheden bleek niet gelukkig. Ze kwam in de knoei met haar tijdsindeling. Toen ze verhuisde van Nederland naar Ierland, reisden er al een paar schilderopdrachten met haar mee. Ze had nog werk te doen voor Laurens, haar Nederlandse uitgever en een goede vriend. Thomas MacDonnell, de uitgever uit Dublin, bezorgde haar al voor haar vertrek uit Nederland een opdracht voor een boekomslag. Er waren een paar bestelling voortgekomen uit de expositie die ze had gehouden in de Hall. Niet lang na haar besluit om niet meer in Daboecia Hall te werken, begon ze in kleine groepjes van twee, drie mensen les te geven. Bij gebrek aan geschikte ruimte vond dat plaats in de cottage die ze deelde met Paige. Hij was er niet zo blij mee dat er vreemden in zijn privédomein drongen, maar er was geen andere oplossing. Voor die lessen had Emma een hoekje in de bijkeuken ingeruimd. Het duurde niet langer dan één winterseizoen. In het voorjaar hielden de lessen weer op. Dan was er tijd om vrij werk te maken, waarmee ze ook demonstreerde op de markt in Roundwood. Het zomerseizoen liep nog volop, met de wekelijkse marktsessies die haar veel werk bezorgden, toen het bericht kwam dat The Stables gesloopt ging worden als er geen andere bestemming voor gevonden werd. De cottage werd weer het knusse, rustige privédomein van Paige en Emma. The Stables huisvestte vanaf september twee jaar eerder, alle activiteiten die Emma op schildergebied ontplooide. Het speet haar zeer dat ze niet kon meekomen in Daboecia Hall. Paige had het haar nooit gevraagd. Het was voor Emma een min of meer uitgemaakte zaak dat ze meewerkte in het bedrijf van haar man. In de eerste weken van haar verblijf was het een oplossing. Ze zat in ieder geval niet werkeloos thuis haar heimwee te koesteren. Als ze nu terugkeek, moest ze inzien dat Paige met Daboecia Hall en zij met haar atelier in korte tijd ver gekomen waren. Ze zaten beiden nog vol met plannen, ieder op hun eigen gebied. Er was nog zoveel te doen. Emma had nu in Ierland haar bestaan. Nederland was ver weg. Haar oude vaderland drong zich af en toe nog aan haar op in de vorm van heimwee. Dat ze haar familie en vrienden in Nederland maar weinig zag, was de prijs die ze moest betalen. Spijt had ze echter niet. Ze kwam in Ierland veel beter tot haar recht dan ze in Nederland ooit had gekund. Bovendien was ze bij haar geliefde Paige. Ze hield zich altijd voor dat de heimwee sterker was geweest als ze er indertijd niet voor had gekozen om met Paige te gaan samenwonen.

HOOFDSTUK 2

Eén van de taken die Emma minder graag deed, was de administratie. Toch hield ze die wekelijks bij, met de oude discipline die ze had overgehouden uit de tijd dat ze nog op kantoor werkte. Het voorkwam dat ze door haar papier of linnen heen raakte. Zo kreeg ze geen onplezierige verrassingen waardoor ze haar werk moest opschorten. Ze had in haar computer opgeslagen wat ze nodig had voor de cursisten. Als het tijd werd om inkopen te doen, stuurde ze haar lijst per e-mail door naar de groothandel in Avoca. Haar bestelling werd klaargezet om opgehaald te worden. Of ze ging samen met Paige op pad, zoals een paar dagen geleden het geval was, om haar bestelling zelf bij elkaar te zoeken. Doorgaans gingen er dan een paar artikelen mee die niet op de lijst stonden. Ze kon het bijna niet laten, zeker als er nieuwigheden binnengekomen waren. Emma mocht graag experimenteren.

Via internetbankieren kon ze bijhouden wie van zowel de cursisten als de opdrachtgevers er betaald hadden of niet. Het nabellen was de minst plezierige kant van die administratieve klus. Ze moest moed verzamelen om te bedelen. Het was een klusje voor de avonduren, omdat dan de meeste mensen thuis waren. Om de vervelende kant een beetje te verzachten, installeerde Emma zich zo prettig mogelijk. Op die avond in september trof ze het bijzonder. Het was heerlijk om nog even buiten te zitten in de stralen van de ondergaande zon. Op haar laptop vergeleek ze de lijst van inschrijvingen met haar rekeningoverzicht. De deur van het atelier stond nog open en de muziek uit haar cd-speler dreef naar buiten. Daardoor miste Emma de zachte voetstappen die naderden.

'Buenas noches.'

Ze schrok op. De Spanjaard stond op het paadje waar dat afboog naar Daboecia Hall.

'Mil excusas. Ik wilde u niet laten schrikken. Goedenavond.'
'Oh ... goedenavond.' Emma's hand lag nog op haar hart. Hij wilde doorlopen, maar bedacht zich. Hij keek op zijn horloge. 'Woont u hier?'
'Ik woon hier niet. Al zou het kunnen.'
'Dan bent u nog laat aan het werk,' merkte Ramirez op.
'Dat kan ik dan van u ook zeggen,' repliceerde Emma.
'Och, ik ben gewend aan deze werktijden.' Hij verliet het paadje en liep op haar af. Ze stond op toen ze zag dat hij zijn hand uitstak om zich voor te stellen.
'Lorenzo Ramirez, of beter de man die u schrik aanjoeg.'
Ze lachte, zich bewust van de stevige greep van zijn hand, ze voelde eelt in de palm. 'Emma Terheyden, aangenaam. Ik moet bekennen dat ik uw naam al kende.'
Hij fronste zijn wenkbrauwen. 'Hoe kan dat?'
'U logeert in het hotel van mijn partner. In Daboecia Hall. Hij heeft mij uw naam genoemd.'
Ze bestudeerde de wisselende uitdrukkingen op zijn gezicht. Van zo dichtbij zag ze de eigenheid van zijn gelaat. De gelijkenis met Paige ging niet zo heel diep. Lorenzo Ramirez hield een bepaalde strengheid in zijn gezicht, zelfs als hij worstelde met verwarrende informatie, zoals Emma die hem net verstrekte. Hij had iets ascetisch in zijn trekken. Hij was mysterieus, ondoorgrondelijk. Dat kwam waarschijnlijk omdat ze hem niet zo goed kende, besloot ze. Maar aantrekkelijk was hij zeer zeker. Haar handen begonnen weer te tintelen. Ze wilde deze man beslist schilderen. Dit was alleen niet het moment om het hem te vragen. Hij had zich amper voorgesteld. Ze moest geduld hebben met haar vraag.
'Dat moet Paige O'Brien zijn. Is hij uw man?'
'Ja, hoewel we niet officieel getrouwd zijn.'
Lorenzo knikte. 'Ik ben op weg om te gaan eten in Daboecia Hall. Ik heb begrepen dat uw man tevens kok is, naast manager.'
'Dat is nog lang niet alles wat Paige doet,' deelde ze mede, in het midden latend wat Paige dan nog meer deed.
'En u heeft uw werk hier?' Lorenzo wees op de laptop.
'Dat klopt, maar dat is dit niet, hoor.' Ook zij wees op de computer.

In een stille vraag hield hij zijn hoofd schuin. Die pose wil ik ook hebben, flitste het door Emma heen. 'Ik heb hier mijn atelier. Ik ben schilderes.'
'Dat maakt van u beiden een bijzonder paar. Zoveel ondernemingszin en creativiteit verenigd.'
'Oh ... eh ...' reageerde Emma, niet bijster snugger. 'Dank u voor het compliment.'
'Het maakt me wel nieuwsgierig.'
'Ik wil u wel laten zien waar ik mij mee bezig hou.'
'Ik heb nu niet genoeg tijd om het eer aan te doen, maar een andere keer graag.'
'Dat vind ik leuk. Ja, komt u gerust eens kijken.' Emma glimlachte. Dit had het ijs al een beetje gebroken. Plompverloren vragen of hij wilde poseren kon natuurlijk niet. Daarvoor moest een gepaste gelegenheid komen. Maar ze hadden de eerste kennismaking al achter de rug. Lorenzo viel best mee. Hij was wat formeel, hoffelijk zelfs, maar misschien waren dat de Spaanse omgangsvormen wel waaraan hij gewend was. Hij was in ieder geval niet de ongenaakbare, onbereikbare vreemdeling voor wie ze hem eerst had gehouden.
Lorenzo verplaatste zijn gewicht van de ene voet op de andere, zoekend naar een manier om het gesprek te beëindigen. Ook dat deed hij weer uiterst beschaafd. 'Tot een volgende keer. Hasta la proxima vuelta.'
'Goedenavond.' Nu was het Emma die knikte.
'Buenas noches.'

Op de afgesproken donderdagmiddag haalde Maeve Emma op bij de cottage. De begroeting was, zoals altijd, hartelijk.
'Hallo, Maeve, goed je weer te zien. Je bent lang weggeweest! Drie weken! Je ziet er goed uit!'
'Dank je wel, Emma.'
'Donegal is je dus goed bevallen?'
'Twijfelde je daaraan?' vroeg Maeve.
'Donegal lijkt me zo ... grauw,' bekende Emma.
'Donegal is overweldigend!' verbeterde Maeve en veranderde van onderwerp. 'Ik wil alles weten van die expositie!'
Emma overhandigde haar eerst de uitnodiging.
'Wat geweldig dat ze je op het spoor gekomen zijn!'

'Ik denk dat iemand mijn geluk een handje geholpen heeft.'
'Dat heeft hij dan terecht gedaan. Je verdient de erkenning.'
'Dank je, Maeve.' Emma boog het hoofd.
'Ik zie dat je jezelf nog steeds verbetert als ik in het atelier kom. Je werkt keihard. Dat mag gerust beloond worden.'
'Oef.' Emma wist geen weg met al die lof.
'Ja, ik weet wel hoe jij erover denkt. Je blijft schilderen, erkenning of niet, omdat je dat nu eenmaal het liefste doet.'
Emma spreidde haar handen in een gebaar van: zo is het precies.
Maeve zette haar bril op. 'Zeer terecht. Je zult niet uit de toon vallen tussen de andere importartiesten.'
Nadat ze de tank volgegooid hadden, op Paiges pas, vertrokken ze naar Kilkenny. Emma's nog betrekkelijke jonge schoonmoeder reed onvervaard de vele kilometers naar de hoofdstad van de naburige county. Het viel Emma op dat het Maeve niet afschrok om zoveel dingen alleen te doen.
'Voelde je je niet alleen, daar in Donegal?' vroeg ze.
'Nee, ik vond het niet erg. Vergeet niet, Emma, dat ik al tien jaar weduwe ben. Ik ben het langzamerhand gewend alleen te zijn. Natuurlijk kan niemand de plaats van Patrick innemen, maar verder is dat alleen zijn ook maar betrekkelijk. Met die zeven kinderen van mij – met al die kinderen van ons – heb ik heel vaak aanloop en aanspraak. Soms vind ik het juist fijn om niemand om me heen te hebben. Even alleen met mijn gedachten.'
'Dat begrijp ik,' zei Emma, na het overdacht te hebben. 'Maar als je drie weken in je eentje zit in Donegal, word je dan niet een beetje eenzaam?'
Maeve hield haar aandacht bij de weg en bij het gesprek. Ze schudde langzaam en beslist het hoofd. 'Ik kreeg de kans niet om eenzaam te worden. Ik heb iemand ontmoet ...'
'Maeve ...' Emma ging verzitten, ze vermoedde een belangwekkende onthulling. 'Ben je verliefd?'
'Oh nee!' De oudere vrouw lachte. 'Oh, hemel, ja, zo kun je het ook opvatten. Nee, het is geen man die ik heb ontmoet. Het is een vrouw. Ze is ... jong genoeg om een dochter van mij te kunnen zijn.'
'Hoe heb je haar leren kennen?'
'Zij was de uitbaatster van het Bed and Breakfastadres waar ik verbleef. Een bewonderenswaardig jong mens. Zoals zij haar

leven heeft ingericht ... Ja, ik kan niet anders zeggen dan dat ik erg op die vrouw gesteld ben geraakt. Gek, hè?'
'Helemaal niet,' zei Emma. 'Je kunt overal vrienden opdoen en voor de een voel je dit en voor een andere dat. Ik vind het alleen maar leuk dat je een nieuwe vriendin hebt leren kennen. Zo mag ik haar toch wel noemen, hè, een vriendin?'
'Oh ja, zeker.'
'Hoe heet ze?'
'Tricia O'Connor.'
'Klinkt als een naam uit een Keltische mythe,' mijmerde Emma.
Maeve keek even opzij. Ze glimlachte en lachte toen hardop. 'Jij ... jij met je fantasie!'
'Je klinkt nu net als Paige.'
'Ik heb veel aan je gedacht daarginds.'
'Hoezo?'
'Donegal is zo wijds, zo ruig. Het licht is er zo bijzonder. De kleuren van de heuvels zijn zo ... zo oeroud. Zelfs ik voelde dat. Het is een streek waarvan je het te pakken krijgt, niet eens door zijn lieflijkheid. Eerder door zijn ongetemdheid. Heel indrukwekkend.'
'Mmm, dat klinkt of ik mijn oordeel over Donegal moet bijstellen.'
'Die county is zozeer het schilderen waard.'
Donegal was een imponerende ontdekking voor Maeve geweest. Bovendien had ze in het uiterste noordwesten van Ierland iemand ontmoet die haar geraakt had.

Ze arriveerden in Kilkenny Castle Yard, zoals het complex heette, waar het Design Centre gevestigd was. Emma werd direct gegrepen door de ambiance. Het oude kasteel en de bijbehorende gebouwen huisvestten galeries, ateliers en een restaurant. In de verschillende ateliers werd glas geblazen, stof geweven en sieraden of gebruiksvoorwerpen gesmeed. De dingen die er gemaakt werden, waren van zulk hoog niveau dat het terecht de naam kunst verdiende. Een dubbel gevoel maakte zich van Emma meester. Ze kon zich enerzijds niet voorstellen wat je – als buitenlandse artiest – nog kon toevoegen aan een plaats die kunst uitwasemde. Anderzijds wilde ze dolgraag deel uitmaken van het geheel, door middel van haar schilderijen. Door de plek

te aanschouwen waar ze ging exposeren, kon ze beter inschatten wat de uitnodiging inhield. En Kilkenny legde de lat hoog. Emma voelde zich gestimuleerd, bij die gedachte aangekomen. Dit was een echte uitdaging!
Ze uitte haar gevoel tegen Maeve. Die lachte. 'Ze weten ook wel wie ze vragen, hoor!'
'Oh, Maeve, toe! Ik moet het nog waarmaken.'
'Maar wat een geweldige plek, Emma.'
'Dat is het zeker. Ik ben blij dat jij de uitstraling ook voelt. Het is net of de sfeer hier appelleert aan mijn trots als kunstenares.'
'Zo mag ik het horen.' Maeve klopte haar schoondochter op de schouder. 'Hou dat vast en je zult een aantal verpletterende doeken inleveren.'
Ze bespraken de opgedane indrukken in het restaurant op het complex.
'Ik zit eigenlijk nooit verlegen om inspiratie, al werk ik dan in mijn eentje,' dacht Emma hardop, 'maar zo'n bundeling van ontwerpers en ambachtslieden verhoogt het toch wel.'
'Dus je voelt je hier wel thuis.'
'In artistieke zin, zeker.' Emma lachte over haar kop koffie heen. 'Maar ik keer toch weer terug naar mijn eigen geliefde atelier, mijn 'Stables'.'
'Het niveau van de paneeltjes die daar zijn ontstaan, liegt er ook niet om.'
'Maeve, jij bent vast een fan van mij. Ik krijg zoveel complimenten van jou.'
Maeve stapte daar makkelijk over heen. Emma was het meest gebaat bij de waarheid, vond ze, en daar hoorden soms complimentjes bij. Dan gaf ze die.
'Heb je al onderwerpen in gedachten? Of wil je bestaand werk inleveren?'
'Het eerste dat ik bedacht was de omgeving te schilderen. De tuinen van Daboecia Hall, Roundwood. Maar op dezelfde dag dat ik de uitnodiging kreeg, was het net of het me niet meer aansprak.'
Maeve fronste haar wenkbrauwen. 'Heb je het te veel geschilderd? Wat je voor de markt maakt, is meestal ook aan Roundwood gebonden. Misschien ben je erdoor verveeld.'
'Of dat het is ...' Emma vroeg het zich af. 'Paige zei dat ik me

niet aan het dorp moest binden, omdat het onderwerp juist zo breed gehouden is.'
'Hij heeft gelijk. Daarin word je vrij gelaten.'
'Om je andere vraag te beantwoorden: ik wilde nieuw werk inleveren. Ik wil niet makkelijk op oud werk leunen. Ik voel het zo: door nieuw werk te maken, weet ik ook gelijk hoe de stand van zaken is.'
'Het klinkt of je tot je grenzen wilt gaan,' resumeerde Maeve.
'Ja, precies. Dit is een uitgelezen kans om mezelf te testen.'
'Lieve kind, ga je zulk hoog spel spelen?'
'Niks mis mee, hoor, om tot het uiterste te gaan. Paige doet het bijna dagelijks. Als je het hebt over iemand die de lat hoog legt ...'
'Het zal jullie leeftijd wel zijn, denk ik, die jullie ambitie voortstuwt.'
'Weet ik niet,' zei Emma, 'ik weet alleen dat een uitnodiging om hier te exposeren en deze omgeving bijzonder motiverend zijn.'
'Je hebt alleen nog geen onderwerp gekozen.'
'Eh ... nee.'
'Hoeveel tijd heb je voordat je moet inleveren?'
'Zeven maanden.'
'Denk er dan eens over om naar Donegal te gaan!'
'Maeve, ik kan toch niet weg!' weerlegde Emma.
'Waarom niet? Je gaat er niet naartoe om je tijd te verdoen. Je kunt daar werken!'
Emma wrong haar handen in haar schoot. Zo ver weg van Paige, die ze toch al zo weinig zag. Voordat ze haar werk moest inleveren, moest ze ook nog twee series cursussen geven. En dan was het andere werk er nog. 'Nee, Maeve, dat is uitgesloten. Maar maak je geen zorgen. Ik vind wel onderwerpen. Meestal dringen ze zich aan mij op.'
Maeve perste haar lippen eventjes op elkaar, alsof ze een plan had moeten laten varen.
Emma vertelde dat er een onderwerp was dat ze dolgraag wilde schilderen, maar voor de expositie was het absoluut ongeschikt.
'Waarom is dat ongeschikt?' vroeg haar schoonmoeder.
'Omdat het een man is. Een Spanjaard.'
Maeve O'Brien fronste haar wenkbrauwen. 'Hier snap ik niets van.'

'Deze man, een zekere Lorenzo Ramirez, logeert in Daboecia Hall. Hij is hier op uitnodiging van O'Reilly's om ze van advies te dienen bij het fokprogramma.'
'En is hij zo bijzonder?'
'Jazeker. Toen ik hem voor de eerste keer zag, schrok ik omdat hij zoveel op Paige leek.'
'Oh ja? Heeft Paige een dubbelganger?'
'Op het eerste gezicht, ja. Intussen heb ik met hem kennisgemaakt en dan zie je verschillen. Maar het blijft een knappe kerel.'
'Zo knap dat je hem wilt schilderen?'
'Om zijn knappe kop en zijn uitstraling. Hij heeft iets adellijks om zich heen hangen.' Voor Emma's geestesoog verscheen de man met de hoffelijke manieren. 'Oude Andalusische adel.'
'Nou, ik hoor het al, Emma. Als jouw inspiratie je in de steek laat, heb je altijd je fantasie nog.'

'Is ma niet even meegekomen?' vroeg Paige toen Emma de keuken van de Hall binnenstapte. 'Nee, je kent je moeder toch? De discretie zelve. Ze wilde het aan mij overlaten om te vertellen over Kilkenny.'
'Em, ik denk dat ik minstens net zo'n goede middag heb gehad als jij!'
Doorgaans was Paige niet zo dat hij zijn eigen verhaal op de eerste plaats zette. Als hij nu stond te trappelen om verslag uit te brengen, moest het iets van betekenis zijn. Emma's wenkbrauwen schoten omhoog, non-verbaal nodigde ze hem uit te vertellen.
'De deal is rond, meissie! We gaan leveren aan Superquinn. Vanmiddag is er overeenkomst bereikt tot in het kleinste detail!' Ze omhelsde haar vriend en drukte een paar klinkende smakkerds op zijn gezicht. 'Dat is geweldig, Paige, gefeliciteerd!'
In sneltreinvaart ging het door haar hoofd wat dat inhield. Meer werk, investeringen, risico's, meer drukte, meer personeel, uitbreiding maar ook ... succes. Dit was het begin ervan. Paige sloot falen uit. Nu het contract getekend was, besefte ze pas wat het inhield. Ook Paige stond voor een enorme uitdaging. Wat als het misging? Emma sloeg de handen voor haar gezicht. Opnieuw zag ze de rapporten voor zich die hij zelfs wel eens

mee naar bed had genomen om te bestuderen. Hij was niet over één nacht ijs gegaan.
Dit kwam ervan, dacht ze, als je niet met je man meewerkte in zijn bedrijf. Dan miste je de finesses. Beschaamd over haar gebrek aan betrokkenheid, liet ze haar handen zakken.
'Fantastisch, Paige. Dit moet een ... een mijlpaal voor je zijn.'
Ze schoot vreselijk tekort. Haar woordkeus was al armoedig. Haar man had de deal van zijn leven gesloten en ze zei 'fantastisch' en 'mijlpaal'.
Paige nam haar gestuntel op alsof ze was overweldigd door de omvang van zijn plannen. Ze was blij voor hem, maar juist dit supercontract onderstreepte de afstand tussen haar en zijn werk.
'Ik ben trots op je,' zei ze, zoals hij eerder die week tegen haar.
'Weet je wat het mooiste is?' Paige straalde, hij vond het prachtig wat er gebeurd was, geenszins afgeschrikt door het feit dat hij het waarschijnlijk nog eens een keer zo druk ging krijgen.
'Kan het nog mooier?' vroeg Emma. Ze probeerde het gevoel dat ze van een andere planeet kwam te negeren.
'Er is een mogelijkheid om het assortiment veder uit te breiden. Dat is al vastgelegd.'
'Mijn hemel, Paige, er komt geen einde aan. Ik ben verbijsterd.'
In een poging zijn gevoel over te brengen, pakte hij haar handen. Hij keek haar lekker ondeugend aan. 'Zullen we het vieren?'
'We móéten het vieren!'
Als Paige en Emma iets te vieren hadden, gingen ze niet naar een restaurant. Uit eten gingen ze alleen als Paige wilde weten hoe de concurrentie het deed. Met vieren bedoelde Paige dat hij een mand met lekkers klaar maakte met een uitgelezen wijntje erbij. Het betekende dat hij een avond vroeg thuiskwam om samen met Emma die heerlijkheden te nuttigen op de enige denkbare plek: het bed. Het toetje werd gevormd door een luxueuze vrijpartij.
'Vanavond?' Zijn blauwe ogen blonken.
'Graag!' Ze kneep in zijn vingers als bevestiging. 'Ik ga alvast mijn haar wassen.'
Emma was afgeleid door Paiges succes en zijn belofte. Na nog even in het atelier te zijn geweest om te kijken of alles in gereedheid was voor de volgende dag, was ze naar huis gegaan. Pas in

de cottage drong het tot haar door dat er over Kilkenny nog niet gepraat was. Vanavond, besloot ze, bij het leegmaken van die mand, was er tijd genoeg.

In de brief die Emma naar haar cursisten stuurde, vlak voor aanvang van de cursus, stond nogmaals duidelijk vermeld hoeveel lessen de cursus omvatte, op welke avond hij gehouden werd, met de data erbij en aanvangs- en eindtijd. Dat koffie en thee was inbegrepen en dat de cursisten zelf een aantal basisbenodigdheden dienden mee te brengen. Ze nam in de brief ook op dat er gelegenheid tot parkeren was bij Daboecia Hall.
Vanaf de oprit leidden kleine lantarentjes met waxinelichtjes erin naar het atelier.
Bij de nieuwelingen was dat steevast het onderwerp van gesprek: de lantaarns! Het maakte Emma aan het lachen. Dat de Ieren zogauw vertederd waren over zoiets simpels. Na een paar seizoenen cursussen geven was ze erachter gekomen dat het dieper stak. Ieren waren bijna zonder uitzondering gelovige katholieken. Naast dat kerkelijke geloof was er in hun oude, Keltische zielen nog ruimte voor het geloof in aardmannetjes, feeën en elfjes. Je kon niet voorzichtig genoeg zijn. Het verlichte bospad voorkwam dat je in de duisternis werd overvallen door zo'n wezen. Bovendien kon het kleine, ongeziene volkje door de lichtjes zelf ook beter de weg vinden. Dat vonden de Ierse cursisten bijzonder attent van de Nederlandse.
Emma probeerde het gesprek wel eens op het kleine volkje te brengen, maar dan werd er een beetje lacherig over gedaan. Alsof op slag niemand er meer in geloofde. Dit was tenslotte de eenentwintigste eeuw, of niet soms?
Ze zag het ontzag groeien als ze ervan blijk gaf dat ze bekend was met feeën, leprechuans en de banshee. Zolang de Ieren binnen waren, deden ze flink. Emma wist echter, van Paige, die het gezien had, dat ze elkaar opwachtten op de oprit. Als ze elkaar kenden als cursusgroep, wachtten ze tot ze voltallig waren, alvorens ze het bospaadje opliepen. Lantaarns of niet.
Paige was opgegroeid met verhalen over aardmannetjes en ander goed- of kwaadwillend gespuis. Hij was bekend met de Keltische mythologie en kon er zelf ook prachtig over vertellen, maar hij liet zich er niet door leiden. Hij was er te nuchter voor.

Als Emma hem vertelde over de verborgen angsten van haar cursisten, kon hij het precies duiden, maar, samen met haar, moest hij er ook om lachen.
Op dinsdagavond, in de tweede week van september, begon een nieuwe cursus. Het was een gemêleerd gezelschap, mannen en vrouwen, beginners en een paar die al één of twee seizoenen les hadden gehad. Emma verdeelde haar aandacht over de cursisten. Ze liep rondjes om de voortgang van ieders werk in de gaten te houden. Simultaan schaken had Paige dat al eens gekscherend genoemd. Bij de een moest ze helpen met de verhoudingen, bij de ander met kleuren mengen. Een volgende had twijfels over zijn compositie. Het was intensief, maar ook leuk, omdat al die verschillende mensen schilderen of tekenen benaderden vanuit hun eigen persoonlijke hoek. Dat maakte het heel divers. Sommigen stonden open voor elk idee dat ze opperde. Er waren er ook die al binnen kwamen met vooropgezette, eigen ideeën. Dan moest Emma heel wat overredingskracht hebben om nieuwe zienswijzen bij die personen aan te boren. Terwijl zij de cursisten onderwees, leerde ze zelf ook. Het was boeiend om al die uiteenlopende karakters te leren kennen.
Tijdens de pauze kwam het gesprek op de voorbije zomer. De cursisten bespraken hun verschillende vakanties. Darla, een cursiste die al een paar seizoenen les had gehad, vroeg of Emma nog wat had beleefd. Hierdoor kwam Kilkenny weer in haar gedachten en nam het gesprek een andere wending. 'Zeg, ik moet jullie wat vertellen! Ik ben uitgenodigd voor een expositie in het Kilkenny Design Centre.'
Een paar riepen: 'Bravo!' Zij kenden het centrum. Enkelen vroegen wat dat was. Emma vertelde het hele verhaal, ook dat het voor haar beeldvorming heel goed was geweest om er alvast een bezoekje aan te brengen. Van haar cursisten kwam eveneens de vraag: wat ga je exposeren?
'Dat weet ik nog niet,' bekende Emma, nogmaals, 'maar ik wil niet te hard zoeken naar onderwerpen. Ze dringen zich namelijk in de meeste gevallen aan mij op.'
De pauze liep af, de les werd hervat. Emma deed een nieuwe cd in de speler. De zachte muziek hielp de concentratie te verhogen. Ze was bezig een nieuwe cursiste te leren bewegen uit de pols, toen één van de andere dames een gil gaf. Weg was de concen-

tratie, de les lag stil. Emma schrok geweldig. Snel liep ze naar de vrouw die gegild had.
'Wat is er, Cheryl?'
'Er loopt daar een vent. Hij ... gluurt.'
De duisternis was gevallen. Emma moest haar ogen goed inspannen om vanuit het licht in het donker te kijken. Ze kon het beter zien als ze naar buiten ging.
'Emma, niet alleen gaan!' riep Darla bezorgd.
'Er is waarschijnlijk niets aan de hand. Rustig maar.'
Op weg naar de deur kon ze de lange bruine jas onderscheiden die de man droeg. Ze wist al genoeg. Er ging een zucht door de studio over haar onnavolgbare moed toen Emma lachend de deur opende om de gluurder te ontmaskeren.
'Señor Ramirez,' begroette ze hem, 'u zorgt voor opschudding. Eén van de dames dacht dat u kwaad in de zin had.'
'Lo siento muchissimo, señora.' Hij boog. Emma zette grote ogen op: een buiging?
'Het was geenszins mijn bedoeling om consternatie te veroorzaken. Ik maakte slechts een ommetje. Eerder op de avond zag ik dat u er nog was. Ik dacht dat u misschien tijd had om mij uw werk te laten zien na het diner. Maar er zijn nu zoveel mensen ...'
'Ik geef les vanavond,' verduidelijkte Emma.
'Nogmaals: het spijt me vreselijk.'
'Er is niets aan de hand.' Emma stond op de drempel en kon zodoende tegelijkertijd haar cursisten en Lorenzo geruststellen. Ze stapte achteruit en Lorenzo waagde een korte blik om de deurstijl.
'Goedenavond, dames en heren, ik zal u niet verder storen. Excuses voor de onderbreking.'
Hij schudde Emma de hand, knikte en vertrok.
'Poeh!' pufte Darla. 'Nou, geef mij zo'n onderbreking. Wat een lekker ding. En zo'n sexy accentje!'
'Darla, een beetje respect, alsjeblieft!' maande Emma. Lorenzo was echter al verdwenen. De deur was weer dicht. 'Hij is een gewaardeerde gast van Daboecia Hall.'
'Nou? Dat maakt zijn anatomie nog wel het bestuderen waard!'
Opgelucht na de schrik proestte de hele groep het uit. Emma lachte hoofdschuddend mee.

De volgende ochtend kwam Paiges opmerking in haar gedachten over dat Thomas MacDonnell achter de uitnodiging zat. Dat moest ze nu eens uitvinden. Ze belde de uitgever op zijn kantoor in Dublin.
'Thomas MacDonnell.'
'Thomas! Met Emma Terheyden. Bel ik gelegen?'
'Jij altijd, meid.'
'Ik zit met een vraag.'
'Hoe kan ik je helpen, Emma?'
'Ik ben uitgenodigd om mee te doen aan een overzichtstentoonstelling in het Kilkenny Design Centre. Ik vroeg me af of ...'
'Maar dat is geweldig toch?'
'Dat is het zeker. Maar ik vroeg me af of jij hier misschien meer van wist.'
Het bleef even stil. 'Maar Emma, je kent mijn bescheiden natuurtje. Ik hou me strikt bij mijn leest.'
'Mooi, jongetje, ik weet genoeg.'
'Mea culpa, schat. Ik hoorde van die plannen en het leek me een buitenkans voor jou. Ik geef 't toe. Ik heb je voorgedragen.'
'Had ik al gezegd dat je een vreselijke bemoeial bent?'
'Ik weet dat je van me houdt, schatje.'
'Het is zeker een buitenkans, Thomas. Ik ben er intussen gaan kijken met mijn schoonmoeder. Het is niet minder dan een eer om daar te mogen exposeren.Wat een geweldige plek.'
'Ik wist wel dat je het kon waarderen. Ga nu maar vlug hele mooie dingen schilderen.'
'Als je nog wat van me hebben wilt, moet je het nu kopen. Dadelijk ben ik te duur voor je.'
'Kijk, dat krijg je ervan, ik gooi mijn eigen glazen in.'
'Hé Thomas ...'
'Ja, meid?'
'Je bent een echte vriend dat je dit voor me gedaan hebt.'
'Geen moeite. Hou je me op de hoogte?'
'Als jij het mij doet. Dag.'
'Dag, Emma.'

Emma had de zorg voor haar eigen studio. Dat hield in dat er af en toe schoongemaakt moest worden. Een spatje verf hier en daar was niet erg, maar haar atelier mocht niet stoffig zijn. Met

de radio lekker hard aan sopte ze de vloer. Ze zong mee met een nummer van Robbie Williams, onderwijl achteruit lopend met de vloerwisser, in de richting van de deuropening.
'Buenos dias, señora.'
Emma sprong op van schrik, de mop viel kletterend uit haar handen.
'Oh!' hijgde ze. 'Lo ... señor Ramirez, goedemorgen.'
Lorenzo pakte de wisser voor haar op. 'Met mijn timing is iets mis, señora. Ik kom ongelegen of ik jaag u schrik aan. Mil excusas.'
Emma kon er de humor wel van inzien. 'Het schijnt onze manier te worden. Maar als u kwam om mijn studio vanbinnen te bekijken, stuur ik u niet meer weg, hoor. Alleen ...' ze moest weer lachen, '...de vloer moet even drongen.'
Haar goede bui stak hem aan. 'Tegen gehouden worden door een natte vloer. Het moet niet gekker worden.'
Ze lachten al samen om de pas geboende vloer. Het ijs was gebroken. 'Zeg alsjeblieft Emma tegen mij.'
'De acuerdo. Dan ben ik Lorenzo.'
'Heb je tijd voor een kop koffie? Daarna is die vloer wel droog.'
'Kun je hier ook koffiezetten? Maar ... dan moet je over de natte vloer lopen.'
Emma gebaarde dat hij op het tuinbankje moest plaatsnemen. 'Er is er maar één die dat mag. Dat ben ik.'
Hij zat nog braaf op het bankje, zag ze, toen ze met het dienblad door de studio liep. Het had iets aandoenlijks hem zo gedwee te zien wachten, zijn hoed op zijn knie.
'Wat een faciliteiten, Emma,' merkte hij op toen hij de koffie aannam.
'Ik heb je al gezegd dat ik hier kan wonen. Ik heb hier een keukentje, wc, douche. Er staat een eethoekje en zelfs een bed. Oh ja, en ik kan hier internetten.'
'Ja, ik zag je al eens bezig op je laptop.'
Emma blies in haar koffie. 'Ik hou je van je werk af.'
'Och, dat is niet echt aan strakke tijden gebonden.'
'Wat doe je nu precies, daar bij O'Reilly's?'
'Dat is nogal veelomvattend. Ik kan je dat het beste uitleggen als je eens komt kijken.'
'Dat zal ik dan doen. Ik ben niet helemaal vreemd bij O'Reilly's.

Ik loop er wel eens heen als ik pauze neem. Weet je ... ik zit in een pand van O'Reilly's.'
Lorenzo wees over zijn schouder. 'Dit hier?'
'Jazeker, het was eerst een paardenstal. De stoeterij is uitgebreid aan de noordkant van het complex. Daarom wilde men hier vanaf. Dat gebeurde op het moment dat ik om een eigen studio verlegen zat.'
'Que suerte. Nu ben ik helemaal nieuwsgierig. Van paardenstal tot atelier. Dat wil ik zien.'
'Als je je koffie op hebt. De vloer is nu ook wel droog.'
Emma ging hem voor. De ruimte leek nog groter omdat alle ezels ingeklapt waren voor de schoonmaakbeurt. De tafels waren leeg omdat ze geboend waren. De geur van het sopje oversteeg de gebruikelijke verflucht. Het was nogal leeg in het atelier, waardoor de aandacht direct werd getrokken naar de doeken aan de wand.
'Zijn die van jou?' Lorenzo stapte erop af, handen in zijn zij.
'Hm-mm. Als mijn cursisten werk voltooid hebben, komt dat hier ook te hangen, maar zover is het nog niet.'
'Hoe moet ik het zeggen zonder bot te zijn? Ik denk dat je goed bent. Maar ik kan niet eens voorwenden dat ik er verstand van heb. Het spijt me.'
'Dat geeft niks. Ieder zijn vak, toch?' Emma kroop op een kruk en liet hem rustig een indruk vormen.
Voor elk van de vijf doeken bleef hij staan. Wrijvend over zijn kin, handen weer in de zij.
Emma moest zich bedwingen. Het zou een beetje onbeschaamd lijken nu een schetsblok te pakken en Lorenzo 'neer te zetten'.
'Ik vind ze mooi.' Hij lachte verontschuldigend naar Emma.
'Da's nog eens een gefundeerd oordeel, hè?'
'Gefundeerd of niet, het is toch welgemeend?'
'Si!' Hij knikte heel gedecideerd.
'Dit is mijn vrije werk, natuurlijk.' Ze gebaarde naar de doeken.
'Vrij werk? Wat bedoel je?'
Ze lachte. Lorenzo wist waarschijnlijk net zoveel van schilderen als zij van paarden. 'Met vrij werk bedoel ik dat ik werk voor mezelf gemaakt heb. Ik werk ook in opdracht van particulieren en ik heb een paar zakelijke contacten, maar dat werk gaat weg zodra het af is. En – maar dat weet je al – ik geef les.'

'Ja, dat van die cursussen, dat weet ik al.' Hij lachte om zijn eigen onwetendheid. 'Ik dacht dat je kon schilderen wat je wilde en het zonder meer verkopen.'
'Nee, daar kan ik niet van leven.' Emma legde uit dat ze haar vrije werk wel mee naar de markt nam om het daar te verkopen. 'Op de markt zit ik bij mijn kraampje te schilderen en dat doet wel verkopen.'
'Je bent er dus dagelijks mee bezig?'
'Dit is mijn leven. Maar pas nadat ik uit Nederland gekomen ben om met Paige te gaan samenwonen.'
'Je bent Nederlandse!' riep Lorenzo uit.
Emma keek hem verbaasd aan. 'Dat is toch niet zo bijzonder? Het is geen verdienste, of zo.'
'Nee, maar het is wel heel toevallig. Mijn vrouw is ook Nederlandse.'
'Oh, vandaar je reactie. Hoe heet ze?'
'Carolina Danenberg.'
Emma vermoedde dat Lorenzo's vrouw Caroline heette, maar dat hij het verspaanst had. Danenberg klonk heel onwennig uit zijn mond. Zijn ogen werden zacht. 'Ik heb vier zoons.'
Er viel een stilte. 'Heb jij ...'
Emma schudde het hoofd. 'Wil je de rest ook nog zien? Om vast te stellen dat een paardenstal in een atelier kan veranderen.'
Ze ging hem voor naar de wat huiselijkere vertrekken van The Stables.
Lorenzo keek rond. 'Van een gebouw een andere bestemming geven, weet ik het nodige.'
Het klonk of hij hardop dacht. Emma liet het gaan.
'Jij hebt hier alles wat je hartje begeert, Emma. Het voldoet ongetwijfeld aan je wensen.'
'Dat doet het zeker.'
'Ik vind het heel leuk dat je het mij hebt laten zien. Wie weet, loop ik nog wel eens bij je binnen.' Hij bedacht zich. 'Of wil je niet gestoord worden?'
'Je bent welkom,' zei Emma simpelweg.
'Nu moet ik gaan. Al heb ik dan geen tijdsschema, ik moet niet slabakken.'
Emma volgde hem terug het atelier in, haar handen in haar achterzakken.

Lorenzo draalde nog even bij de doeken die aan de wand hingen en de enkele die op de grond stonden. 'Weet je wat ik mis in jouw keuze van onderwerpen?'
'Nou?'
'Portretten.' Hij keek om zich heen. 'Ik zie geen enkel portret.'
'Dat doe ik ook, hoor. Ik heb er zojuist een voltooid.' Het kwam zo mooi voorbij, ze moest haar kans grijpen. 'Ik zou graag jouw portret willen schilderen. Vind je dat goed?'
Lorenzo draaide zijn hoed rond. Hij lachte ongelovig.
Had ze hem afgeschrikt? Had ze hem overvallen?
'Dat ... eh ... dat is me nog nooit gevraagd.'
Ze zag de uitdrukkingen wisselen op zijn gezicht, alsof hij het idee overwoog. Als ze haar camera gepakt had om die ook vast te leggen, had hij afgehaakt. Zoveel aandrang in dit stadium had hem zeker van het idee doen afzien. Ze wachtte af. Wie weet wat hij nog voor uitdrukkingen in petto had als hij ging poseren. Als hij ging poseren.
Zijn nieuwsgierigheid won het. 'Het is goed. Ik doe het.'
In gedachten was Emma al bezig de sessies in te plannen en te organiseren. Ze wist echter haar vreugde over zijn toestemming te verbergen in de kalme woorden: 'Dank je wel. Dan zie ik je gauw weer.'
Die kalmte was in tegenspraak met haar nadrukkelijk tintelende handen.

HOOFDSTUK 3

Emma had geen tijd of datum afgesproken voor de poseersessies met Lorenzo. Het kon niet zo moeilijk zijn om een afspraak met hem te maken als hij voor zijn werk zo dicht in de buurt was. Na zijn bezichtiging van haar atelier had hij haar zo half en half uitgenodigd om eens te komen kijken als hij bezig was op de stoeterij.

Op maandag, toen het tijd was om te pauzeren, kuierde Emma naar de rijbak toe. Ze verwachtte Lorenzo daar aan te treffen, ingespannen turend naar de verrichtingen van het paard dat hem voorgeleid was. Handen in elkaar, één voet op de dwarsbalk van het hekwerk.

Hij reed zelf.

Het waren de mannen van O'Reilly's die nu hun gast gadesloegen. Ze knikten Emma toe met een gefluisterd 'miss', toen ze naderde. Ze knikte terug en eveneens zwijgend bleef ze kijken. Ze was er vaker bij geweest als er trainingen gereden werden. Dan genoot ze van het schouwspel dat de ruiter en het paard boden. Nu was ze gebiologeerd. Lorenzo liet het paard draven. Hij reed licht, wist ze, als hij bij elke stap uit het zadel kwam. Hij was zich niet bewust van wat er achter de hekken afspeelde, zijn concentratie was volledig gericht op het rijden en de bewegingen van het paard.

John, één van de medewerkers, vertrouwde haar toe: 'Het is een goed beleerd paard, miss, maar hij,' een hoofdknik richting Lorenzo, 'kan ons zo direct vertellen wat het beest denkt en voelt.'

Van een doorgewinterde paardenman kwam dat als een compliment.

Het paard ging over in stap, de teugels werden gevierd. Lorenzo beloonde het met klopjes op de hals. Het leek op ontspanning, maar dan alleen eventjes voor het paard. Lorenzo's gezicht bleef

strak. Het paard brieste. De teugels werden weer aangehaald, het grote hoofd kwam omhoog. Vanuit een hoek stak hij schuin over.
Emma fluisterde: 'Ik dacht dat hij alleen voor het fokprogramma kwam.'
John schudde het hoofd. 'Ook voor de training. Hij is meesterlijk, die Spanjaard. Hij fokt zelf ook nog steeds. Komt uit een familie van fokkers. Hij beleert zijn paarden zelf. Moet in het zadel geboren zijn.'
Zo ziet het er wel uit, dacht Emma.
John wijdde uit: 'We zijn gelukkig dat we Ramirez hebben kunnen krijgen. Die man is een beroemdheid. Zijn expertise wordt over de hele wereld gevraagd.'
Halverwege de verste bocht sprong het paard in een woeste galop, maar boog precies op tijd af voor het hek, weer in stap. Het stond stil, de oren draaiden, het bit klapperde even. Toen stapte het dier achteruit. Ongetwijfeld was het een braaf dier, maar het werd aangestuurd door voor Emma onzichtbare en onhoorbare aanwijzingen.
'Ik hoor hem niet,' merkte ze op.
'Hij doet alles met zijn benen,' legde John uit.
'Maar die zie ik niet bewegen.'
John trok één schouder op. 'Goed rijden kunnen we allemaal hier en verstand van paarden hebben we ook. Maar hij krijgt meer uit de dieren. Je snapt niet hoe hij het te weten komt.'
Ze wilde hem schilderen, maar het leek bijna een misdaad om Lorenzo stil te laten zitten. Deze man was gewend aan open lucht, beweging, snelheid, kracht. Door zijn beheersing was hij elk paard dat hij bereed de baas. Daaruit bleek zijn macht. Door Lorenzo bezig te zien, leerde ze hem beter kennen. Het maakte haar wens hem te portretteren vuriger.
Hij droeg niet de strakgesneden broeken die de mensen van O'Reilly's aan hadden. Lorenzo had een gewone broek aan met leren beenkappen eroverheen. In plaats van de hoge zwarte rubberlaarzen, droeg hij leren laarzen met een hak. Of hij gaf niet om het uiterlijk vertoon dat de hippische sport met zich meebracht, of dit was Spaanse rijkleding. Ze dacht het laatste. Een versleten jeanshemd stond open aan zijn hals, waar hij een doek om geknoopt had.

Emma kon niet blijven wachten tot de training voorbij was, daarvoor duurde het te lang. Om een afspraak te maken moest ze terugkomen.
Toen regende het. Onder de bescherming van een paraplu stond ze bij het hek. Het slechte weer had de andere toeschouwers weggehouden. De regen leek de kleur uit de omgeving te hebben weggewassen. Tegen een vervaagde, nevelige achtergrond reed Lorenzo zijn rondjes. Het was een ander paard dan eerder in de week. De Spaanse ruiter droeg de lange waxcoat die ze al van hem kende en zijn bijna onafscheidelijke hoed. Hij stoorde zich niet aan de regen, evenmin als zijn rijdier. Er was niets anders te horen dan de neerruisende regen, het geplof van de hoeven en de briesende ademhaling van het paard. Van Lorenzo's gezicht was niet veel meer te zien dan zijn brede mond, die strak stond van de concentratie. Hier was een man aan het werk die over de hele wereld gevraagd werd om zijn fenomenale kennis van paarden. Hijzelf leek de wereld te zijn vergeten.
Hoog te paard gezeten hield hij haar blik gevangen tot ze zich de tijd herinnerde. Ze moest weer aan het werk. Zonder haar een blik waardig te keuren had hij haar naar zich toe getrokken, zodat ze bijna niet weg kon komen. Er werd geen woord gesproken. Ze was alleen met een man op een paard op een plek die door de regen leek te zijn afgescheiden van de rest van de wereld. In een onschilderbaar licht zag ze de damp van het paardenlijf afslaan en de adem kwam in stoten uit de neusgaten van het dier. Het was een surrealistisch tableau, dat bewoog in stilzwijgen, maar niet zonder geluid. De natte glans die over alles heen lag, dempte de kleuren. De grijze sfeer van de regenachtige dag gaf een besloten gevoel. Ze was een decor binnengestapt waar ze niet thuishoorde, maar evenmin kon wegkomen. Man en paard waren een symbiose, waarop geen inbreuk gepleegd mocht worden. Op momenten als deze geloofde Emma in Keltische magie. Als ze wegkeek en weer terug, zou de ruiter verdwenen zijn. Hij moest een zinsbegoocheling zijn.
Ze schudde het hoofd. Het werd tijd dat ze opstapte. Weer zonder een afspraak te hebben gemaakt. In gedachten liep ze weg, zich afvragend waarom ze de Spanjaard zo graag wilde vastleggen. Kreeg ze die kans wel? Misschien was hij hun afspraak wel vergeten?

Dat was hij niet. Aan het eind van een dag vol regen werd er op de deur van het atelier geklopt. Geen gematerialiseerde geest, geen hallucinatie in een regenbui, maar een man. Lorenzo, die de geur van paardenzweet om zich heen had hangen en modder op zijn laarzen droeg. Zijn jas droop.
'Ik kan beter niet binnenkomen.' Hij lachte als excuus voor zijn verregende voorkomen. 'Ik zag je vanmorgen bij de rijbak. Wilde je me spreken?'
'Ja, om af te spreken wanneer we met de poseersessies gaan beginnen. Ik had de maandag- en de vrijdagavond in gedachten. Schikt het je om zeven uur?'
'Ik zal er zijn,' beloofde Lorenzo. Het klonk vlak en kalm aanvaardend. Emma wilde hem achternaroepen: 'Als je niet wilt, kun je er vanaf, hoor.'
Hij was al opgeslokt door de regen en de vroeg invallende schemer. Ze schudde het hoofd. Lorenzo had echt iets van een geest. Hij dook op en verdween. Als hij niet kon verdwijnen – op zijn paard – zag hij er onwerkelijk uit.
Hij was wezenlijk genoeg, kon ze vaststellen op de maandagavond. Maar onwennig. Hij had zich gedoucht en zijn jeanshemd verruild voor een net, wit exemplaar. De boord stond open en liet een stukje gebruinde borst zien. Opgerolde mouwen lieten zijn onderarmen bloot. Een gouden horloge hing losjes om zijn pols. Oppervlakkig bekeken zag hij eruit als een man die zijn dagtaak erop had zitten, zoals hij daar op de kruk zat. Ontspannen en welwillend, maar hij was niet echt op zijn gemak.
Emma had wat kaarsen aangestoken en muziek opgezet om een comfortabele sfeer te creëren. Nu kwam het haar voor als te dik opgelegd. Ze was zelf ook niet ontspannen met hem. Ze bleef de oude fauteuil verzetten. Het leek of ze niet kon beslissen waar ze Lorenzo wilde laten plaatsnemen. Ze wist echter met haar eigen houding geen raad.
'Vorige week leek je niet erg ingenomen met onze afspraak. Ik wilde je nog naroepen dat je ervan af kon.'
'Een man van eer houdt zijn woord.'
De fauteuil kwam tot stilstand. Zijn stem was gezakt tot gefluister. De woorden waren vlot over zijn lippen gekomen, maar de ondertoon was dreigend: spot niet met mij. Het bracht de bood-

schap duidelijk over. Ze had te maken met een trotse man.
De studio was te klein voor hem. Deze man was groter dan zijn één meter vijfentachtig en meer dan lijfelijk aanwezig.Opnieuw drong zich aan Emma de gedachte op waarom ze hem wilde portretteren. Hij kon weleens een maatje te groot voor haar zijn.
'Je zult je wel afvragen hoe je hier bent terechtgekomen.' Ze gooide er een losse opmerking in, om wat spanning weg te nemen.
Hij draaide het horloge om zijn pols. 'Dat vroeg ik me af, ja. Maar eigenlijk van jou.'
Dat was een mooi verhaal om te vertellen, misschien kon ze hem – en haarzelf – op die manier een beetje kalmeren. Ze liet de stoel staan en nodigde hem met een gebaar uit daar te gaan zitten.
'Het begon allemaal met een Ier die in feite te ziek was om zijn thee te drinken.'
Lorenzo nam plaats. Emma trok de kruk die hij zojuist had verlaten, onder haar billen. Ze probeerde zijn warmte te negeren door verder te gaan met haar verhaal. Haar schetsblok rustte op haar gebogen been, de hak van haar laars om de sport heen gehaakt. Ze kon haar verwarring grotendeels verbergen door haar ogen afwisselend op het papier en Lorenzo te houden. Ze praatte en schetste. Ze schetste gretig. Zijn ogen, zijn handen, de trotse houding van zijn hoofd, de buiging van zijn hals. Opnieuw zijn ogen, nu iets toegeknepen, de boog van zijn wenkbrauwen. Lorenzo luisterde terwijl zij vertelde. De spanning leek hem te hebben verlaten. Hij bewoog op geheel natuurlijke wijze zijn hoofd, schouders en handen zoals een aandachtig toehoorder doet. Emma's hand met het houtskooltje vloog over het papier. Ze had inwendig schik. Ze hoefde niets te vragen. Er waren geen geforceerde blikken, geen gezucht over het lange stilzitten. Lorenzo was een buitengewoon model.
Ze stond op om hem wat te drinken aan te bieden.
'Heb je een biertje?' vroeg Lorenzo. Hij rekte zich uit en trok daarmee het overhemd uit zijn broekband. Emma wendde zich af naar de koelkast.
'Alleen een blikje.'
'Prima.' Hij trok het lipje eraf en dronk, zijn hoofd steeds verder achterover.

Emma verdrong een zucht door opnieuw in de koelkast te duiken. Ze koos een flesje water zonder bubbels. Ze nam het mee terug naar het atelier.
'Je aardt hier goed?' vroeg Lorenzo, die ook weer plaatsnam.
'Oh ja, ik heb hier nu mijn leven. Ik heb hier geen historie, maar wel mijn wortels. Dit is de plek waar ik hoor, dicht bij mijn lieve Paige.'
Lorenzo speelde met het bierblikje. 'Ik zou nergens anders kunnen aarden dan in Andalusië.'
'Oef! En je bent soms maandenlang van huis.' Niet alleen de schilderes in haar registreerde de bewolkte blik in zijn ogen.
'Ja, dan mis ik mijn thuis, mijn vrouw en kinderen ... mijn paarden.'
Hij zweeg met neergeslagen ogen. Hij was vergeten dat hij oogcontact met Emma moest houden. Ze merkte dat het niet eens nodig was. Ze kon hem ook met gebogen hoofd tekenen.
'Toch denk ik ook weleens dat het leven voor mij niet meer hoeft te zijn dan ...' hij lachte meewarig, '...een paard tussen mijn benen.'
'Je klinkt niet echt als iemand die wereldberoemd is op zijn terrein.'
'In mijn hart ben ik ook nog steeds ... een paardenknecht.'
Emma hield haar hoofd scheef.
'Geloof je me niet?'
Ze zag weer voor zich hoe hij één was met zijn paard in de plenzende regen. Ze hoefde hem maar bezig te zien.
'Oh ja, ik geloof je. Maar je bent iets meer geworden dan dat, is het niet?'
'Si ...' Hij knikte nadenkend. 'Ja, en dat kan ik nog steeds niet geloven.'
'Ach, kom, je wordt niet zomaar over de hele wereld gevraagd.'
'Nee, natuurlijk niet. Zonder overdrijving kan ik zeggen dat door mijn trainingsschema's hele stallen verbeteren.'
Ook dat geloofde Emma zonder meer. 'Maar waarom is jouw talent zo gewild?'
'Oh, Emma, zo naïef kun je niet zijn. Geld! Je valt steil achterover van de bedragen die in de paardenwereld omgaan.'
'Hieraan zie je dus dat die wereld niet de mijne is,' verontschuldigde ze zich.

'Het is ook vaak een schijnwereld. Daarom blijf ik zo dicht mogelijk bij de paarden.'
Emma schetste door, snel en gedreven, maar haar aandacht was eveneens bij het gesprek. 'Het zal je geen windeieren gelegd hebben.'
'Oh nee, maar zonder deze ... adviserende rol hadden wij ons gezin ook kunnen onderhouden.'
'Omdat je zelf nog paarden fokt?' raadde ze.
'Op kleine schaal nog, ja. Bovendien wordt Ojomontañas – zo heet mijn boerderij – uitgebaat als pension door mijn vrouw.'
'Wat een onderneemster, je vrouw!'
'Dat is ze zeker! Ze is opgeleid voor gastvrouw en dat verloochent zich niet.'
'Wat voor opleiding heb jij gehad?' informeerde Emma.
'Op school? Weinig. Ik ben al jong in het bedrijf gerold.'
'Had je anders gewild?'
'Nooit. Ik reed eerder paard dan ik kon lopen, bij wijze van spreken. Ik was niet weg te houden bij de paarden. Die keuze lag genetisch vast, denk ik.'
'Nooit het gevoel gehad dat je wat gemist hebt?' Emma keek hem aan over haar schetsblok.
'Nee, en nu zeker al niet meer. Moet je zien wat er op me afkomt.'
'Je had als paardenman nooit gedacht dat je nog eens in een schildersatelier terecht zou komen.'
'Ik had het niet kunnen verzinnen.' Hij glimlachte.
Emma's hand viel even stil door zijn glimlach. 'Waarom heb je eigenlijk toegestemd?'
De glimlach verdween langzaam. 'Ik kan een dame niets weigeren. Zo ben ik niet opgevoed.'
'Goed. En nu het echte antwoord.'
'Ik denk ... om het te ervaren. Ik heb, zoals ik net zei, weinig scholing gehad. Nu gebruik ik het leven als leerschool.'
Ze keken elkaar aan. Emma's handen lagen boven op het schetsblok. Hij was misschien niet hooggeschoold, hij was een wijs man. Het leven had hem het nodige geleerd. Zijn glimlach was, naast bijzonder aantrekkelijk, ook de wetende lach van een man die al veel had ervaren.
'Wie veel reist, veel ontmoet,' filosofeerde Emma.

'Bovendien komt de wereld bij mij thuis.'
'De pensiongasten, bedoel je?'
'Precies. Je zou het gastenboek eens moeten zien.'
'Vind je het niet vervelend dat er onbekenden door het huis lopen?'
'Als ik van een reis terugkom, moet ik bekennen, dan kan ik de gasten wel wegkijken.'
'Dat zul je dan ook maar op rekening van de ervaringen moeten schrijven.'
Hij haalde zijn schouders op. 'Het is niet anders.'
Emma keek op haar horloge. Het liep tegen tienen. 'Ik ga ermee stoppen voor vanavond, Lorenzo. Ik heb je lang genoeg vastgehouden.'
'Het was me een genoegen.' Daar was dat knikje weer.
'Had je gedacht dat het poseren op deze manier zou gaan?'
'Heb ik geposeerd dan? Ik heb alleen een fijne avond gehad met een sympathieke vrouw.'
Emma deed de houtskooltjes in het doosje. 'Wat aardig van je. Mag ik vrijdag weer op je rekenen?'
'Natuurlijk.' Hij stond op. 'Mag ik ... het zien?'
'Liever niet, dat geeft een verkeerde indruk. Het zijn alleen nog maar studies.' Ze legde het schetsboek weg. 'Bedankt, Lorenzo. En voor straks: goedenacht.'
'Goedenacht ... Emma ...' Hij aarzelde. 'Ik zou het op prijs stellen als je niemand vertelde wat ik ...'
'Wist je dat niet? Kunstschilders hebben zwijgplicht.' Ze stelde hem gerust. 'Maak je geen zorgen, Lorenzo. Jouw ... bekentenissen zijn veilig bij mij.'
'Dank je.'
Zijn gestalte, met hoed en lange waxcoat, loste op in het duister.

Margreth, Paiges jongste zuster, werkzaam in Daboecia Hall, had veel gevoel voor public relations. Ze had een berichtje gestuurd naar de redactie van de regionale krant. Nadat gepubliceerd was dat Paige O'Brien, uitbater van Daboecia Hall en eigenaar van de Daboecia Shop, in zee ging met Superquinn met een reeks delicatessen, was de klandizie in de winkel gestegen. Paige wist dat al, maar Emma hoorde het verhaal nu uit de eer-

ste hand van Caitlin, de andere O'Brien-zuster die de scepter zwaaide over de winkel.
Emma kwam wel vaker in het gezellige zaakje. Eerder om een praatje met haar schoonzusje te maken dan om wat te kopen. Levensmiddelen in de cottage kwamen grotendeels van Daboecia Hall. Emma deed maar weinig boodschappen in een supermarkt.
Caitlin en haar medewerkers hadden er slag van om de winkel aantrekkelijk te houden. Het wisselende aanbod dwong hen om steeds een andere uitstalling te creëren. Ze slaagden daar uitstekend in. Nu straalde het geheel de herfstsfeer uit. Het verbeeldde de rijkdom van het oogstseizoen. Er was ruimte gelaten voor het naderende Halloweenfeest, zonder al te veel in uitgesneden pompoenen en nepspinnenwebben te vervallen.
Emma wilde er foto's van maken. Eerder die dag had ze plaatjes geschoten van de rijpe gewassen in de tuin bij de Hall. Bottels, bessen, kolen, prei, pompoenen, pastinaken, uien, appels en peren, dat materiaal had ze nodig om de nieuwe menukaarten te illustreren. Ze was daar al mee begonnen toen ze nog maar pas in Ierland woonde. Nu vormden de menukaarten een attractie op zich. Als de kaart wisselde, werden de oude menu's niet afgedankt. Ze werden voor een zacht prijsje te koop aangeboden in de winkel, waar ze grif van de hand gingen. Emma had wel eens gehoord dat iemand de tekst eruit had gesneden en de versierde rand als fotolijstje gebruikte.
Wat ooit als grap was begonnen, als probeersel, was nu een onderdeel van Daboecia's imago, wat het landelijke en ambachtelijke hoog in het vaandel had.
Emma wachtte fatsoenhalve tot er geen klanten meer in de winkel waren, voor ze begon met fotograferen.
'Kijk, Emma, dit bedoel ik nu.' Caitlin gebaarde lachend naar de deur die de klant zojuist achter zich dichttrok. Het belletje klingelde nog. 'Je kwam nog weleens in een lege winkel. Nu staat er bijna constant volk. Dat krantenartikel heeft wel wat teweeggebracht.'
'Caitlin, je vindt het prachtig.' Emma lachte ook, om de blozende wangen van haar schoonzusje, die met de handen op de goedgevulde heupen stond. Ze droeg, net als alle medewerkers van de winkel, een schort met het Daboecia-logo.

'Aye.' Caitlin zag er zeer voldaan uit. Ze had er reden toe. Ze maakte deel uit van het familiebedrijf dat zijn succes nog steeds zag toenemen. Paige, aan het hoofd van de onderneming, stelde alledrie zijn zusters te werk.
'Ik heb gehoord dat je voor een expositie bent gevraagd?'
'Ja, door Kilkenny Design Centre. Dat moet volgend jaar mei gebeuren.'
'Zal ik Margreth vragen om ook daarover een stukje naar de krant te sturen?'
'Oef, Caitlin, nee, dank je. Ik heb nu al werk genoeg. Ik maak nu ook maar snel wat foto's. Paige wil het ontwerp volgende week naar de drukker brengen.'
'Oh, maar het lukt jou wel om voor die tijd weer een mooie kaart te maken.'

Margreth, de slimmerik, had bedacht dat Emma van elke menukaart één exemplaar moest houden, voorzien van een datum. Dit voorkwam dat ze in herhaling viel. Vanuit haar kantoorervaring kende Emma het belang van een archief wel, maar het archiveren van haar eigen schilderwerk deed een beetje lachwekkend aan. Niettemin was het effectief. Ze trok de kaarten van vorige oktobermaanden uit de archiefdoos en bekeek op de computer de foto's.
Paige had haar de conceptmenu's gegeven waarnaar ze kon werken. Het klusje hield haar vier dagen bezig. 's Avonds kwamen de cursisten weer. Op vrijdagochtend voltooide ze het werk aan de menukaarten. Ze bracht de schetsen naar de Hall, zodat Paige ze bij de drukker kon brengen.
Hij was niet aanwezig, maar had wel aan haar gedacht. Er stond een rijkgevulde sandwich klaar als lunch. Emma nam hem mee terug naar het atelier. Nadat ze het broodje met smaak had verorberd, liep ze naar O'Reilly's.
Er werd niet gereden, maar Lorenzo en een paar mensen van de stoeterij stonden om een paard heen. De Spanjaard liet zijn hand over de paardenbenen glijden. Het paard draaide zijn oren, verontrust over de vreemde aanraking. De oren gingen weer naar voren, de aanraking was hem welgevallig. Ongetwijfeld nam Lorenzo bepaalde dingen waar over de conditie van het dier, door het zo te bestrijken. Voor Emma zag het

eruit als de streling van een minnaar. Zijn hand rondde de slanke, sterke benen van het paard alsof hij de kostelijk zachte huid van een vrouw beroerde. Als hij de kracht, de huid en de spieren van een paard op waarde kon schatten, dan kon hij ook ... Emma liep weg. Er was geen plek voor haar bij dit tafereel. Ze wapperde met de kraag van haar bloes. Haar wangen gloeiden.

Lorenzo kwam om zeven uur 's avonds de studio binnen. De herinnering aan zijn gevoelige handen op de paardenbenen brachten opnieuw een blos op Emma's wangen. Lorenzo merkte het niet op. Hij werd door iets anders in beslag genomen. Ze zag het aan zijn gedraai.
'Wat is er aan de hand?' vroeg ze.
'Wel, ik had jou beloofd te komen, maar de mensen van O'Reilly's hebben me nogal onder druk gezet om met ze te gaan stappen vanavond.'
'Je hoeft niet te denken dat je me in de steek laat, hoor. Weet je hoe wij moderne kunstschilders dat oplossen?'
Hij was verbaasd over de snelle opheldering van zijn probleem.
'Eh ... geen idee.'
'Wij hebben de digitale camera ontdekt.' Emma had hem al in haar handen. 'Heb je geen bezwaar?'
Lorenzo lachte breeduit.
'Je had iets meer magie verwacht, hè?' plaagde ze, terwijl ze al afdrukte.
'Ik had verwacht van jou op mijn kop te krijgen. Dat jij bezwaar zou maken. Ik heb geen bezwaar daartegen.' Hij wees op de camera.
'Ik weet wanneer ik mijn verlies moet nemen. Hoe kan één simpel vrouwmens nu op tegen de verlokkingen van de kroeg?'
Emma hield de lens op hem gericht. Een camera was altijd storend in een gesprek, maar deze hoefde ze niet voor haar oog te houden. Het was een povere vervanger voor de waarnemingen met het blote oog, maar niettemin een hulpmiddel, een soort verlenging van haar geheugen.
'Vind je het echt niet erg?' vroeg Lorenzo.
'Nee hoor. Ik heb je gevraagd een paar avonden in de week op te offeren voor iets wat in wezen nogal saai is. Als je een keertje niet kunt, is dat geen probleem.'

'Het was niet saai, Emma.' Zijn stem dook een paar octaven omlaag. 'Het was een fijne avond.'
Ze deed of ze de stembuiging niet had gehoord. 'Kijk aan. Dan weet ik dat je maandagavond weer terugkomt.'
'Daar kun je op rekenen,' beloofde hij.
Ze volgde hem met de camera terwijl hij door het atelier bewoog. Hij rommelde in de schaal met pastelkrijtjes. Ze moest snel zijn. Als mensen zichzelf vergaten, zoals Lorenzo nu bij die schaal, was dat steevast een heel kort moment. Op die kleine ogenblikken lieten ze hun natuurlijke lichaamshouding zien. Het gewicht op één been, de ander ontspannen. De ene schouder wat lager dan de andere. De buiging van de hals, de houding van het hoofd die hen eigen was. Lorenzo's hoofd was gebogen. Emma zoomde in op zijn gezicht. Ze slikte bij het zien van de neergeslagen ogen, de wimpers leken te rusten op zijn jukbeenderen.
Ze reageerde ietwat onwillekeurig. 'Beloof het niet te snel.'
Hij was opeens weer fel, de bruine ogen strak op haar gericht – klik! 'Ik houd mijn woord.'
Hij nam afscheid en verliet de studio. Was het echt zijn eer te na om zijn woord te breken? Emma zette de foto's op de harde schijf. Na elk gebruik haalde ze de foto's van de camera af. Die moest steeds opgeladen en schietklaar zijn.
Lorenzo was zonder twijfel een man van zijn woord. Hij kon kiezen tussen zich een avond vervelen op zijn hotelkamer en haar gezelschap bij de poseersessies. Dan was een woord gauw gegeven.

'Ik wou je gezicht zien als ik je dit liet zien.' Paige hield de krant onder Emma's neus. Een klein artikeltje was rood omcirkeld. In een kolom met kleine berichtjes in een regionale krant waren een paar regels gewijd aan Emma's aanstaande deelname aan de door Kilkenny Design Centre georganiseerde expositie.
'Margreth?' Emma raadde de identiteit van haar voorspreekster.
Margreth had het zetje van haar zus Caitlin niet eens nodig gehad. Ze had al actie ondernomen naar de pers. Of Emma genoeg werk had of niet, het was niet meer tegen te houden.
Paige knikte langzaam, grijnzend.

'Ik moet eens even een hartig woordje spreken met mijn schoonzuster. Die doet maar.'
'Schat, je kunt hier nooit slechter van worden. Wat er ook gebeurt, je bent er altijd nog zelf bij om te voorkomen dat het je boven het hoofd groeit.' Hij kende haar beter dan zij zichzelf. 'Ik weet dat je een heleboel werk aan kunt. Ik ken je houding tegenover stress en drukte. Nee, jij laat je niet gek maken.'
'Vind je? Oh ... dank je.'
Voordat Emma naar haar atelier ging, zocht ze Margreth op, die weliswaar schuldbewust lachte, maar geen spijt had van haar lekje naar de pers. 'Het werd tijd dat ze het eens plaatsten. Ik heb de redactie al dik twee weken geleden gemaild.'
Emma sloeg de handen voor haar mond. 'En je zegt niks!'
Ze gaf opnieuw een ondeugende grijns ten beste. 'Ik help het lot een handje, maar ik geef er geen ruchtbaarheid aan. Je weet nooit wat ervan komt.'
Van de door Paige veronderstelde koelbloedigheid was echter weinig te merken toen ze nog dezelfde ochtend werd gebeld door een galerie in de stad Wicklow. Een vrouw was daar galeriehoudster, haar naam was Mary Somerville. Hoewel er in het telefoongesprek niet meer werd afgesproken dan dat Mrs. Somerville voor een oriënterend bezoekje langskwam, wist Emma wat dat voor gevolgen kon hebben. Als wat ze zag de galeriehoudster beviel, zou Emma binnen niet al te lange tijd een vaste plek hebben waar haar werk werd verkocht. Vanuit een galerie verkocht het toch altijd beter dan vanuit haar eigen, geliefde Stables. Uit commercieel oogpunt had zo'n strak ingerichte galerie een voorsprong op haar studio met zijn losse, wat rommelige sfeer.
Na het gesprek zeeg Emma trillend op een kruk neer. Dit kwam er dus van, als je met je verhaal in de krant kwam. Het zou geweldig zijn om een overeenkomst te sluiten met een galerie, maar ging ze in haar naïviteit niet aan een aantal zaken voorbij? Haar schilderscarrière kwam in een stroomversnelling. De maand tevoren was ze uitgenodigd voor een expositie en nu had ze de aandacht getrokken van een galerie.
Ze wilde Paiges gezicht ook weleens zien als ze hem vertelde dat er zowat onmiddellijk gereageerd was op het stukje in de krant.

Hij nam haar lachend in zijn armen nadat hij het verhaal gehoord had. 'Geweldig, toch?'
'Ik ben onnozel in de weer, Paige. Ik heb geen idee waar ik me mee inlaat.'
Ze stond nog steeds in zijn omarming. Hij keek verbaasd op haar neer. 'Wat is het probleem, meissie? Die mevrouw Somerville zet eerst maar eens duidelijk op papier wat ze met jou afspreekt. Als je het niet vertrouwt, ga je ermee naar een advocaat.'
Ze voelde zich door zijn woorden gerustgesteld. 'Ach, dat zal niet nodig zijn.'
Paige knuffelde haar stevig. 'Nou, laat die mevrouw maar komen dan.'
'Ik wil die galerie wel zien. Eens kijken waar mijn schilderijen terechtkomen. Zou het iets sjieks zijn?'
'Galeries zijn toch per definitie sjiek?'
'Kan ik binnenkort met jou gaan of zal ik je moeder weer vragen?'
Paige schudde nadenkend zijn hoofd. 'Je moet je eigen auto hebben, Emma. Dat vind ik eigenlijk al een poosje. Nu hakken we de knoop ook maar door.'
Emma's mond viel open. 'Maar ik red me toch best, op mijn fiets?'
'Je redt het nog beter met een autootje.'
'Paige O'Brien, ik ken jou. Dan heb je zeker ook al een karretje voor mij gezien.'
Hij tuitte zijn lippen. 'Eerlijk gezegd ...' Hij knikte.
'Zie je wel! Jij stiekemerd!'
De omhelzing was voorbij. Paige deinsde lachend achteruit, omdat Emma hem gespeeld kwaad een mep verkocht. 'Zullen we zaterdag gaan kijken?'
Opnieuw stond Emma te ginnegappen met Margreth in de receptie. Het was maar goed dat er geen gasten in de buurt waren, want Margreth gilde bijna van enthousiasme over de reactie van de galeriehoudster en over het feit dat Emma en Paige komend weekend een auto voor haar gingen kopen.
Ze had toegestemd in een bezoek aan de dealer. Later wist ze niet eens meer met welke woorden. Terug in haar atelier moest ze het zoveelste nieuws zelf nog verwerken: het feit dat ze bin-

nenkort autobezitster zou zijn. Het idee stond haar met de minuut meer aan.

Mary Somerville arriveerde op donderdag bij Daboecia Hall. Op de afgesproken tijd stond Emma haar op te wachten bij de parkeerplaatsen voor het restaurant.
Een knappe, verzorgde vrouw van halverwege de veertig stapte uit. Emma gaf haar een hand. 'Ik vroeg me al af welke nationaliteit u had, maar nu hoor ik een Nederlands accent. Klopt dat?' vroeg Mrs. Somerville.
'U heeft gelijk. Ik ben van Nederlandse afkomst. Ik woon sinds drieënhalf jaar in Ierland.'
'Alleen?'
'Oh nee. Ik woon samen. Mijn partner, Paige O'Brien, is de baas van dit hotel-restaurant.'
Emma liep naar het bospaadje. 'Ik zal u voorgaan naar mijn studio. Het was een paardenstal.'
'Een stal?' lachte Mrs. Somerville. 'Het wordt steeds leuker. Maar waar zijn de paarden nu dan?'
'Het wordt u zo direct allemaal duidelijk.'
De deur van de studio stond open.
'Je hebt vertrouwen in de Ieren, zie ik.'
'Ik was maar eventjes weg. Komt u binnen. Wat mag ik u aanbieden?'
'Thee, graag.' Mary Somerville nam direct de doeken op.
Emma had zo veel mogelijk uitgestald. 'Kijkt u alvast maar rond. Ik zal dadelijk de rest laten zien.'
Opgelucht dat Mrs. Somerville een sympathieke, toegankelijke vrouw was, verdween Emma in haar keukentje. '
'Je stijl komt me bekend voor,' merkte ze op terwijl ze haar thee aanpakte.
Emma duwde haar handen in haar achterzakken. 'Ik geloof dat ik bij de hedendaagse realisten hoor. Ik schilder alleen figuratief werk.'
'Ja, dat was me tijdens ons telefoongesprek al duidelijk. Anders was ik niet eens gekomen. We hebben namelijk uitsluitend figuratieve kunst in de galerie. Nee, het is net of ik al eerder werk van je gezien heb.'
Emma haalde haar schouders op.

'Heb jij in Nederland op de kunstacademie gezeten?'
'Nee. Ik mocht niet van mijn ouders.' Zo simpel was het.
'Dus jij bent ...'
'Autodidact? Ja, dat klopt.'
'Mijn hemel.' Ze nam een slokje thee. 'Hoe oud ben je?'
'Tweeëndertig.'
Ze leek dingen tegen elkaar af te wegen. Ze liep rond, zwijgend, de theemok in haar handen. Vormde ze een oordeel? Wist ze niet hoe ze zo snel mogelijk de aftocht kon blazen? Als ze enthousiast was over wat ze zag, liet ze het dan bewust niet merken? Het was kennelijk een tactiek.
Peinzend merkte ze op: 'Ik probeer me nog steeds te herinneren waar ik eerder werk van je heb gezien.'
'Ik heb geen idee.' Waar wilde ze heen met deze vragen?
'Heb je al eens eerder geëxposeerd?'
'Ja, vier jaar geleden. Ik woonde toen nog in Nederland, maar de expositie was in Ierland. Hiernaast, in Daboecia Hall.'
'Dat had ik toch moeten weten.' De galeriehoudster fronste de wenkbrauwen.
'Nou, u kunt het gemist hebben. Deze expositie ging nogal buiten galeries en musea om. Heeft u misschien een recensie gelezen? Een foto in de krant gezien?'
'Nee, in een boek. Nu weet ik het weer. Het was min of meer toevallig dat ik dat in handen kreeg. Pasteltekeningen ... Legenden ...'
Emma knikte. 'Uitgegeven door Hardiman in Dublin.'
'Dat was tegen het surrealistische aan. En toch schemert je stijl erdoorheen. Zeker in de pasteltekeningen die ik hier zie staan. Is er een expositie geweest van de illustraties in dat boek?'
'Nee. Ik heb wel voortgeborduurd op dat thema. Bovendien heb ik mijn reisimpressies een plaats mogen geven in dezelfde tentoonstelling.'
'Vier jaar geleden? Dat werk is verkocht, neem ik aan?' Mary Somerville was een professional, een vrouw met een enorme kennis op kunstgebied. Emma stond versteld van haar scherpe geheugen en opmerkingsgave. Hoewel ze de vriendelijkheid zelve bleef, ging het eerder vrijblijvende gesprek duidelijk naar een punt toe. De speurhond had een spoor opgepikt.
'Nee ...' Er waren nog altijd die grote kratten in de schuur ach-

ter de cottage, de opslagplaats van de hele Hibernia-collectie. Na afloop van dat avontuur had ze het te druk gehad met haar emigratie. De doeken waren roemloos verdwenen in grote, houten kisten. Ze waren in de schuur blijven staan. Na aankomst in Ierland had Emma wel wat anders aan haar hoofd gehad dan zich druk te maken om die collages. Nu leek het uur van hun wederopstanding te zijn aangebroken. 'Ik heb ze nog. Alle Hibernia-doeken.'
'Hier?' Mary's algemene toon van spreken werd gedrevener.
'Niet hier. In de schuur achter mijn huis.'
'Luister, Emma, laten we terzake komen.' Mary Somerville liet haar subtiele, strategische aanpak varen. 'Wat ik hier zie, bevalt me uitstekend. Je werk is goed. Als ik zeg dat het uitermate verkoopbaar is, kun je dat gerust van me aannemen. Ik kwam hier in de veronderstelling dat je het druk zou hebben met de aanstaande expositie. Ik had niet verwacht dat je meer dan een paar doeken in voorraad had liggen. Nu hoor ik je zeggen dat er ergens een hele collectie ligt te verstoffen. Als die doeken net zo goed zijn als wat ik hier zie, betekent dat dat ik gelijk jouw werk in onze galerie kan opnemen.'
Ze keek nog eens rond en glimlachte. 'Ik kwam me eigenlijk alleen oriënteren.'
Emma had haar betoog met stijgende verbazing aangehoord. 'Begrijp ik het goed?'
'Jazeker, aan je oren mankeert niets. Natuurlijk wil ik je Hibernia-collectie zien. Toch ... ook zonder die collectie ga ik je een contract aanbieden.'
'Werkelijk?' Dit was waartoe Mrs. Somerville's bezoekje diende, maar het bleef voor Emma ongelooflijk. Ze voelde zich heel onhandig achter de feiten aanlopen.
'Een belangrijk punt voor mij is om te weten of je al een contract hebt gesloten met een andere galerie. We mogen niet in andermans territorium gaan zitten. Dat is ... als jij een contract met Gallery Somerville wilt sluiten.'
'Ik heb nog geen contracten lopen.' Emma had het gevoel in een op hol geslagen draaimolen te zitten. Ze zocht houvast bij de tafel.
'Dan wordt het hoog tijd,' vond Mary Somerville.

Na die legendarische woorden hadden Emma en Mary de studio verlaten om de schilderijen in de schuur bij de cottage te bekijken. Het idiote van de situatie had ook Mary aangegrepen. Toen Emma een koevoet greep, merkte ze giechelend op: 'Ik ken je nog maar net of ik stel je inbrekerskwaliteiten al op proef.'
'Het ziet er wel heftig uit, maar ik weet niet of ...' Emma zette kracht door haar volle gewicht op de koevoet te gooien.
'Ja!' riepen ze tegelijkertijd toen de planken meegaven onder het geweld.
Mary haalde het bubbeltjesplastic van een doek af en onthulde St. Patrick, de ingang van Newgrange, een gezicht op de rivier Boyne.
De zaken waren gauw gedaan.

'Laat die champagnekurken maar knallen!' riep Paige ten overstaan van het aanwezige keukenpersoneel. Hij tilde Emma op, zwierde haar in het rond en zoende haar smakkend. 'Een galerie gaat haar vertegenwoordigen. Mijn kleine grote Nederlandse artieste!'
Emma kwam weer op haar voeten terecht, maar bleef het gevoel houden dat ze zweefde en tolde.
Mary had haar weer bij Daboecia Hall afgezet. Emma was gelijk doorgelopen om Paige in de keuken het nieuws te vertellen. Margreth had haar post verlaten en was haar achterna gegaan.
Gejuich en felicitaties volgden. Paige, met zijn arm nog om Emma heen, riep: 'Daboecia gaat in zaken met Superquinn en Emma met een galerie in Wicklow. Dit vraagt om een feest. Zaterdagavond, hier in de Hall. De familie, het personeel en de logés. Vanaf halfelf, als de keuken dichtgaat. Laat niemand het wagen verlof te nemen!'
Opnieuw weerklonk er luidruchtige bijval.
Paige streek Emma over haar bovenarmen. Zijn blauw gewolkte ogen stonden plagerig. 'Goh, Emma, wat ben ik blij ... dat die rommel eindelijk uit mijn schuur verdwijnt!'

'Hoe gaat het?' vroeg Lorenzo, toen hij op vrijdagavond in de studio kwam voor zijn volgende poseersessie.
'Snel,' zei Emma, die nog steeds een beetje confuus was door

de ontwikkelingen. 'Het gaat hier erg snel.'
'Wat?' Hij fronste zijn wenkbrauwen.
'Ga zitten, ik pak wat te drinken voor je en dan zal ik het vertellen.'
Ze overhandigde Lorenzo zijn biertje en nam plaats op haar kruk. 'Een week of zes geleden ben ik gevraagd om deel te nemen aan een expositie.'
'Bravo!'
'Dank je. Ik ben zeer vereerd met de uitnodiging voor deze groepstentoonstelling. Die komt namelijk van een zeer vooraanstaand kunstcentrum in Kilkenny. Het moet volgend jaar mei gaan plaatsvinden.'
'Dus je moet snel werken?'
'Dat moet ik zeker, want ik heb nog niks klaar voor die tentoonstelling. Maar met dat snel bedoel ik wat anders.'
'Oh?'
Emma's houtskooltje kraste alweer over het papier. Ze was zich niet bewust dat ze een kleur op haar wangen kreeg, daarvoor was ze te druk in de weer. Druk aan het schetsen, druk aan het praten. 'Mijn schoonzusje Margreth ...'
'Ah, Margarita, van de receptie.'
'Die, ja. Wel, Margreth heeft de pers ingelicht over mijn deelname. Van de week stond daarover een berichtje in de krant en er heeft zich al een galerie gemeld om mijn werk te bezichtigen. De galeriehoudster is hier gisteren geweest. Ze zei dat mijn werk goed was. Uitermate verkoopbaar, noemde ze het. Dus binnenkort teken ik een contract met die galerie in Wicklow. Dan heb ik een vaste plek waar mijn werk komt te hangen.'
'Emma ...' Lorenzo leunde achterover. 'Het gaat echt snel.'
'Precies. Ik krijg het gevoel achter de feiten aan te rennen.'
'Mmm. Dit zijn ook geen kleine feitjes, hè?'
'Ik voel me er een klein meisje door.'
'Jij bent in geen enkel opzicht een klein meisje, Emma.'
Emma's blos verdiepte zich. Nu voelde ze de hitte wel. Ze wist zich geen raad en wreef met haar houtskoolzwarte vingers door haar haar. Zo flatteus zag ze er niet uit, met haar oude spijkerbroek met verfspatten erop. Ze droeg een afgedankt overhemd van Paige over haar eigen bloes en ook die zat onder de spetters. Lorenzo's woorden gaven haar het gevoel dat die uitdossing eer-

der haar vrouwelijkheid benadrukte dan verdoezelde. En dat hij daar al die tijd oog voor had gehad.
'Even wat drinken pakken,' mompelde ze. Ze dronk het flesje water in één grote teug bijna helemaal leeg.
Lorenzo was opgestaan. 'Je hoeft er niet van te blozen, hoor. Je hebt talent, je hebt hard gewerkt en nu ben je ontdekt. Dat is toch terecht?'
Hij stond voor haar en legde zijn hand op haar verhitte wang.
'Ik denk ... ik denk ...' Zijn hand verdween van haar wang, 'dat ik toch moet doorgaan met hard werken.'
Zijn bruine ogen waren vlakbij. Ze kende intussen al vele strenge blikken van hem, maar de fluweelzachte glans in zijn ogen was nieuw voor haar. 'Je zult er toch niet mee stoppen. Daarvoor ben je veel te gedreven.'
'Ja ... toch?' Ze probeerde te lachen, maar de lach bleef in haar keel steken. Het was een vreemde ernst die haar in zijn greep had. De atmosfeer in de studio was geladen. De spanning werd veroorzaakt omdat Lorenzo heel dicht bij haar stond.
'Je bent inderdaad van streek, Emma.'
'Ik geloof het wel.' Haar trillende, tintelende handen, daarnet nog met uiterste precisie aangestuurd, leken nu ongeleide projectielen. Ze wreef haar nek, haar taille, haar rug. Wat deed ze nu toch?
'Misschien moet je er even van bijkomen.'
'Mogelijk,' kraakte Emma, haar keel alweer droog.
'Dan ga ik maar,' stelde Lorenzo voor. 'Ik zie je morgen op het feest. Goed?'
'J-ja, dat is goed. Morgenavond op de céili.'
Hij trok zijn jas aan en wilde vertrekken, maar bedacht zich. 'Oh ... wat stom. Bijna vergeten.'
Hij kwam opnieuw voor haar staan. Legde zijn handen op haar schouders. Ze had zelf al een koortstemperatuur, maar zijn handen brandden door haar kleding heen. 'Je bent een felicitatie waard. Proficiat, Emma.'
Hij kuste haar één keer. Op haar mond.
Hij was allang verdwenen, maar Emma bleef gevangen in het ondeelbare moment waarin hij zijn lippen op de hare had gedrukt.
Eindelijk keek ze naar het schetsblok. Ze had zijn mooie, brede

mond al vaker getekend. Hoe sensueel ze zijn mond ook op papier had gezet, de werkelijkheid overtrof het.
Emma raakte haar lippen aan. Een andere man had haar gekust. Dat gebeurde wel vaker. Maar niet dat het zo'n indruk maakte. Eén kuise kus, op haar lippen. Wat had het nu helemaal te betekenen? Op zich niets, maar het was je reinste verleiding.
Het was verstandiger om de poseersessies af te blazen, maar Emma bestreed die gedachte. Die man móést op doek!
Ze riep zichzelf tot de orde: ik loop me een beetje aan te stellen over een zoentje! Tweeëndertig jaar en van streek raken door een felicitatiekus. Het idee: blozen om een andere man terwijl ze een solide relatie had. Alsof ze niks anders aan haar hoofd had.

HOOFDSTUK 4

'Kijk, deze auto had ik uitgezocht. Maar uiteindelijk moet jij erin rijden. Misschien zie je wat anders.' Met die woorden bracht Paige Emma bij een Ford Focus. Het tweedehands autootje zag er prima uit.
'Een Ford, Paige O'Brien, ik had het kunnen weten.'
'Ik ben nou eenmaal een Ford-man, maar ik meen me te herinneren dat jouw laatste auto in Nederland ook een Fordje was. Vandaar eigenlijk.'
'Je hebt gelijk. Er is ook niks mis met je keuze.'
Emma keek inderdaad nog wat rond, maar ze koos toch de door Paige aangewezen auto. Hij had haar goed ingeschat.
'Mooi, dan ga ik nu proberen nog wat van de prijs af te krijgen. Goed?'
'Haal je hart maar op.'
Dat gesteggel was een mannending, vond Emma, zij was daar niet goed in. Ze liet het graag aan Paige over. Als het hem lukte de prijs omlaag te krijgen, was zij net zo blij als hij, maar ze ging niet onderhandelen.
Ze bleef een beetje op de achtergrond toen Paige met de verkoper om tafel ging. Voor de vorm volgde ze het belangstellend. In werkelijkheid moest ze moeite doen om een herinnering uit haar gedachten te bannen. Lorenzo's zachte, warme lippen op de hare.
Met het schudden van haar hoofd leek ze de spanning van de onderhandelingen te willen breken. In feite wapende ze zich. Vanavond zou ze hem weer zien, op de céili. Haar lachje viel samen met het moment waarop Paige vijfhonderd euro van de prijs afkreeg. Vanavond had ze niets te duchten van Lorenzo. Vanavond was ze in gezelschap, aan de zijde van Paige. Ze had reuze zin in het feest. Het was geweldig van Paige om, in alle drukte, tijd vrij te maken om te vieren waar ze mee bezig waren.

Al had ze Paige dan niet voor zichzelf, hij zou eens een avond niet aan het werk zijn.
De voorpret hing in de lucht. Emma merkte het toen ze met Paige een snelle lunch gebruikte in de keuken van het restaurant.
'Ben je al met de auto?' vroeg Edward, één van de koks.
'Nee, maandag gaan we hem halen,' antwoordde Emma.
Kevin, een andere kok, stootte Edward aan. 'Dan blijf ik binnen.'
'Hé, Emma, aan welke kant stapte je in toen je vanmorgen bij de dealer was?' Tuinman Roger plaagde lekker mee.
Eilis' gezicht verdween achter de stoom die uit een pan opsteeg, maar Emma zag dat ze, weliswaar hoofdschuddend, meelachte.
'Pas op, hè, ik kom uit een land waar net zoveel auto's rijden als hier ezelkarren. Bovendien, als je mij niet vertrouwt, heb je het ook aan de baas te danken. Hij heeft mij aan de verkeerde kant van de weg leren rijden!'
Dat ving Colm op, de tweede tuinman. 'Wat nou, verkeerde kant? Dat doen ze bij jullie! In Nederland!'
'Wij hoeven in onze rechterhand ook geen speren meer vast te houden!'
Paige was algauw beschermend tegenover Emma. Normaal gesproken liet hij zijn vriendin niet aanvallen. Nu genoot hij glimlachend van haar felle verweer. De sfeer was duidelijk losser, met het feest in het vooruitzicht. Tot die tijd moest er gewerkt worden.
'Nou, jongens, jullie hebben gezien dat mijn vriendin het tegen vier mannen tegelijk durft op te nemen. Nu weer aan je werk.'
Emma kuste Paige. 'Ik ook, baas?'
'Jij net zo goed.'

De voltallige O'Brien-familie was paraat op het feest, evenals de gehele bemanning van Daboecia Hall en de winkel. Als remedie tegen klachten over geluidsoverlast waren ook de betalende gasten uitgenodigd. Dat waren er, in de tweede helft van oktober, niet zoveel. Een gepensioneerd Duits echtpaar en Lorenzo Ramirez. Nadat de laatste eters het restaurant hadden verlaten, werden in sneltreinvaart tafels en stoelen verschoven om een dansvloer te creëren.

Degenen onder de familieleden en het personeel die een instrument bespeelden, draaiden alvast warm. Aidan bespeelde de concertina. Emma was blij te zien dat hij hem had meegebracht. Aidan had niet altijd zin om te spelen, al kon hij het geweldig. Alastair had zijn tin whistles mee. De viool werd bespeeld door Evelyn, die in de winkel werkte. Colm kon goed met de bodhrán en met een stel lepels overweg. Alleen al om de muziek kon de avond niet meer stuk.

Emma ging bij haar schoonmoeder zitten om haar de recentste gebeurtenissen te vertellen. Maeve was meestal goed op de hoogte van wat er in de familie speelde, maar in de voorbije week was er nogal wat voorgevallen. Ze had nog geen tijd gehad om Paiges moeder bij te praten.

Maeve was minstens net zo enthousiast als Margreth. 'Dat zijn een heleboel redenen voor een céili. Terecht dat Paige een feestavond wilde. Ik ben heel blij voor jullie beiden, lieve kind.'

Emma werd omhelsd door Maeve. Het trok de aandacht van Lorenzo.

'Emma, er staat een hele knappe vent naar ons te kijken. Hij ... oh, dat moet die Spanjaard zijn.'

Hij kwam op Emma af. Maeve fluisterde nog gauw: 'Hij lijkt inderdaad wel wat op Paige.'

Emma stelde de Spaanse gast aan haar schoonmoeder voor.

'Encantado, señora.' Hij boog voor Maeve, die zijn hand schudde en achter haar andere hand haar lach verborg. 'Welkom op onze céili, señor Ramirez.'

'Gracias, señora, zegt u alstublieft Lorenzo.'

'We bespraken net het feit dat je op mijn zoon Paige lijkt.'

'Ik heb het meer gehoord. Van uw schoondochter, de schilderes.' Hij knikte naar Emma. 'Over Paige gesproken, waar is hij?'

'Achter de schermen om ervoor te zorgen dat het feest goed loopt,' legde ze uit.

'Heb je Emma's werk al gezien?' vroeg Maeve.

'Jazeker. Ik zit twee keer in de week bij haar in de studio om te poseren.'

Emma boog het hoofd en schuifelde met haar voeten bij de herinnering aan de laatste sessie.

'Aha! Dan weet je dus ook dat deze jongedame hard op weg is om onbetaalbaar te worden.'

'Maeve!' berispte Emma haar schoonmoeder. Diens ogen glinsterden om haar reactie.
'Lorenzo's reputatie strekt veel verder dan de mijne. Hij is hier de echte beroemdheid.'
'Dat heb ik gehoord, ja. Jij bent de paardenkenner, hè?'
'Inderdaad. Die job brengt mij ver en lang van huis.'
'Daarom moeten wij een beetje voor je zorgen. Emma neemt al een paar avonden voor haar rekening en nu ben je op de céili. Vanavond zul je je niet eenzaam voelen.'
Maeve liet het klinken of ze Lorenzo uit medelijden liet poseren. Ze moest eens weten hoe de spanning was gestegen 's avonds tevoren.
'Ik ondervind genoeg hartelijkheid, dank u wel. De Ierse gastvrijheid wordt niet voor niets geprezen.'
Maeve klopte hem op zijn arm, alsof ze daar in haar eentje verantwoordelijk voor was. 'Ik mag graag denken dat we Emma ook zo over haar heimwee heen hebben geholpen. Weet je, Lorenzo, in onze familie is altijd plaats voor nog eentje meer.'
'Voor Emma moet het ingrijpend zijn geweest. Zij heeft familie en vaderland achtergelaten.' Om haar niet het gevoel te geven dat er over haar gepraat werd alsof ze er niet bij was, legde Lorenzo zijn hand op haar rug. Haar schouders spanden zich. Zijn hand brandde door haar jurk heen.
'Emma kwam naar Ierland om met Paige te gaan samenwonen toen haar ouders hun schoonzoon nog nooit gezien hadden.'
Lorenzo lachte meewarig. 'Mijn vrouw en ik waren al getrouwd voordat haar ouders met mij hadden kennisgemaakt.'
'Huh?' deden Emma en Maeve tegelijk.
'Willen jullie dat verhaal horen?' Hij fronste zijn wenkbrauwen. 'Ik vrees dat het mij niet tot eer strekt.'
'Nu wil ik het helemaal horen,' zei Maeve, die als rechtgeaarde Ierse dol was op verhalen.
'Misschien kunnen we dan beter gaan zitten.' Hij wees op een tafeltje. 'Wat kan ik de dames te drinken brengen?'
Lorenzo ging de drankjes halen.
'Hij is zo'n hoffelijke man. Ik kan me niet voorstellen dat hij eerloze dingen doet,' fluisterde Maeve Emma toe.
Aan tafel gezeten, ieder met een drankje voor zich, stak Lorenzo van wal. Caroline Danenberg was een studiegenote van zijn

nichtje Maria, die woonachtig was op dezelfde hoeve. Maria had Caroline uitgenodigd voor haar bruiloft, ruim van tevoren. Ze vond algauw haar draai en hielp Lorenzo's grootmoeder met de administratie van de stoeterij. 'Ik kon die eigenzinnige, onafhankelijke vrouw niet plaatsen.Tot ik verliefd op haar werd. Jij bent van mij, dacht ik. Ik ben onuitstaanbaar geweest tot ik haar had. Heb haar gedwongen met me te trouwen.'

'Dan speelde je hoog spel,' merkte Emma op. 'Je vrouw had een bloedhekel aan je kunnen krijgen.'

'Klopt. Ik was er ook dik mee aan,' bekende Lorenzo.

'Hoe heb je haar kunnen dwingen?' vroeg Maeve.

'Ik kreeg ooit een Arabier op bezoek die zes paarden wilde kopen. Hij zag Caroline rijden toen ze, door de wind, half uit haar bloes hing. Hij heeft geprobeerd 's nachts haar kamer binnen te dringen. Hij wilde haar. Wilde ik mijn paarden kunnen verkopen, moest ik haar meebrengen naar Jemen. Ik kon haar niet in de handen van die schurk laten vallen, dus stelde ik voor te trouwen. Haar niet meebrengen zou mijn klant hebben beledigd en ...'

'Je beledigde haar ook,' stelde Emma vast. 'Hoe heeft ze ooit kunnen toestemmen?'

'Door dwang, Emma. Ik heb haar overtuigd dat ze met me moest trouwen. Door die deal stond er te veel op het spel. Niet alleen mijn paarden, maar ook de vrouw die ik beminde. De bedreiging die van mijn klant uitging was reëel genoeg, hoewel dat in een westerse samenleving niet voor te stellen is.'

'Dus je huwelijk werd tot onderdeel van die overeenkomst gemaakt?' vatte Emma samen.

Lorenzo knikte. 'En efecto.'

Maeve stelde vast dat het met liefde en romantiek weinig te maken had.

'Helemaal niets, nee. Hoewel we naderhand ontdekten dat we toen al verliefd waren op elkaar. Als pleister op de wonde heb ik voorgesteld om, na ons avontuur in Jemen, het huwelijk te laten ontbinden.'

Emma zoog haar adem in. 'Jij ging echt ver.'

Zij had hem heel anders leren kennen, maar in dit verhaal kwam hij naar voren als een niets ontziende botterik.

Hij herhaalde: 'Ik zei toch al dat het mij niet tot eer strekte.'

'Zover is het dus niet gekomen,' resumeerde Maeve.
'Nee, ik heb de boel getraineerd.' Zijn glimlach was schuldbewust, maar schurkachtig.
Emma schudde het hoofd. 'Zéér manipulatief.'
'Jij zegt het nog netjes, Emma. Ik ben een hufter geweest. Zo wanhopig was ik.'
Maeve klopte op zijn arm. 'Je hebt gestreden voor je vrouw, al zag het er tijdelijk anders uit. Emma had gelijk met haar opmerking. Caroline had een grondige afkeer van je kunnen krijgen. Ze betekent heel veel voor je. Dat is duidelijk.'
Emma zag hem slikken. 'Ach, mevrouw ...' Hij sloeg zijn ogen neer.
Maeves besproete hand lag nog op de gebruinde arm van de Spanjaard. 'Moedig van je, Lorenzo, om zo vertrouwelijk te zijn, terwijl je ons – en zeker mij – nog maar zo kort kent.'
Er viel een schaduw over tafel. Paiges lange gestalte nam het licht weg. 'Wat een ernstige gezichten. Zware gesprekken hier aan tafel?' Hij stak zijn hand uit. 'Zullen we maar eens dansen, Emma?'
Gesteld tegenover dat voorbeeld, vroeg Lorenzo de moeder van zijn gastheer ten dans.
Het werd een avond met verrassende ontwikkelingen. Lorenzo ontdekte dat hij niet kon dansen op Ierse muziek, hoewel hij er zichtbaar van genoot. Aidan sprak namens de rest van de muzikanten toen hij zei dat zij geen paso doble konden spelen. Daarop stond de Duitse man op. 'Maar ik speel wel de concertina. Mag ik eens proberen?'
Onder bemoedigend applaus nam Herr Büttinger het instrument over. Zijn vrouw volgde blozend zijn verrichtingen. Het ging hem goed af, maar na een paar deuntjes gaf hij Aidan de kleine accordeon terug.
'Lorenzo,' riep Aidan, 'welk instrument wil jij bespelen?'
'Ik bespeel er geen,' hij haalde verontschuldigend zijn schouders op, 'niet eens gitaar ... en dat voor een Spanjaard, hè? Ik ken alleen de palmas.'
'Waar doe je dat mee?'
'Con las manos.' Lorenzo stak zijn handen op. 'Met mijn handen.'
Alastairs zwijgende gebaar zei genoeg: het podium is voor jou.

Manhaftig nam Lorenzo de plaats in, maar hij lachte verlegen: 'Het moet eigenlijk met zijn tweeën, maar ik probeer het. Even inkomen.'
'Vallen wij in?' vroeg Aidan. Lorenzo schudde met gesloten ogen het hoofd.
Terwijl alles stilviel, het applaus, de gesprekken, het gerinkel vanachter de bar, klapte Lorenzo in zijn handen op een onbekend, maar opzwepend ritme. Al miste hij dan het tweede paar handen, het effect was niet minder. Hij stond iets gebogen, als naar zijn denkbeeldige partner gericht. Met de ogen toegeknepen in opperste concentratie klapte hij het vuur uit zijn handen. Emma kroop iets dichter tegen Paige aan. Ze trilde over haar hele lijf. Dit was zo iets elementairs, zo puur. Lorenzo deed het met een overgave die eventuele schoonheidsfoutjes wegpoetste. Zijn handen vulden de ruimte met het geluid van het ritmische klappen, maar Emma zag ze met strelende gevoeligheid over de paardenbenen glijden. Onverstoorbaar en bijna zonder te bewegen de teugels houdend, meester over zijn paard. Nu stond hij voor haar en deed niets anders dan handen klappen, maar zo virtuoos dat het muziek werd, een alom aanwezig, indringend geluid.
De toehoorders bleven muisstil, waaruit bleek hoe zeer ze onder de indruk waren. Toen hij ophield, barstte het applaus los. Emma ving Lorenzo's blik. Hij leek te zijn vergeten waar hij was. Gedesoriënteerd, alsof hij ontwaakte. Hij vermande zich bliksemsnel en lachte. Emma applaudisseerde werktuiglijk mee. In dat ondeelbare moment, voordat het applaus weerklonk, was de ware Lorenzo verschenen en verdwenen. Hij had haar zijn rauwe essentie getoond, de man die hij was. Ze begreep hem.

Op zondagochtend was ze bezig met het opspannen van doeken. Ze had de cd opgezet die bij haar stemming paste. De zon scheen, de temperatuur was aangenaam. De deur stond open, zodat de heerlijke, aardse herfstgeur naar binnen kon waaien. De muziek van Moya Brennan paste daar precies bij. Het feest van de vorige avond lag vers in het geheugen. Emma's gedachten bleven cirkelen om de imponerende palmas van Lorenzo, gevolgd door die blik van hem waardoor ze in zijn ziel kon kijken.

Hij was veel te vaak in haar gedachten. Ze kon zijn aantrekkingskracht op haar niet meer ontkennen. Daarvoor gebeurde het te vaak en te gemakkelijk. Iets wat ze helemaal niet wilde, was ontegenzeggelijk aanwezig.
Er was nog een andere zaak die haar aandacht opeiste. Ze bleef het maar voor zich uit duwen, alsof ze er niets mee te maken wilde hebben. De artieste die volgens Maeve zo hard op weg was om onbetaalbaar te worden, had de prioriteiten niet goed op een rijtje. Wat om voorrang schreeuwde, liet ze links liggen en iets – iemand – met wie ze zich beter niet kon bemoeien, had haar aandacht.
Sinds de poseersessies met Lorenzo begonnen waren, was haar productiviteit gezakt. Op die ochtend kwam ze erachter dat ze haar tijd steeds meer verlummelde. En dat was nu al – ze rekende terug – vier weken! Vier weken waarin er de helft minder uit haar handen was gekomen en van een portret van Lorenzo was nog niets te zien. Geen voorstudies, alleen een heleboel krabbels in een schetsboek. Vier weken waarin ze zichzelf steeds meer geweld moest aandoen om niet naar de rijbak van de stoeterij te gaan. Ze wilde niet als een aanhankelijke puppy achter de Spanjaard aanlopen. Ze vertoonde nog geen bakvisachtig gedrag, maar Lorenzo werkte op haar als een magneet.
Ze wilde dat hij wegging, terug naar Spanje, en ze wilde dat hij hier bleef. Hij verstoorde haar rust, haar werk, haar concentratie. Hij ging weg, dat had hij gezegd, aan het eind van oktober. Dat leek haar enerzijds te snel, anderzijds kon hier niet gauw genoeg een eind aan komen.
Ze was al ongeveer een maand niet zichzelf. Noch Paige, noch haar schoonfamilie had er iets van gemerkt. Haar schoonmoeder was één van de meest opmerkzame van alle O'Briens. Had zij niets in de gaten? Maeve kwam een stuk minder vaak naar de studio dan ze deed voordat ze naar Donegal was geweest. Kennelijk had ze daarom nog niets gemerkt. Dat Emma met zichzelf in conflict was, was aan haar uiterlijk niet af te lezen. Ze kon er met niemand over praten. Misschien was het daarom maar beter dat er niets aan haar was af te zien.
Als ze sterk in haar schoenen stond, zou ze het poseren hebben afgeblazen. In weerwil van zichzelf had ze toch voor de volgende avond weer met Lorenzo afgesproken. Haar sluwe kant, de

kant die altijd excuses wist te bedenken, had het alweer aan elkaar gepraat. Het was toch zonde van alle moeite als ze nu niet doorzette?

Na het tekenen van de papieren was de kleine Ford Focus van Emma. Op het terrein van de dealer wenste Paige zijn vriendin geluk en vele veilige kilometers met haar autootje. Voordat ze instapte om achter hem aan naar Daboecia Hall te rijden, wenste hij haar op typische Ierse wijze goede reis: 'May the road rise to meet you.'
Een beetje nerveus volgde ze de grote broer van haar eigen kleine wagentje naar de buitenkant van het dorp.
Roger en Colm, de tuinmannen die Emma eerder had, hadden nu voor een boeket gezorgd om haar met haar aanwinst te feliciteren. Grainne, Eilis en Peter, de barman, wensten haar veel plezier met haar karretje. Als het mogelijk was geweest, had ze haar auto over het bospaadje gereden om hem pal voor haar studio te parkeren, zodat ze hem kon zien. Hij stond beter op het parkeerterrein van Daboecia Hall. Daar waren geen takken die het lakwerk krasten. Het gevoel van de sleutel in haar broekzak maakte al veel goed. Die zei haar dat ze eigenaresse was van een parmantig, zwart autootje.
Van werken kwam die middag weinig. Emma was amper in haar atelier, of Maeve belde. 'Heb je hem al?'
'Jazeker,' lachte Emma, 'hij staat geparkeerd voor de Hall.'
'Kom hem even laten zien!' drong haar schoonmoeder aan.

Net wat ik nodig had, dacht Emma, toen ze achter het stuur zat om terug te keren naar haar studio. De onverdeelde aandacht van haar nuchtere, pragmatische schoonmoeder had de muizenissen verjaagd. Hoewel het beladen onderwerp niet was besproken – Emma keek wel uit – voelde ze zich gesterkt door Maeves frisse kijk op dingen. Juist in de periode dat haar wereld zich vergrootte, liet ze zich afleiden door wat ze nu zag als geringe oorzaken. Ze neuriede mee met het liedje op de radio, met haar ring tikkend op het stuur. Geen dwalingen meer, al waren er nog zulke knappe vreemdelingen in de buurt. Ja, Lorenzo moest op doek, maar dat was dan dat. Ze wilde dolgraag weer volop aan het werk. Ze nam zich voor Paige aan te sporen te

vertellen over zijn zaken met Superquinn. Er mocht geen afstand tussen hen komen omdat ze zulk verschillend werk deden. Het werd daarbij de hoogste tijd dat ze zich beraadde over de doeken voor de expositie. Nu het een beetje minder werd met de particuliere opdrachten, had ze daar tijd voor.
Hoe Maeve het deed, wat ze precies gezegd had, wist ze niet, maar Emma voelde zich weer op poten gezet. In een ontmoeting met Lorenzo school geen gevaar meer.

Uiteraard werd de feestavond ter sprake gebracht die maandagavond, tijdens het poseren. Lachend disten Lorenzo en Emma voorvalletjes op. Emma's auto was de aanleiding tot allerlei autoverhalen. Zie je wel dat er niets meer aan de hand is, zei ze tegen zichzelf, toen ze hem uitliet. Ze kon ontspannen een avond met hem doorbrengen.

'Wat heb je er eigenlijk mee voor, Emma, met dat portret van mij?' vroeg Lorenzo bij de volgende sessie. 'Wilde je het aan mij verkopen?'
'Nee, dat is mijn eer te na. Er geld uitslaan nadat ik je tot poseren heb gedwongen.'
Lorenzo zat op een kruk, een paar meter voor Emma. Ze zat voor de ezel. Ze móést vandaag echt beginnen, na een maand lang alleen maar schetsjes te hebben gemaakt.
'Ik heb het niet als dwang ervaren. Je bent prettig gezelschap. Jij weet hoe je met mannen moet praten.'
Emma keek langs de ezel. Ze was zich niet bewust van dat talent. 'Vind je?'
'Claro. Het waren leuke avonden.'
'Het wáren leuke avonden?'
'En efecto. Maandag zal ik voor het laatst hier kunnen zijn. Woensdag ga ik terug naar Spanje.'
Emma liet het bezinken. Hij ging weg. Dat was beter. Had ze het niet al gewenst? Ze zou hem evenwel missen. Maar wat was de tijd snel gegaan. De twee maanden van zijn verblijf waren al bijna om!
'Daar heb je het al. Je vertrekt al bijna. Tegen die tijd zal er nog niet eens een portret voltooid zijn, of ik het nu aan je wilde verkopen of meegeven.'

'Ik had geen idee dat het zo lang duurde, Emma,' merkte Lorenzo niet al te tactisch, maar niet onvriendelijk op.
'Ik werk niet alleen aan jouw portret. Ik heb meerdere dingen onder handen.'
'Ja, ja, natuurlijk. Excuus, ik bedoelde niet ...'
'Het geeft niet. Je hebt gelijk. Het duurt lang. Ik weet ook niet waarom. Het is net of ik je niet in mijn vingers krijg.'
'Ik had òok niet gedacht dat ik een goed model zou zijn.' Hij lachte.
'Het ligt niet aan jou. Dat kan het niet zijn. Het is iets dat je meebrengt.'
Lorenzo fronste.
'Je doet dat onbewust, Lorenzo. Het is een hoedanigheid. Je hebt iets heel mysterieus.'
'Wat?' Hij lachte weer en Emma begreep dat ze zich had laten gaan.
'Sorry, laat maar. Hou het er maar op dat ik tegen mijn grenzen aanloop in dit geval.'
Er was geen lacherigheid meer. Zijn stem was vast, maar laag en dik. 'Ik ben wezenlijk genoeg.'
Emma keek op. Aan Lorenzo's blik was niets bijzonders te zien. Geen starende, fixerende blikken. Hij hoefde haar niet indringend aan te kijken om de kracht van zijn woorden over te brengen. De vlammen sloegen haar uit.
'Laat mij het zien, Emma.'
'Nee, vraag dat niet van me. Niet nu ik zo vreselijk in gebreke blijf.'
'Laat me zien hoe jij mij ziet.'
'Nee, dat is het 'm nou juist: ik schiet tekort. Ik doe je geen recht. Het maakt me ... onzeker.'
Emma was bang. Haar angst had meerdere oorzaken. Dat haar gave ontoereikend was om de uitstraling van deze man te vangen. Bang dat Lorenzo zou aandringen en haar mislukking zou zien. Hij mocht haar falen niet zien. Ze zou afgaan, nadat ze hem zo lang had laten poseren. Ze was bang voor hem zelf. En voor wat er gebeurde.
Voordat hij achter haar kon gaan staan, gooide Emma een lap over het canvas. 'Niet doen, Lorenzo, alsjeblieft.'
Hij stond achter haar. 'Je bent me er eentje, chica. Ik weet nu

waar jouw trots zit. Die zit aan je artistieke kant. Daarin wil je geen kwetsbaarheid laten zien.'
Zijn handen lagen op haar schouders. Ze brandden door haar twee overhemden heen. Emma verstijfde. Zijn stem was vlak bij haar oor. 'Ben je bang om kwetsbaar te zijn, pequeña?'
'Wel in het geval van ... jouw portret.' Ze slikte. Haar huid stond in brand door zijn aanraking.
'Er is niets mis met kwetsbaarheid, Emma.' Zijn handen gleden om haar hals, onder haar oor. 'Denk je dat ik dat niet ben? Kwetsbaar en feilbaar?'
'Eh ...'Als hij al een antwoord van haar verwachtte, kreeg ze de kans niet om het te geven, omdat hij haar kuste. Verbaasd draaide Emma zich om, steviger zijn omarming in, opnieuw tegen zijn lippen aan. Zijn armen beletten haar het weglopen, maar dwang was niet nodig. Ze verwelkomde zijn tong in haar mond. Haar handen, die eerst wilden afweren, registreerden de hitte van zijn huid, het bonzen van zijn hart. Hij was bedwelmend dichtbij, maar nog niet dichtbij genoeg. Ze knoopte zijn overhemd open. Ze wilde zijn huid, zijn warmte, ze wilde hem. Elk stukje huid dat ze ontblootte was een ontdekking, een verrassing. Het overhemd viel van zijn schouders. Emma kuste zijn hals, likte zijn sleutelbeen. Ze kneedde de spieren in zijn rug.
Haar oude, bevlekte overhemd viel op de grond, gevolgd door haar eigen bloes. Lorenzo maakte de sluiting van haar beha los, om haar borsten met zijn handen te kunnen omvatten. Zonder toestemming, maar met wederzijds goedvinden, tilde hij haar op en droeg haar naar het bed achter de studio. Hij legde zijn horloge op het bureau, om zich razendsnel verder van zijn kleren te kunnen ontdoen. Emma frunnikte aan de rits van haar jeans. Lorenzo nam het over en trok hem van haar billen. Ze trok hem op bed, schikte zich onder hem en voelde hoe hij in haar kwam. Hij tilde haar billen op, ze kruiste haar hielen op zijn lendenen en ging mee in zijn ritme. Afstand was onverdraaglijk, ze sloeg haar armen om zijn schouders om zijn mond dichtbij genoeg te brengen voor een kus. Haar orgasme ging vergezeld van een kreun, die ze smoorde tegen zijn hals. Lorenzo volgde bijna onmiddellijk. Ook hij verborg zijn gezicht in het holletje van haar hals na zijn hoogtepunt. Zijn hand gleed bewonderend

langs haar zij, die te gevoelig was om aan te raken. Ze huiverde. Ze lagen stil. En ze zwegen.

Lorenzo sprak pas weer toen hij Emma's tranen over zijn handen voelde lopen. 'Emma, wat hebben we gedaan?'
'Dat hoef ik je niet uit te leggen, denk ik.' Ze sprak moeizaam, haar stem was verstikt.
Zijn streling was troostend bedoeld, maar het leek nu verkeerd. De passie was gedoofd, de gedrevenheid was verdwenen om plaats te maken voor berouw.
Lorenzo stond op, zijn blik bleef onafgebroken en bezorgd op haar gericht.
Een gewicht dat steeds zwaarder werd leek Emma terneer te drukken. Het was het gewicht van haar geweten. Hij zocht zijn kleren bij elkaar. Ze zou haar ogen moeten afwenden, maar ze kon het niet. Onwillekeurig bewonderde ze het bewegen van zijn spieren onder zijn gebruinde huid.
Hij liep weg om haar kleren te halen. Met een lief bedoelde, maar misplaatste discretie wachtte hij in het atelier tot ze zich had aangekleed.
'Ik ben dit nooit van plan geweest,' bekende Lorenzo.
'Maar het is wel gebeurd, dat maak je niet meer ongedaan.'
'Ik weet niet waarom ik het gedaan heb.' Zijn duim streek de tranen van haar wangen. 'Ik kuste je en ... ik wilde je. Ik wilde je zo graag.'
'Ik weet niet wat ik moet zeggen ter verontschuldiging. Jij hebt net zo goed een relatie als ik.'
Het klonk waarschijnlijk net zo verward als haar gedachten waren op dat ogenblik. Hoe had ze in hemelsnaam kunnen vrijen met een andere man dan de hare?
'Als jij je verontschuldigt, moet ik dat ook doen. Het maakt niet zoveel verschil, wel?'
'We zullen hiermee voort moeten, Lorenzo.' Emma fluisterde. Haar brein leek afgesloten, een klein stukje werkte nog maar. Er was een mechaniekje in werking gezet dat voorkwam dat de volle omvang van hun daad in één keer tot haar doordrong. Omdat het verpletterend was.
'Kun jij dat plaatsen?'
'Nog niet.' Haar hersenen leken te zijn afgestompt. Alleen dat

ene kleine deel bleef hameren: je bent vreemdgegaan. 'Nog lang niet.'
'Ik heb je hoog, Emma. Vraag ik heel veel van je als ik zeg: minacht me niet, alsjeblieft?'
'Ik minacht alleen mezelf, omdat ik Paige ben afgevallen.'
'Dat voel ik precies zo, naar mijn vrouw toe.'
Met wrange humor zei ze: 'Dat schept een band, hè?'
'Emma ... die band was er al ...'
'Misschien daarom ...'
'Misschien daarom, ja. Maar het is geen excuus.'
'Je wilt me troosten, hè?'
'Dat wil ik, ja.'
'Dat zal moeilijk gaan, Lorenzo. Ik kan jou net zo min troosten. We kunnen het niet voor elkaar wegnemen. Maar ik waardeer je poging.' Ze huilde nog steeds. Hij was nog lief voor haar ook, dat maakte het niet makkelijker. 'We hebben er een zootje van gemaakt, hè?'
'Dat hadden we gauw klaar, inderdaad. Nu moeten we de troep opruimen.'
'Wat bedoel je daarmee?'
'Dat ik, hoe waardeloos ik me hieronder voel, zal zwijgen.'
'Kun jij dat?'
'Ik zal wel moeten, pequeña. Dat geeft de minste schade.'
'Tja, misschien moet ik je voorbeeld maar volgen. Fraai is het niet.'
'Ik kan niet zeggen wat je moet doen, maar als niemand het weet ...'
''t Voelt nog steeds als verraad, zelfs als het verzwegen wordt.'
'Ja.'
Ze stond opnieuw in zijn armen. Het was gek dat er zoveel troost uitging van dezelfde man als die zojuist haar leven in de war had geschopt. Bij die gedachte nam Emma een besluit dat moediger klonk dan ze zich voelde: 'Je kunt beter gaan nu.'
'Dat moest ik maar doen. Ik wens je een goedenacht, desondanks.'
Van zijn hand die langs haar hals streek en zijn lippen, opnieuw zacht op de hare, had ze niets meer te vrezen.
'Weinig kans. Jij ook welterusten, Lorenzo. Hoop ik.'
De trotse en ietwat gereserveerde maar hoffelijke Spanjaard was

veranderd in een gewone man van vlees en bloed, die niet bestand bleek als de verleiding te groot werd. Hij had eerder in haar studio gestaan, zijn hoed in zijn handen draaiend. Onbekend met de schilderkunst had hij zo tactisch mogelijk geprobeerd zijn bewondering te uiten. Op zijn eigen terrein was zijn zelfvertrouwen onwankelbaar en dat uitte zich in een grondig kalme houding. Daartussen lag net zo'n woelig gevoelsleven als zij dat kende. Hij stond daar met de deurknop in zijn hand en ze had medelijden met hem. Ze zat in de moeilijkheden, maar haar gevoel ging naar hem uit.
Als hij nog langer bleef, maakte hij het alleen maar moeilijker.
'Ga nu ... alsjeblieft.'
Voor de zoveelste keer verdween hij in de duisternis. Niet langer als een mysterieuze, ondoorgrondelijke man. Emma had het gevoel dat ze hem nu door en door kende.
Zonder het zich bewust te zijn stuurde ze haar auto naar huis. Ze douchte zich en ging in bed liggen.
Een poosje later gleed Paige onder het dekbed. Hij woelde lekker op zijn plekje en nam haar in zijn armen. Vanaf dat moment voelde Emma zich vies. Ze had haar lief verraden en dat wasemde uit haar poriën. Ze woelde en draaide, tegen hem aan, van hem af.
'Wat ben je onrustig, meisje.'
'Ik kan niet slapen.'
'Lees nog even wat.'
'Dan houdt het licht jou uit de slaap.'
'Nee, hoor, ik zak wel weg.'
'Ik probeer wel stil te liggen.'
Zodra Emma haar ogen sloot, kwamen de beelden terug. Hoe Lorenzo met zijn ogen zei: breng mij niet op andere gedachten, toen hij bij haar binnendrong. Bij haar was geen plaats geweest voor andere gedachten op dat moment. Totdat ze gevreeën hadden, had het als een dreiging in de lucht gehangen. Als een mogelijkheid. Die mogelijkheid was nu bewaarheid. Nu hing er een veel zwaardere en duisterdere dreiging boven haar. Niet langer in de frivole gedaante van de verleiding; die van het verachtelijke verraad dat ze had gepleegd. Ze nam Lorenzo niets kwalijk, hoewel hij medeschuldig was. Ze mocht hem nog net zo graag.

Als ze haar ogen sloot, waren de beelden indringend. Als ze ze opende, namen de gedachten de overhand. Schreeuwerige, lelijke gedachten, die haar negatief afschilderden. Beschuldigingen aan haar eigen adres, waarin ze doelloos bleef ronddraaien. Het enige wat kon helpen, was de tijd terugdraaien. Ze kwam er niet uit. Ze begreep niet waarom ze het gedaan had. Of toch wel. Omdat de aantrekkingskracht de hele tijd op de loer had gelegen. Ze was zich ervan bewust geweest dat ze Lorenzo aantrekkelijk had gevonden, nog steeds vond.

Ze had zich er nog tegen gewapend eerder die week. Het had niet geholpen.

Ze moest in slaap zijn gevallen, want vroeg in de ochtend werd ze wakker, dicht tegen Paige aan, in het holletje achter zijn rug. Algauw kwamen de gedachten terug die haar het recht betwisten om daar te liggen. Maar ik hoor hier, deze man is mijn lief. Emma kroop dichter tegen hem aan, haar hand gleed over zijn warme, blote lijf. Zijn spieren voelden zwaar en ontspannen aan.

'Ik hou van je, Paige,' fluisterde ze tegen zijn rug. En ze voelde het: hoezeer en hoe werkelijk ze hem lief had en hoe schril en minderwaardig haar verraad daarbij afstak. Paige sliep zijn onschuldige slaap. Niet bewust van het conflict waarmee Emma worstelde. Haar strelingen werden steviger. 'Oh mijn God, Paige, wat hou ik van je.' Ze drukte haar borsten en heupen tegen zijn rug, hunkerend naar de troost van zijn vertrouwde liefkozingen. Naar datgene wat alleen hij haar kon geven. Liefde, maar dan echte liefde. Om te bevestigen dat dat van de vorige avond een vergissing was geweest. Dat was kortstondige lust, opgewonden drift geweest. Emma wilde de gedachte eraan zo ver mogelijk van zich afgooien. Hier, bij Paige, kon ze het halen op de goede manier.

Hij bewoog, hij werd wakker. 'Ooohhh, Emma, zo wil ik elke morgen wel gewekt worden. De vraag is of er dan van werken nog iets komt. Maar vandaag ga ik op je uitnodiging in, liefje.' Hij was zwaar en traag van de slaap, hij woog een ton boven op haar, zijn kus werd er des te opwindender door. Emma klemde zich aan hem vast. Hij was zo groot, hij was zo warm, hij was zo vertrouwd. Zijn sterke lichaam was een constante. Hij was haar baken. Ze hoorde nergens anders thuis dan in zijn armen.

'Je bent van mij, Paige.' Het klonk vervormd omdat ze haar gezicht tegen zijn wang drukte. 'En ik van jou ... En ik van jou.' Ze beloofde het zichzelf. Hij verdiende niet minder.
'Als je dat maar door hebt,' antwoordde Paige, argeloos, omdat dat voor hem een uitgemaakte zaak was.
Het was schemerig in de slaapkamer en Paiges brede borst benam haar het zicht. Maar zelfs achter gesloten oogleden dook de beeltenis van een andere man op, terwijl ze de liefde bedreef met haar eigen man. Het zou nog lang duren voordat ze zichzelf niet meer voor de gek hoefde te houden.

'Emma.' Achter zich hoorde ze de stem die haar uit de slaap hield of die, als ze sliep, haar in haar dromen achtervolgde. Ze had het moment gevreesd waarop ze hem zou weerzien. Gedacht dat hij wellicht zou vertrekken zonder afscheid te nemen. Het zag ernaar uit dat Lorenzo er anders over dacht. Nu wist ze niet meer wat ze moest denken. Ze schrok alleen van hem, voor de zoveelste keer.
'Lorenzo!'
Hij stond in de deuropening, zoals menig keer daarvoor, zijn hoed in zijn handen te draaien.
Emma barstte bijna in tranen uit. Daar stond de man die er de oorzaak van was dat ze zich zo rot voelde. Tegelijkertijd wilde ze hem in de armen vliegen om met hem te proberen ongedaan te maken wat gebeurd was.
Sinds ze met Lorenzo naar bed was geweest, had ze in een vreemde soort nervositeit geleefd. Het weekend dat achter haar lag was één grote worsteling met dezelfde gedachte: dat ze Paige bedrogen had. Hoe meer tijd verstreek sinds dat onzalige moment, des te groter de pijn werd. Spijt woog met het uur zwaarder. Een ander besef groeide tegen de verdrukking in: dat Paige haar grote liefde was. Haar misstap bevestigde datgene waaraan ze nooit had getwijfeld. Haar Ierse lief was de enige ware voor haar.
Telkens als ze Lorenzo zag, had zijn aantrekkingskracht haar opwindende schokjes bezorgd, die een prettige spanning in haar onderbuik teweegbrachten. Nu ze samen het bed gedeeld hadden, zat de schrik er zo goed in bij Emma, dat dat in één klap over was. Ze hadden aan de verleiding toegegeven, die steeds als

een elektrische lading in de lucht had gehangen. De enige manier om die spanning te doorbreken, was het ondenkbare te doen. Dat hadden ze gedaan, maar het had een prijs. Geen verleiding meer. Nu brandde de schaamte in haar borst. Ze stond voor hem en wist dat hij er niet veel beter aan toe was.
'Hoe gaat het?' De vraag was grotesk. Niettemin was zijn belangstelling oprecht, dus verdiende hij een antwoord.
'Nou, ik heb weleens betere tijden gekend. En als ik zo eens naar jou kijk, denk ik dat jij ook niet zo lekker gaat.'
Hij schudde zijn hoofd, zijn kin zowat op zijn borst. 'Ik ben ziek van spijt.' Van de trotse Spanjaard was weinig meer over. Hij was – net als zij – dader en slachtoffer tegelijk.
Zijn hoofd leek te zwaar voor zijn schouders, zo langzaam richtte hij het op om haar aan te kijken. Hij lachte meewarig. 'Dat laat het feit buiten beschouwing dat je een aantrekkelijke vrouw bent, Emma.'
Ze legde een hand op zijn borst. 'Oh, Lorenzo, voor die lieve woorden koop ik niets. We lijken wel twee hulpeloze kinderen.'
'Dat klinkt alsof je het me niet kwalijk neemt. Dat kan ik niet geloven.'
'Als jij hetzelfde voelt als ik, en dat denk ik wel, dan heb ik daarom medelijden met je. Als jij vindt dat jou iets kwalijk te nemen is, neem ik het mezelf net zozeer kwalijk.'
Zijn hand kwam over de hare. 'Ik begrijp niet hoe het heeft kunnen gebeuren. Of ... ja ... dat begrijp ik eigenlijk wel. Je bent mooi ... en lief. Dat praat niet goed dat het gebeurd is. Ik had me moeten beheersen.'
'Ik heb het ook geen halt toegeroepen, terwijl het had gekund. Terwijl ik het had moeten doen.'
'Ik heb een prachtige vrouw in mijn armen gehouden, maar ik had dat nooit mogen weten,' fluisterde hij.
'Ik vind het verschrikkelijk om op deze manier afscheid van je te moeten nemen.'
'Ik hoop dat je het gauw vergeet. Dat je weer in het reine komt met jezelf. En met Paige. Hij is een goede kerel.'
Die woorden brachten Emma's gevoelens voor Paige weer boven. 'Ik weet het. Ik heb hem zo lief, Lorenzo.'
Hij knikte. 'Dat is goed. En hij houdt van jou, dat is aan alles te merken.'

'En jij, Lorenzo? Waar ga jij naar terug?' Ook Emma fluisterde, haar stem was gebroken.
'Emma, pieker niet over mij. Ik ben een waardeloos figuur.'
'Nee ... nee, echt niet.'
Hij nam haar beide handen, kuste ze en drukte ze op zijn hart. Ze zag de pijn in zijn ogen. De kwelling werd hem te veel. 'Ik heb het altijd verkeerd begrepen. Het is hoe ik opgegroeid ben. Mijn vrouw heeft dat door. Zij geeft me de kans om te zijn wie ik wil. Dat red ik zelf niet eens. Ik bid tot God om kracht zodat ik haar genoeg kan liefhebben om mij de moeite waard te maken.'
Wat hij haar toevertrouwde, sprak van nederigheid. Zijn essentie was zijn vrouw lief te hebben om het leven dat zij hem gaf. Hij leefde met het idee dat hij haar niets te geven had, behalve zijn liefde. Hij zag zich gedoemd te leven met een misvatting, maar hij was daardoor juist op de waarheid gestuit.
Emma huilde nu om Lorenzo. Hij was trots, maar kon ook nederig zijn. Maakte die nederigheid hem blind voor de werkelijkheid?
'Lorenzo, je bent de moeite waard. En, geloof me, je vrouw weet dat.'
'Jij bent nog altijd veel te goed voor mij, cariña.' Hij verborg zijn bruine ogen achter trillende oogleden. Zijn kus was geëmotioneerd. 'Adios, Emma.'
Hij liet haar handen los en was voorgoed verdwenen.
Emma bleef achter in haar atelier. Huilend.

De studio was haar toevluchtsoord. Hoewel hij ook wel openbaar was, ze ontving er immers haar cursisten, was het een privédomein. In de veiligheid van de oude paardenstal kon ze haar creativiteit de vrije loop laten. Hier kwam het proces tot uiting. Vanuit de geheime bron, die haar gave huisvestte, kregen haar doeken kleuren en vormen. Als het niet meer te zeggen was wie of wat er domineerde, schilderes of schilderij, werd ze bezeten door een ietwat sinistere kracht, die dieper ging dan de grootste intimiteit. Het werd zielenwerk.
Een gave kon groeien. Emma's gave was gegroeid, omdat ze er, sinds ze zes jaar geleden haar liefhebberij nieuw leven had ingeblazen, steeds meer en steeds vaker een beroep op had gedaan.

De resultaten die ze bereikte, waren geen einddoelen, maar mijlpalen op haar weg. Het ging steeds voort. Soms liet ze zichzelf versteld staan, maar ze wist ook heel goed wat ze in haar mars had. Daarom was het zwaar te verkroppen dat ze Lorenzo niet op doek had kunnen vangen. Hij glipte door haar vingers. Tijdens de laatste sessie had ze dat aan zijn mysterieuze uitstraling geweten. Dat was misschien een wat al te gemakkelijke ontkenning van de waarheid. Het kon ook aan haar liggen.
Het maakte van alle poseersessies een lachertje. Als ze er nu op terugkeek, had ze daarbij potsierlijk de schilderes uitgehangen. Zoveel uren van zijn tijd had ze opgeëist, zonder zijn portret te hebben voltooid. Haar geloofwaardigheid als schilderes kwam in het geding.
In de studio had zich heel wat afgespeeld tussen Lorenzo en haar. Ze herinnerde zich zijn timide bekentenissen, waarvoor hij haar discretie had gevraagd. Hij moest hebben gedacht dat hij haar daarmee macht over hem gaf.
Hij had ook macht over haar. Hoe makkelijk had hij haar betoverd, met een blik, een woord, een gebaar. Had hij het bewust gedaan? Nee, hij was geen flirt, daarvoor was hij te aards. Hij was niet geraffineerd. Iets, een kracht, een stroming had hen beiden aangeraakt. Het had tot het grondig verwenste resultaat geleid.
Als de muren van de studio konden praten, zouden ze vertellen dat de artieste een deuk in haar integriteit had opgelopen. Hoe de zuivere scheppingsdrang was overvleugeld door verzoeking. Het hing in de atmosfeer van het atelier. De geliefde ruimte was een plaats delict geworden. Dat viel zomaar niet weg te ventileren. Emma had er last van. Het klimaat in haar werkplaats was haar niet goed gezind.
Er leek geen ontsnapping mogelijk. De stroom zelfverwijten ging onafgebroken door in haar geest. Haar innerlijke rust was op de loop. Ze werd nu niet veilig omarmd door de vertrouwdheid van The Stables. Het gebouw leek een mokkende partner met de armen stijf over elkaar geslagen.

HOOFDSTUK 5

Lorenzo was voorgoed uit haar leven verdwenen. Het beste om te doen was wat hij haar, bij het afscheid, had aangedragen. Vergeten. In dit geval moest Emma heel hard haar best doen om het gebeurde te verdringen. Als een hardnekkig virus bleef het haar systeem verstoren. Er zat niets anders op dan het in haar eentje uit te zieken. Ze kon het Paige niet vertellen. Hij leefde in de comfortabele rust van het grenzeloze vertrouwen dat hij in haar had. Als hij aan de weet kwam dat zij dat vertrouwen had geschonden, stortte zijn wereld in.

Hij wist niet wat er zich had afgespeeld. Emma nam hem in bescherming door te zwijgen. Het was een bizar idee.

Het gegeven dat het bespreken van problemen ze lichter te verdragen maakte, ging in deze kwestie niet op. Ze moest er niet aan denken wat er gebeurde als de waarheid aan het licht kwam. Een beetje meer beheersing was alles wat er nodig was geweest om deze druk af te wenden. Emma vroeg zich af in hoeverre ze bestand was tegen deze toenemende gewetenslast.

In het voorbije weekend was ze minder uren in het atelier aanwezig geweest dan gebruikelijk. Ze wilde zo min mogelijk het risico lopen om Lorenzo te zien. Op maandag moest ze er weer heen. Het was sinds kort een werkdag en ze werkte in The Stables. Ze hoorde er te zijn, dus toog ze er heen. Zoals gewoonlijk was ze er vaak in de avonduren, dus ook die maandagavond. Eén van de twee avonden die gedurende een week of zes een poseeravond met Lorenzo was geweest. Op die avond had hij afscheid genomen.

Met een grimmige, nogal opgelegde vastbeslotenheid was Emma aan het werk. Ze was bezig met een interpretatie van het blauwe Tunesische stadje Sidi-Bou-Said. Als het doek af was, zou het komen te hangen in het restaurant van haar twee Nederlandse vrienden, Anton van Riel en Gert-Jan Polman, de

uitbaters van het Bergense restaurant De Tuin der Vaderen. De twee mannen waren bezig met het aanleggen van hun eigen verzameling kunst aan de hand van hun vakantiefoto's. Het was een reeks opdrachten waarmee Emma al begonnen was toen ze nog in Nederland woonde.
Door te werken, door op wilskracht doeken te produceren, hoopte ze terug te keren naar oude waarden. Na verloop van tijd hervond ze dan weer de juiste sfeer die ze kende in het atelier van voordat alles verstoord werd. The Stables zou niet langer wrok uitstralen, maar opnieuw de vriendelijke, gemoedelijke herberg van haar creativiteit worden.
Ze schilderde op spierkracht, zoals ze het placht te noemen als het niet echt met liefde of toewijding ging. Emma kon geen andere manier bedenken om weer aansluiting te krijgen met haar gemoedsrust. Door veel te werken hoopte ze haar houding te hervinden van voordat ...
'Gatver ...!' vloekte ze. Met een misprijzende tik belandde haar penseel op het onderste randje van de ezel. Draaide nu werkelijk alles nog om het feit dat ze was vreemdgegaan met Lorenzo? Niemand wist het. Hoe was het mogelijk dat ze er zo door in beslag werd genomen?
Pauze, dacht ze en nam haar jas van het haakje. Zonder erbij na te denken liep ze naar O'Reilly's. Daar heerste de gebruikelijke bedrijvigheid. Als je daarvan tenminste kon spreken. Alle bezigheden speelden zich immers af met ingetogen rust. Er werd hard gewerkt, maar alles leek erop gericht de harmonie te bewaren. Dat uitte zich in de besloten sfeer die er altijd hing. De grote afwezige was Lorenzo. Vanaf het eerste moment dat hij bij O'Reilly's begon, paste hij moeiteloos in de verstilde, anachronistische sfeer. Een paardenman die naadloos integreerde tussen andere paardenmensen.
Niettemin viel hij op.Voor Emma. Hoe stil en kalm hij ook te werk ging, zijn meesterschap rees erbovenuit. Het maakte hem groter en kleurrijker dan de mensen om hem heen, zonder dat hij er iets voor deed.
Niets scheen de dagelijkse gang van zaken verstoord te hebben op de stoeterij. Emma was kennelijk de enige die het gemis van de Spanjaard voelde toen ze even bij het hek stond te kijken naar een training.

'Morning, miss Emma,' groette John, die een paard aan de teugel meevoerde.
Te zeer gegrepen door een gedachte, kon Emma de groet niet hardop beantwoorden, dus knikte ze. Ze miste Lorenzo? Het was toch alleen maar beter dat hij was vertrokken? Zijn aanwezigheid was bedreigend geworden. Dat kon ze helemaal niet gebruiken. Hoe kon ze hem dan missen?
Ze had haar gedachten willen ontlopen omdat die ondertussen in dezelfde cirkel leken te zijn vastgeroest, maar daar slaagde ze niet in door naar O'Reilly's te gaan.
Een probleem waar ze dag en nacht mee liep, moest zo langzamerhand aan haar af te zien zijn. Had Paige nog niets aan haar gemerkt? Dan had hij het klaarblijkelijk te druk.

Er was een gelegenheid waarbij Daboecia Hall de krachten bundelde met Emma. Dat was na het afronden van de tien lesavonden. De cursisten van drie groepen werden dan uitgenodigd in de studio voor een hapje en een drankje op de vrijdagavond na de laatste les. Een poosje van tevoren gaf ze Paige een seintje zodat hij er rekening mee kon houden. De meeste keren was hij er nog bij geweest.
Op de laaste woensdag van oktober liet ze hem weten dat er nog één week te gaan was. De afscheidsavond zou worden gehouden op acht november.
Voordat het zover was, ging Emma naar de stad Wicklow naar de galerie van Mary Somerville, voor de ondertekening van het contract. Door het zetten van haar handtekening gaf Emma toestemming aan de galeriehoudster om al het werk van de Hibernia-tentoonstelling in consignatie te nemen. Mary voerde Emma mee om haar de hele galerie te laten zien, zodat ze zich een voorstelling kon maken waar haar werk kwam te hangen. De galerie bestond uit verschillende vertrekken die in elkaar overliepen. Emma's doeken zouden een paar vertrekken in beslag nemen. Mary sprak met Emma af dat de schilderijen een week na hun ontmoeting zouden worden opgehaald door een transportbedrijf. Toen Emma vertrok, had ze de geruststelling dat ze een alleszins redelijk contract had afgesloten. Haar schrik na het eerste telefoontje met Mary was ongegrond gebleken.
Onder een grijs en dreigend wolkendek reed ze terug naar

Roundwood. Ze was intussen bekend geraakt met haar autotje en ze voelde zich heerlijk vrij met haar eigen vervoersmiddel. Bovendien was ze opgetogen om de goede zaken die ze gedaan had met Mary. Ze was al een eindje op weg voordat ze besefte dat de afleiding van die middag ervoor had gezorgd dat ze een poosje niet aan Lorenzo had gedacht, of aan het probleem waar hij haar mee had opgezadeld. Het was dus mogelijk, dacht ze, om andere gedachten te hebben. Was dit een voorproefje van hoe het zou worden? Kon ze het na een bepaalde periode werkelijk vergeten hebben? Er was niks opgelost, maar het was heerlijk om er een tijdje niet aan te denken.

Twee potige kerels laadden de kratten met schilderijen in. In minder dan geen tijd waren ze in de laadbak van de vrachtwagen verdwenen. Emma vond dat ze erbij moest zijn, maar haar aandeel bestond alleen uit het zetten van een handtekening. Haar hulp was overbodig. De twee mannen waren handig genoeg met hun steekwagen. Een beetje doelloos liep ze erachteraan. Ze zag dat de kratten in de laadbak werden vastgesjord. De lading zou veilig en onbeschadigd aankomen. De laadklep sloot zich en verborg het binnenste van de vrachtwagen. De truck werd gestart en liet Emma achter in een dieselwalm. Ze trok haar dikke, knielange vest wat dichter om zich heen, haar armen gekluisterd op haar buik. In de schuur waren alleen nog wat spinnenwebben en stofnesten overgebleven op de plaats waar de kisten hadden gestaan. Hoewel de schilderijen vier jaar lang onbekeken in een kist hadden doorgebracht, miste ze hun aanwezigheid. Anderzijds was ze blij dat ze in de galerie van Mary de plek kregen die ze toekwam. Paige zou de herkregen ruimte toejuichen, al had hij nooit geklaagd over de ruimtevreters in zijn schuur.

Het was eivol in de studio. De meeste cursisten hadden gehoor gegeven aan de uitnodiging om de cursus feestelijk af te sluiten. De aanwezigen gaven complimentjes of bekritiseerden elkanders werk. Emma werd voortdurend aangeklampt of ergens bij geroepen. Het was maar goed dat er altijd iemand van de Hall meekwam als de hapjes en drankjes gebracht werden. Emma had het op afscheidsavondjes steevast zo druk dat ze aan serve-

ren niet toekwam. Die avond was het Paige die de inwendige mens voorzag. Hij was lang en indrukwekkend in zijn witte kokstenue, maar onveranderd vriendelijk en goedgehumeurd tegen de gasten. Zolang die het naar hun zin hadden, had Paige ook een goede avond. Hij stond iedereen met een lach of een grap te woord, zonder een moment zijn kalme professionaliteit te verliezen. Emma daarentegen, liep rond met een hoogrode kleur. Haar cursisten zagen in haar de bron van kennis op het gebied van de schilderkunst en moesten haar de hele avond hebben voor allerlei kleine of grote vragen. Over de menigte heen ving ze af en toe een knipoog van Paige. Dan knikte ze bevestigend terug. Ook zij had een topavond.
Na elven liep de studio snel leeg. De gasten verdwenen weer via het door waxinelichtjes verlichte paadje naar hun auto's op het parkeerterrein van Daboecia Hall. Onder het wegstervende geluid van de nog steeds doorgaande geanimeerde gesprekken van de cursisten ruimden Paige en Emma de studio op.
'Een schot in de roos, hè Emma, deze avondjes. Het is echt altijd beregezellig,' merkte Paige op.
'Hm-mm. Ik vind het leuk om te zien hoe de cursisten van de verschillende groepen zich onder elkaar mengen.'
'Ja, dat is ook leuk. Het lukt elke keer weer.'
'Kunst verbroedert,' zei Emma bijdehand.
'Natuurlijk.'
Paige verzamelde zijn spullen in kratten in het keukentje, terwijl Emma het atelier weer in zijn gewone staat terugbracht.
'Emma,' Paige stond in de deuropening die de keuken verbond met de werkruimte, 'hoe komt dit hier?'
Aan zijn vinger bungelde een gouden horloge. Lorenzo's horloge.
Emma werd terstond ijskoud onder haar hoogrode kleur. Ze stond als aan de grond genageld. Haar hart kwam met diepe, trage slagen weer op gang. Ze kon geen woord uitbrengen, dus haalde ze haar schouders op. Het kon nog zo'n onschuldige oorzaak hebben; door haar van schrik wijdopen gesperde ogen verspeelde ze die indruk.
'Er staat een inscriptie in. Het is van Ramirez. Hoe komt het hier?' De laatste vier woorden werden met nadruk uitgesproken.

Ze had nooit meer aan het horloge gedacht. Alle sporen waren toch uitgewist met het wassen van het beddengoed?
'Hij is het vergeten.' Door haar schrik en toenemende angst zei ze wat overduidelijk was.
Alsof hij een koppig kind tegenover zich had, zuchtte Paige, met nauwelijks verholen ongeduld. 'Dat zie ik ook wel. Waarom doet die man zijn horloge af?'
Weer haalde ze haar schouders op.
'Hij lag op je bureau. Dat is dichter bij het bed dan bij de wastafel.'
Dat was een doodnormale, plausibele reden waarom iemand zijn horloge afdeed: om de handen te wassen na toiletbezoek. Maar die verklaring ging niet meer op.
Het ging al de beschuldigende kant op. Paiges woorden waren als hamerslagen op haar geweten. Ze had gevreesd dat haar bedrog zou uitkomen. Nu waagde ze een poging, hoe futiel ook, om te redden wat er te redden viel.
'Wat ...' Ze slikte. '...wat bedoel je?'
Haar brein was veranderd in stopverf. Er kwam geen enkele gedachte in haar op om het kwaad af te wenden. Er was alleen een drang om Paiges vertrouwen niet te schaden.
Paiges angst werd eveneens met de seconde groter. Het dreef hem een heel andere richting uit. Waar Emma probeerde de waarheid te verbergen om de schade te beperken, werd die voor Paige steeds duidelijker. Allerlei voorstellingen flitsten door hem heen. Beelden die hij niet wilde of kon geloven. Emma's reacties daarentegen klopten niet. Ze drongen hem de afschuwelijke mogelijkheid op. Hij kon niet meer uitmaken of hij het wel of niet wilde weten. De woorden tuimelden zijn mond al uit.
'Je begrijpt donders goed wat ik bedoel.'
Voordat Paige het horloge in zijn vuist kon sluiten, nam Emma het van hem over in een belachelijke, niet ter zake doende poging een onschuldig voorwerp te beschermen tegen vernietiging. Ze legde het buiten zijn bereik.
'Ben ik zo stom en blind geweest, Emma?'
Emma zei niets. De angst verlamde en verkilde haar. De werkelijkheid bleek haar voorstellingsvermogen te boven te gaan. Nog geen uur geleden waren ze gastvrouw en gastheer geweest op een feestje in de beste verstandhouding die tussen partners

denkbaar was. Nu viel er met ijzingwekkende snelheid een afstand tussen hen. Paige werd een vreemde voor haar. Een vertwijfelde en verbijsterde vreemde.
Emma werd beklemd door een gevoel van door alles en iedereen in de steek te zijn gelaten.
Paige, besefte ze, moest hetzelfde voelen.
Paige schudde zijn hoofd, alsof hij de verwarde gevoelens en gedachten weer op orde wilde brengen. 'Je moest en zou hem schilderen. Je hebt hem hier zo'n zes weken lang op maandag- en vrijdagavond gehad.' Zijn houding was gespannen, zijn lichaam strak als een snaar. Zelfs zijn stem herkende Emma niet meer als die van Paige. Hij was vreselijk kwaad en bezeerd. Haar blik concentreerde zich op zijn ogen. Daar lag zoveel pijn in dat ze naar hem wilde toesnellen om die weg te nemen. Ze verroerde geen vin. Zij was er op dit moment niet de aangewezen persoon voor.
'...maar als ik zo 'es om me heen kijk, zie ik nergens een portret van die Spanjool.' Hij was gegrepen door het idee dat Emma met hem had gevreeën, maar het kostte hem de grootste moeite dat uit te spreken. Het was nog steeds ongelooflijk, maar alle schijn was tegen. Te veel dingen die hij dolgraag wilde ontkennen, wezen erop.
'Poseren, Emma?' Er knapte iets bij Paige. Als zij hem bezeerde, waarom zou hij haar dan sparen? Hij wees naar achter, naar de plek waar het bed stond. 'Je hebt hier, godverdomme, zes weken met hem liggen neuken!'
Nu bewoog Emma wel. Ze stapte naar hem toe en zwaaide afwerend. 'Nee! Zo was het niet!'
'Hoe was het dan wel?' Paige schreeuwde, zo hard en zo lelijk als zijn doorgaans zachte stem hem toeliet. Emma knipperde met haar ogen tegen dat geweld. Hoewel ze nog maar één pas van hem verwijderd was, lag er opeens een beangstigend brede kloof tussen hen in. Ze wilde de ruimte wel overbruggen, maar het conflict lag ertussen.
'Hoe was het dan wel?' eiste Paige, nogmaals, te weten. Nu niet meer schreeuwend, maar met een stem die uit de donkerste diepten kwam. Alle kleur en warmte was eruit verdwenen. Hij wilde het niet weten, hij wilde de klok terugzetten en op de oude voet doorgaan. De vermoedens waren niettemin wurgend. Daar

kon hij ook niet mee overweg, dus moest aan het licht komen wat er werkelijk was gebeurd.
Emma wrong haar handen. Als ze bekende, deed ze hem pijn. Dat deed ze nu al. Het was niet gelukt om het vreselijke feit voor hem verborgen te houden. Het was een rare, morbide opluchting om toe te geven. Ze was er niet langer tegen opgewassen het deksel op een put te houden die steeds erger begon te stinken. Als het er dan toch uit moest, dan de waarheid en alleen de kale feiten. Wat er ook van kwam: geen leugens meer, geen bedrog meer.
'Het is ...' begon ze, maar het bleek niet mee te vallen.
'Nou?' snauwde Paige.
'Het is ... één keer ... gebeurd.'
Het was gezegd. Haar kin zakte op haar borst. Haar blikveld vertroebelde door tranen.
'Waarom, Emma, waarom?' Paige spreidde zijn handen langs zijn zijden, uit onbegrip. Zijn verslagenheid raakte haar meer dan zijn boosheid. 'En kom me nou verdomme niet met tranen aan.'
Ze haalde haar schouders op. Dat kon ze niet uitleggen.
'Je weet het niet?' Paiges angst kreeg een nieuwe dimensie. 'Zeg, waar kan ik eigenlijk nog van op aan met jou? Is het soms zo dat het je niet uitmaakt met wie je in bed duikt?'
Ze kromp ineen bij die valse veronderstelling, die was gemaakt uit kwaadheid. Nu was het haar beurt om te schreeuwen. 'Het zal niet meer gebeuren!'
'En waarom zou ik daarop rekenen?'
'Omdat ik er spijt van heb!'
'Oh, wat fijn! Je hebt er spijt van!' Paige beukte met zijn vuist op het deurkozijn. 'Wat dacht je nou, Emma? Gewoon maar niks zeggen en lekker doorgaan?'
'Zo simpel was het heus niet!' bracht ze ertegenin.
'Nee, je zult het wel erg moeilijk hebben gehad.'
'Ja, ik had het inderdaad erg moeilijk!'
'Moet ik nu medelijden krijgen, of zo?'
'Ik wilde je niet bezeren of je vertrouwen beschamen.'
'Dat was niet nodig geweest, Emma, als je je broek had aangehouden!'
'Hou op!' Het werd haar te gortig. 'Het is één keer gebeurd. Ik

heb er enorm veel spijt van. Ik wist niet wat ik ermee aan moest, daarom zei ik niks.'
'Weet je wat jij gedaan hebt, Emma, lieve vriendin?' Op deze toon uitgesproken waren zijn woorden als gif. 'Je hebt me voor lul gezet, en niet zo'n beetje. Wat zullen jullie gelachen hebben om die achterlijke Paige O'Brien.'
'Nee!' wierp Emma tussendoor, maar Paige hoorde het niet eens.
'Ik heb die klootzak onder mijn dak gehad. Als ik dit had geweten, had ik 'm op zijn bek getimmerd. En jij ...' Paiges gezicht was een van woede vertrokken masker, zijn vinger priemde in haar richting. 'Jou kan ik ook wel weet ik wat doen!'
'Paige?' Ze waagde een stapje dichterbij.
'Blijf daar!' Opnieuw wees hij. Hij wees haar terug. Hij wees haar af. 'Blijf bij me vandaan! Weet je wat, blijf vannacht maar hier! Ik moet je niet naast me. Sterker nog: rot op!'
'Paige!' riep Emma nogmaals.
Hij was weg. Ze riep tegen een dichte deur. De klap waarmee hij was dichtgegooid, galmde nog na.

Maeve hees zichzelf rechtop in bed. Telefoon? Ze keek op de wekker. Om halftwee in de nacht? Ja, ze hoorde het goed. Zo snel ze kon met haar slaperige hoofd, stapte ze in haar slofjes en sloeg ze haar badjas om. Het kwam niet in haar op om het ding te laten rinkelen. Ze was al gealarmeerd. Als er midden in de nacht gebeld werd, was er iets met de kinderen of de kleinkinderen. In de gauwigheid had ze alleen op de overloop het licht aangedaan. Op de tast liep ze door de woonkamer.
'Hallo?' zei ze in de hoorn.
'Mam?' werd er aan de andere kant gezegd.
'Paige, jongen,' ze herkende zijn stem onmiddellijk, al klonk hij anders dan normaal. 'Wat is er aan de hand?'
'Het spijt me dat ik je nachtrust verstoor, maar kan ik even langskomen?'
Paige zou dat niet vragen als het niet nodig was. Als hij het niet met Emma af kon, was er iets mis. En zeker Paige, die was er niet zo gauw voor klaar om zijn moeder in vertrouwen te nemen. Het moest een noodgeval zijn. Ze was nu eenmaal wakker en na dit belletje kon ze toch niet meer slapen. Hij kon net

zo goed komen. 'Is goed, jongen. Kom maar.'
Ze deed lichten aan, zette de verwarming weer hoog en ging water koken voor thee. De honden sloegen haar gescharrel half slaperig, half belangstellend gade.
Niet veel later hoorde ze Paiges auto op het pad. Ze stond al in de deuropening, voordat hij uitgestapt was.
'Kom binnen. Ik heb thee gezet. In de keuken.'
'Mam,' begon Paige, toen hij aan de keukentafel zat, 'dit is niet mijn gewoonte. Ik lag al in bed, maar kon de slaap niet vatten. Ik weet me gewoon geen raad.'
'Is er soms iets met Emma?' vroeg Maeve.
Paige keek er niet meer van op dat zijn moeder snel ergens doorheen prikte. Hij wond verder geen doekjes om het probleem. 'Ze is vreemdgegaan.'
Geschokt en verbijsterd zakte Maeve op een stoel. 'Nee.'
'Jawel, mam. Ze heeft het me zelf verteld ... na enig aandringen.'
'Mag ik vragen ...' begon ze, maar er rees een vermoeden. Ze zag het beeld van de Spanjaard voor zich op het feest, terwijl hij de palmas klapte. Op die avond had Maeve iets gevoeld van Emma's ontvankelijkheid voor de man, die ze zo graag wilde portretteren. 'Met wie?'
'Met Ramirez, je weet wel, die Spanjaard die in de Hall logeerde.'
Maeve knikte bij de bevestiging.
'Mam, ik weet gewoon niet ...' Met zijn ellebogen op tafel wreef hij over zijn gezicht, door zijn haar, om dan zijn gezicht achter zijn handen te verbergen.
Maeve stond op en ging achter hem staan, haar handen op zijn brede, nu nogal gebogen schouders. Ze kuste hem boven op zijn gitzwarte kruin.
'Ik bedoel ... kijk mij nou.' Hij leunde achterover, 'hier zit ik, zevenendertig jaar en ik kom uithuilen bij mijn moeder omdat ik ... ik 't gewoon niet meer weet.'
Maeve wreef zijn schouders. Kon ze de last er maar afduwen. 'Waar is Emma nu?'
'In de studio. Ik heb gezegd dat ze niet naar de cottage hoefde te komen. Ik kan haar niet naast me velen. Ik wil haar niet eens in huis hebben!'

Ze maakte zich zorgen om Paige, maar ook om Emma. Die zat daar nu toch maar moederziel alleen. Maar ze zat in haar atelier, dus ze was betrekkelijk veilig. Hoewel Maeve erg geschrokken was, waren haar gevoelens voor de Nederlandse vrouw niet op slag veranderd in afkeer.
'Om helemaal eerlijk te zijn: ik heb gezegd dat ze kon oprotten!'
Paige moest praten, het hele verhaal moest eruit, maar Maeve kende hem goed genoeg om te weten dat hij zijn zielenroerselen niet zomaar prijs gaf. Ze zat zelf vol met vragen, maar ze beheerste zich. Eerst Paige, daarna kwam zij. Bij zijn mededeling dat hij Emma min of meer de laan uitgestuurd had, schudde ze het hoofd. Niet uit afkeuring, eerder uit ongeloof.
'Ik begrijp niet waarom.' Paige keek zijn moeder aan, de gekwelde uitdrukking in zijn ogen deed haar pijn. 'Waarom doet ze zoiets, mam?'
Ze haalde haar schouders op. Ze kende Emma's beweegredenen niet.
'Ze heeft alles wat haar hartje begeert. Sinds kort zelfs nog dat autootje erbij. Ze kan doen en laten wat ze wil. En dan moet ze over de schreef gaan! Waarom?' vroeg hij weer. 'Ik werk niet alleen voor mezelf zo hard. Dat doe ik ook voor haar.'
Zijn betoog was een beetje onsamenhangend. Ze wilde eigenlijk eerst het hele verhaal horen, voordat ze ergens een reactie op gaf. Nu leek Paige op dreef te komen en prompt zei hij iets waarop ze moest reageren.
'Dat weet ze en dat respecteert ze. Ze heeft grote bewondering voor wat je doet. Emma houdt evenveel van de Hall als jij.'
'Ze zet nu wel alles op de helling, of het haar niet kan schelen.' De pijn in zijn ogen week nu voor kwaadheid.
'Nee, dat kan het niet zijn, Paige.'
'Bedoel je dat ze van twee walletjes wil eten? En dat moet ik maar goed vinden?'
'Deze actie is niet goed te keuren, maar het kan nooit haar bedoeling zijn geweest haar relatie met jou op het spel te zetten.'
'Dat is anders precies wat ze doet!' Paige sloeg met zijn vuist op tafel.
'Als jij dat verkiest, Paige, dan is de relatie over,' zei Maeve met meer moed dan ze voelde. Ze wilde Paige en Emma helemaal niet uit elkaar zien gaan, ze hield van hen beiden. Maar wat als

hij besloot dat hij op deze wijze niet met haar verder kon?
'Ik wil Emma helemaal niet kwijt! Daarom doet het zo verrekte zeer dat ze me dit geflikt heeft!'
'Wat heeft ze erover gezegd?'
'Dat ze er enorm veel spijt van heeft.'
Maeve knikte. 'Dat geloof ik.'
'Daar heb ik wat aan,' gromde Paige.
'Luister, jongen, ik begrijp dat je boos en bezeerd bent ...' begon ze, maar hij viel haar in de rede: 'Ik zou er alles voor geven om dit ongedaan te maken.'
'En dat is precies wat zij ook wil. Ze zei toch dat ze er spijt van heeft.'
'Waarom doet ze het dan?' riep hij uit.
'Dat weet ik niet, Paige, maar ik denk dat het een vergissing is.'
'Daar kan ik toch niet mee leven. Stel dat ze nog eens een vergissing begaat!' Hij hief zijn handen op en liet ze zwaar weer op tafel vallen. 'Als dat me boven het hoofd hangt!'
'Dat gebeurt niet.' Maeve hoopte het meer dan ze het kon garanderen. Ze was echter van mening dat je van je fouten kon leren.
'Ik kan haar niet meer verdragen. Als ik haar nu aankijk, zie ik voor me dat zij en die ... die ...' Hij raakte verstrikt in zijn gevoelens. 'Ik hou van haar. Dat is het ergste. Ik heb nog nooit om iemand zoveel gegeven als om Emma. Als vrouw is zij alles wat ik wil. Of moet ik zeggen: wás?'
Maeve legde haar hand over die van Paige. 'Dit hoeft niet het einde te betekenen, lieverd. Het ziet er nu niet goed uit, maar Emma ...' Hij wilde haar opnieuw in de rede vallen, maar ze hield hem tegen, '...houdt ook van jou.'
'Mooie manier om me dat te laten merken, verdomme!'
'Wat wil je eraan doen?'
'Wist ik het maar.'
'Ga je nog 'es met haar praten?'
'Voorlopig niet.' Hij wendde zijn hoofd af in afkeer.
'Ik ga met haar praten.' Opeens stond Maeves besluit vast.
'Dat wil ik niet.'
'Maar ik wil het wel, Paige.'
'Ga je proberen de boel te lijmen? Ik weet niet of dat je lukt.'
'Ik wil het verhaal ook van de andere kant horen.'

‘En dan besluiten wiens kant je kiest?’
‘Dat was een steek onder de gordel, Paige. Je kent me beter.’
‘Sorry, ik ...’
‘Ja, ik weet ’t. Je bent jezelf niet. Maar ik ben ook heel erg geschrokken. Ik kan niet geloven dat dit gebeurd is. Ik vind het niks voor Emma. Het moet haar ook van streek hebben gemaakt. Ik wil weten hoe het zit.’
‘Nou, wat ze je ook op de mouw gaat spelden,’ Paige deelde zijn moeder onwillekeurig zijn besluit mede, ‘ik hoef haar voorlopig niet meer te zien.’
Hij stond op.
‘Wat ga je doen?’ vroeg Maeve.
‘Ik ga naar huis. Ik kom hier ook niet verder.’
‘Wat wil je nou, Paige?’ De hele toestand had Maeve behoorlijk verdrietig gemaakt, maar ze gaf het nog steeds niet op. Zag Paige niet dat ze probeerde hem te helpen, hen beiden te helpen? Ze ging voor hem staan, zodat hij de keuken niet kon verlaten.
‘Luister even, jongen. Jij hebt de deur dichtgegooid voor verdere communicatie. Goed, dat is jouw keus. Maar niet de mijne. Ik wil met haar praten. Dat is mijn manier om jullie te helpen. Ik dacht dat je mijn hulp kwam halen. Nu staat het je niet aan?’
‘Ma, je gaat je gang maar. Emma helpt alles wat we samen hebben naar de kloten en jij denkt dat het met praten goed komt.’
‘Nog niet alles is verloren,’ probeerde ze nog, maar hij was niet voor rede vatbaar.
‘Oh, je bedoelt dat het nog erger kan! Nou, lekker vooruitzicht!’
De deur sloeg dicht achter zijn lange gestalte.
Maeves zorg nam alleen maar toe nu hij in deze toestand het huis verliet. Toch rende ze hem niet achterna. Hij was te kwaad, hij wilde nu toch niet luisteren.
‘Ik laat je niet vallen, schat,’ zei ze tegen de voordeur, ‘en Emma ook niet.’
De koplampen zwaaiden hun lichtbundel door de hal toen Paige achteruit van het erf afreed.
‘Er is nog van alles mogelijk, lieveling,’ fluisterde ze, ‘ik hoef alleen maar naar mezelf te kijken.’
Nadat ze de lichten had gedoofd, ging ze weer naar bed. Ze had niet de illusie dat ze zou slapen. Dat zijn er dus drie, bedacht

Maeve zich. Ongetwijfeld lagen Paige en Emma, apart van elkaar, ook wakker.
Ze lag doodstil in het brede bed dat ze heel haar gehuwde leven met haar man Patrick had gedeeld. In haar hoofd was het een chaos. Haar derde kind, haar zoon, was bij haar gekomen met zijn verdriet en zorg. Hoe graag ze hem ook had willen helpen, had ze het gekund? In hoeverre begreep hij dat ze hem hulp aanbood? Hoe ver mocht je als moeder gaan met helpen, zelfs als erom gevraagd werd? De manier waarop ze de zaken aanpakte, was hem niet bevallen, dat was duidelijk. Het speet Maeve dat ze hem daarin teleurstelde. Paige kon niet geloven dat het weer goed kon komen tussen hem en zijn vriendin. Had het dan zin om hem te vertellen dat zij rotsvast geloofde van wel? Als er één ding zeker was, was het wel het feit dat ze van elkaar hielden. Emma's daad was een domme en onvergeeflijke fout en waarschijnlijk een dure les voor haar. Wat haar ertoe gedreven had, ze zou het nooit meer doen. Iets anders wilde er niet in bij Maeve. Ze weigerde te accepteren dat dit het einde van de liefde tussen Paige en Emma betekende. Vooralsnog was hun relatie in een crisis geraakt door één onbezonnen daad. Het zou wel even duren voordat die breuk gelijmd was. Beiden gingen er een litteken aan over houden. Zelfs met die schandvlek viel verder te leven. Maeve, met haar ruimere levenservaring, kon voorbij deze episode kijken. Misschien was het net dat beetje afstand dat zij tot heel die akelige toestand had, dat het haar in breder perspectief liet zien. Of ze nu wel of niet in een goede afloop geloofde, voorlopig zat Paige in een lastig parket, waarin ze hem wilde bijstaan. Tegelijkertijd werd ze ook de richting van Emma uit getrokken. Ze was van de Nederlandse gaan houden als van een eigen dochter. Als Maeve Emma ergens om waardeerde, dan was het om de eerlijke en oprechte liefde die ze voor Paige voelde. Eén keer met een andere man naar bed gaan kon nooit in één klap dat grote gevoelsgebied wegvagen. Dat was Paige niet wijs te maken. Zijn vertrouwen in Emma had een enorme knauw gehad. De pijn had hem verblind en gebroken achtergelaten.
Maeve zuchtte. Deze toestand was problematisch. Ze zat hier niet echt op te wachten. Toch deed de strijdbaarheid die ze zichzelf eigen had gemaakt na de dood van haar echtgenoot, zich ook nu gelden. Problemen waren niet iets om je hoofd over te

schudden, ze dienden opgelost te worden. Morgen, nee, over een paar uur al, ging ze naar Emma toe.
Alleen al het uitspreken van haar naam was genoeg om haar opnieuw in huilen te doen uitbarsten. Maeve was de studio binnen gestapt en had haar kalm geroepen. Ze was verschenen in de deuropening die naar het keukentje leidde. Maeve was geraakt door Emma's ontredderde en verfomfaaide aanblik. Het moest Emma duidelijk zijn geweest dat Maeve op de hoogte was als ze zich zo zonder reserve in haar armen stortte.
Arm ding, je hebt jezelf in de nesten gewerkt en tot wie heb jij je kunnen wenden, dacht Maeve. Ze sloot Emma in haar armen zonder het onderscheid te maken of het nu een dochter of schoondochter was.
'Je weet het dus,' stelde Emma vast tussen haar snikken door.
'Ja, en jij weet dat ik het weet.' Maeve veegde de tranen weg met haar zakdoek. Het was nog niet het moment om te vragen waarom. 'Paige is vannacht bij me geweest.'
'Ik heb er een enorme puinhoop van gemaakt, Maeve.' Het klonk als een boetvaardige bekentenis. Als ze Emma al had willen beschuldigen, dan was het nu toch niet meer nodig. Ze nam de verantwoordelijkheid op zich en gaf gelijk toe hoe ze eronder was bezweken.
'Emma, Paige is bij me geweest om zijn verhaal te doen. Ik wil hem helpen waar ik kan.' Maeve hield Emma bij de schouders vast zodat ze in haar ogen kon kijken zolang ze ze niet neersloeg.
'Logisch,' mompelde Emma, 'hij is je zoon.'
Ze leek te aanvaarden dat niemand haar kant koos. Dacht ze nu werkelijk dat het O'Brien-front zich sloot om de buitenstaander uit te sluiten? Dan kende ze Maeve nog niet goed.
'Je begrijpt het niet. Ik wil jou ook helpen,' verduidelijkte Maeve. 'Daarmee werk ik mezelf waarschijnlijk in de moeilijkheden, door beide partijen te willen dienen.'
'Vierentwintig uur geleden waren we nog geen twee partijen,' merkte Emma treurig op.
'Zo is 't maar net. En daarmee komen we ook bij het probleem zelf. Ik wil graag weten hoe de vork in de steel zit om te zien wat er gedaan kan worden.'
'Maeve ...'
'Lieve kind, ik wil niet ongevoelig lijken. Ik ben me rot

geschrokken en ik ben behoorlijk van streek. Ik juich niet bepaald over wat je gedaan hebt. Maar, in tegenstelling tot Paige, wil ik de deur niet voor je neus dichtgooien.'
'Wat heeft hij gezegd?' Het klonk angstig.
'Dat hij er niets van begrijpt. Hij denkt dat je de relatie om zeep hebt willen helpen.'
'Nee.' Emma schudde haar hoofd.
'Hij zei dat hij van je houdt.'
'En ik van hem,' bracht ze fluisterend uit.
Dat was één ding dat Maeve wilde horen. 'Paige wilde niet dat ik met je ging praten.'
'Wat wil hij dan wel?' Emma wilde elke strohalm aangrijpen om weer bij hem terug te komen.
'Hij wil je voorlopig niet zien.'
'Ooo!' Ze sloeg haar handen voor haar gezicht.
Maeve voerde Emma mee naar het keukentje en zette haar aan tafel. Met wat ze in de koelkast aantrof, flanste ze een ontbijt in elkaar. Het ging vergezeld van een pot thee. Emma liet het over zich heen komen. Ze frummelde aan de zakdoek en snufte maar wat. Het was of Maeves dadendrang toenam naarmate Emma wegzakte in apathie. Ze schoof een bordje met crackers naar haar toe. Emma gaf geen commentaar. Ze at de crackers op, maar zonder eetlust.
'Kunnen we erover praten, Emma?' vroeg Maeve.
Ze haalde haar schouders op. Omdat dat geen keihard nee was, zette Maeve door.
'Wat voelde jij voor die Spanjaard?'
Nu had ze wel Emma's volle aandacht. Haar ogen waren door de huilbui van kleur veranderd, van donkergroen naar grasgroen.
Emma dwong haar brein tot een gerichte gedachte. Ze moest haar schoonmoeder antwoord geven. Maeve bleef haar onvoorwaardelijk steunen, al was ze van alles op de hoogte.
'Ik vond hem ... knap. Hij was aardig en erg aantrekkelijk.'
'Was je verliefd op hem?'
'Nee.' Emma's schouders zakten een stukje. In welk licht stelde dat haar daad? En maakte dat het probleem iets kleiner? Ze keek naar haar schoonmoeder. Aan Maeves gezicht viel het antwoord niet af te lezen.

'Gelukkig. Hij leek me ook meer het type waar die zwijmelbuik van een Margreth op zou vallen.'
Er kon een klein lachje af bij Emma.
'Ik bedoel dit niet om zout in de wonden te wrijven, maar waarom heb je het gedaan?'
'Dat is het ergste. Ik weet het niet. Of het moet zijn omdat de verleiding te sterk werd.'
Toen ze dat zei, kneep Maeve haar ogen halfdicht, alsof Emma's woorden haar pijn deden.
De oudere vrouw herstelde zich meteen weer. 'En nu?' vroeg ze.
'Oh, Maeve, ik heb toch gezien wat ik heb aangericht. Bij Paige en bij mezelf. Nu zelfs bij jou. Betere remedie tegen de verleiding is er niet.'
'Je wilt Paige nog steeds?' Ze vroeg het ten overvloede, want Emma had daarnet gezegd dat ze van hem hield, maar ze moest het weten.
'Meer dan wie of wat ook!' Het kwam er fluisterend, bijna hijgend uit.
Maeve warmde haar handen aan de theemok. 'Gelukkig hebben jullie nog dezelfde uitgangspunten.'
'En toch wil hij me niet zien.'
'Paige zei dat hij herinnerd wordt aan jou met Lorenzo als hij naar je keek.'
Emma boog het hoofd. Dit was allemaal de nasleep van één ondoordacht moment. Haar berouw kon niet groter zijn. 'Je zegt dat je wilt helpen, Maeve, maar wat kun je ... kunnen wij nog doen?'
Maeve zette bedachtzaam haar mok neer, alsof ze zojuist op de bodem de oplossing had gezien. 'Ik denk dat het inderdaad het beste is als jullie een poosje afkoelen.'
'Wat bedoel je?' Emma had haar hersenen zo gepijnigd met zinloos gepieker, dat ze de weg had afgesloten voor constructieve ideeën.
'Dat je een poosje weggaat.'
'Ik schaam me dood om als de geslagen hond bij mijn ouders aan te komen.'
'Je moet ook niet naar je ouders gaan met deze problemen.'
'Heb jij een beter idee?'
'Ja, dat heb ik,' bevestigde Maeve. Eigenlijk was dat idee nog

maar een paar seconden geleden bij haar opgekomen. 'Ik weet een heel goed adres waar jij terechtkunt. Als ik even mag bellen en uitleggen dat het een noodsituatie is, kun jij er vast wel heen.'
'Naar wie dan?'
'Naar Tricia O'Connor in Donegal.'
Maeve voerde het telefoongesprek in de studio. Emma bleef aan tafel zitten en overdacht de mogelijkheden. Een poosje niet bij Paige zijn was op het ogenblik waarschijnlijk het zinnigste. Ze zou hem verschrikkelijk missen. Toch was het beter, voor alle twee, dat ze de gelegenheid kregen om hun gedachten op een rijtje te zetten. Was het vluchten? Misschien, in zekere zin. Gedeeltelijk ook werd Paiges wens ingewilligd. Hij zou haar inderdaad niet zien.
Ze wilde niet weg. Er was wel meer dat ze niet wilde. Maar ze had haar gat gebrand en moest nu op de blaren zitten. Nu hadden Paige en zij nog dezelfde uitgangspunten, zoals Maeve het zo mooi genoemd had. Als hij een tijdje kon nadenken en besloot dat hij een onbetrouwbare vriendin niet kon gebruiken: wat dan?
'Het is rond. Je kunt terecht bij Tricia.' Maeve keek er een beetje triomfantelijk bij.
Daar had je het al. Ze kon die moordende onzekerheid gaan uitzweten in het noorden van Ierland.
'Wanneer?' vroeg Emma, die tegen de onderneming opzag.
'Vanavond.'
'Vanavond al?'
'Jazeker, en weet je, Emma, dat is maar goed ook. Hier nog langer blijven hangen word je ook niet wijzer van.'
'En Paige dan?' Ze bleef bezorgd om haar vriend.
'Laat Paige maar aan mij over. Ik ga wel met hem praten.'
Nu kwam Maeve pas goed op dreef. Ze hielp Emma met het inpakken van haar schilderspullen, hoewel die mopperde dat dat geen zin had. Ze was toch niet in de stemming om te schilderen.
Maeve belde naar Daboecia Hall en kreeg van Margreth te horen dat Paige daar al aanwezig was.
'Wil je hem spreken, mam?'
'Ja, geef hem maar even.'
'Ik verbind je door.'

Na een korte stilte: 'Met Paige.'
'Paige, met mam. Blijf jij de rest van de dag op de Hall?'
'Ja, hoezo?'
'Leg ik je later uit. Heb je het al aan iemand verteld wat er tussen jullie gebeurd is?'
'Nee, wat dan?'
'Leg ik je ook later uit. Voor nu: houden zo.'
'Ma, waar ben je mee bezig?' Het klonk ongeduldig.
'Nogmaals, dat leg ik je later uit. Ik moet je spreken. Heb je een momentje voor me ...' ze keek op haar horloge, '...over een paar uur?'
'Dat zal wel.'
Verbaasd volgde Emma het geregel van haar schoonmoeder. Ze werd meegesleurd in Maeves ideeënstroom en daadkracht. Ze beleefde nog steeds geen plezier aan het gebeuren, maar ze hield zich voor dat het zo het beste was en liet zich sturen.
Maeve ontwikkelde een koortsachtige snelheid met haar acties. Tegen de tijd dat ze naar haar afspraak met Paige ging, was Emma vertrokken. Maeve legde aan haar zoon uit wat er gebeurd was. Dat een afkoelingsperiode onder de gegeven omstandigheden het beste was. Dat ze Emma naar een veilig en gastvrij adres gestuurd had. Ze deed Paige een suggestie aan de hand: nu nog niemand wist wat er voorgevallen was, kon hij ervan maken wat hij wilde. Moest Emma niet nodig aan het werk voor de expositie? Wel, ze ging elders inspiratie opdoen.
Paige wreef door zijn haar. Zijn moeder had de zaken grondig aangepakt. Emma was inderdaad weg. Had hij niet gezegd dat hij haar een tijd niet wilde zien? Hij kon zelfs de situatie naar zijn voordeel buigen met het excuus dat zijn moeder erbij leverde. Hij was amper de klap te boven, of de adempauze was er al. Maar hij was uit zijn humeur en hij hield er niet van als anderen dingen voor hem regelden.
'Nou, je bent weer lekker bezig, ma,' gromde hij.

HOOFDSTUK 6

Emma reed in noordelijke richting met een toenemend gevoel van uittreding. Haar handen lagen om het stuur. Af en toe zag ze ze, of ze niet van haar waren. Maar wie bestuurde deze auto dan? Er waren vast twee Emma's die één lichaam deelden. Eén praktische, die de pedalen bediende en schakelde en ééntje die gek werd. Ze was uit Roundwood vertrokken om regelrecht een surrealistische film binnen te rijden. Haar gedachten gingen een beangstigende kant op. Ze reed weg van de plek waar ze wilde blijven, naar een bestemming waar ze niet heen wilde. Ze verliet het leven dat ze kende. Een leven waarover ze niet langer controle had. Een paar weken geleden had ze de grip erop verloren. Sinds vanmorgen werd ze door anderen bestuurd. Ze had niets meer over zichzelf te vertellen. Een rationeel stukje van haar geest wist nog op te dissen dat dit het beste was wat ze kon doen. Dat viel helemaal niet met elkaar te rijmen.

Haar realiteitsbesef leek te zinken. Dat gevoel ging net zo snel ten onder als de zakkende zon. Voordat ze Donegal bereikte zou het donker zijn. Het sloot aan bij de duisternis waarin zij werd opgeslokt. Haar auto, de kleine, pittige Ford Focus, benadrukte haar alleen zijn. Hier ging ze toch maar, in een richting die ze niet wilde en niemand kon haar tegenhouden. Deze rit voerde naar een isolement. Ze voelde geen pijn of verdriet, alleen vervreemding. De afstand die ze aflegde leek ook tussen haar en haar gevoel te komen.

Ik had toch een leven, dacht Emma. Mijn werk was toch mijn leven? Mijn leven speelde zich toch af in The Stables en rond Daboecia Hall? Ik was met Paige, bij Paige. Wat doe ik hier in godsnaam?

De auto bleef in noordelijke richting rijden. Als een voorgeprogrammeerde computer bleef Emma haar opdracht uitvoeren: ga

naar Donegal. Daar wacht iemand op je. Waarom ging ze eigenlijk naar die onbekende vrouw toe?
Haar geheugen gaf het antwoord op die vraag. Een man, niet Paige, boog zich over haar heen en verenigde zich met haar. Gretig had ze haar dijen om hem heen gevouwen.
Emma's voet gleed van het gaspedaal. Heb ik dat gedaan? De stroomversnelling van gebeurtenissen van de voorbije dag leken los te staan van de oorzaak. Door de herinnering was ze weer terug bij het begin van haar moeilijkheden. Die waren te groot geworden. Opeens wilde ze dat haar auto de hele wereld was, dat ze niet meer hoefde uit te stappen. Ze kon alleen nog maar voor het moment leven. Niet meer denken, niet meer plannen.
Ze moest in deze toestand niet autorijden. Ze was levensgevaarlijk bezig.
Wie of wat gehoorzaamde ze eigenlijk? Wie had er zoveel over haar te vertellen dat hij of zij haar iets kon laten doen wat ze niet wilde? Paige? Maeve? Of was het schuldgevoel?
'Rijd naar de stad Donegal,' had Maeve gezegd, 'ga naar The Diamond. Alle wegen in de stad leiden naar The Diamond. Tricia zal op je wachten in The Abbey Hotel.'
Ze was zo vastgelopen in de problemen dat ze zich liet sturen. Ze was zelf stuurloos geworden. Doelloos. Daarom voerde ze de wil van iemand anders uit. Kon een andere omgeving iets verbeteren aan de situatie?
Emma had volbracht wat haar was opgedragen. Ze reed Donegal Town binnen. The Diamond was inderdaad zo gevonden, maar ze moest langs The Abbey Hotel rijden omdat een parkeerplaats moeilijker te vinden was.
Vlak achter The Diamond was een parkeerterreintje. Ze liet haar auto daar achter en liep naar het hotel.
Emma legde haar hand op de deurgreep. Opnieuw leek die een eigen leven te leiden. Als ze door deze deur ging, ging haar leven onherroepelijk veranderen. Door de vreemde onthechting van haar emoties was het gevoel van angst of nervositeit hierbij maar vaag.
De gevel gaf niet prijs dat het binnen zo mooi was. Emma bleef in de foyer staan. Het bood de gebruikelijke aanblik. Mensen checkten in of uit, gasten gingen het restaurant binnen, andere zaten op de luxe banken te praten. Daartussendoor liepen men-

sen van de bediening. Maar was Tricia erbij?
Emma wachtte tot de receptioniste vrij was. 'Goedenavond, mijn naam is Emma Terheyden. Ik zou hier Tricia O'Connor ontmoeten.'
'Inderdaad. Ik bel haar even.' De receptioniste was duidelijk op de hoogte. Ze voerde een kort telefoongesprekje.
Niet veel later zwaaiden de klapdeuren open en verscheen vanachter uit het hotel de vrouw die geacht werd Emma onderdak te geven. Ze liep niet, ze stevende door de foyer. Haar doelbewuste gang had zoveel vaart, dat haar schouderlange haar ervan wapperde. Ze droeg een wijde rok van alcantara, die haar benen tot op de enkels verhulde. De stof golfde bij elke stap om haar dijen, zodat ze toch iets prijsgaf van lange, slanke benen. Haar brede glimlach gaf haar mooie gebit bloot. De lach werd weerkaatst in haar donkerblauwe ogen. Ze had onmiddellijk gezien dat de vrouw die er wat verloren bij stond Emma moest zijn en kwam met uitgestoken hand op haar af.
'Hallo, ik ben Tricia O'Connor. Céad mile failte.'
Ze schudden elkaar de hand.
'Goeienavond, ik ben Emma Terheyden, aangenaam kennis te maken.' Emma aarzelde even.
'Is er iets?' vroeg Tricia.
'Nee, niets, of het moet zijn dat je me een moment aan mijn schoonzusje deed denken.'
'Er zijn heel veel mensen in Ierland met zwart haar en blauwe ogen.'
'Dat zal het wel zijn.'
'Kunnen we gaan?' vroeg Tricia, waarop Emma knikte.
'Waar staat je auto?'
'Op een parkeerterrein achter een supermarkt.'
'Dan kom ik daar wel naartoe met mijn auto.'
Tricia reed een kleine bestelauto. Op een teken van haar volgde Emma het oude, witte gevaarte. Het betekende een vervolg van haar onwezenlijke stemming. Waar voerde Tricia haar heen?
Na een korte rit stapte Emma nogal gedesoriënteerd uit. De cottage die Tricia bewoonde zag er op het eerste oog traditioneel uit. Ze had geen buren, in ieder geval geen die je kon zien. Het waren indrukken die in het daglicht misschien bijgesteld moesten worden. In het bord Te koop kon Emma zich niet vergissen.

Ze hoorde ook onmiskenbaar het geluid van de zee.
'Waar zijn we hier ergens?' vroeg ze.
'Bij mij thuis.' Tricia lachte. 'Dit heet nog steeds Donegal, alleen ligt mijn huisje een eindje buiten de bebouwde kom.'
Tricia pakte een krat met allerlei kookgerei uit de laadruimte van haar auto. Emma zocht haar koffer uit de overige bagage.
'There you are,' zei Tricia bij het ontsluiten van de deur. Met een armgebaar noodde ze Emma binnen.
Die stapte de woonkamer in. Het was gezellig ingericht met een paar gemakkelijke banken met kleden erover en een informele eethoek, die gevormd werd door een stoere tafel met zes stoelen eromheen. Wat ze in een glimp van de keuken zag door de openstaande deur, was dat die nogal professioneel was ingericht, eigenlijk bovenmaats voor zo'n kleine cottage. Er hingen heerlijke etensgeuren in het huisje. Dit was de plek waar Maeve zo'n fijne vakantie had doorgebracht.
'Ik zal je je kamer laten zien. Krijg je die koffer de trap op?'
Emma was zo druk bezig met haar ogen de kost te geven, dat ze alleen maar knikte.
Ze kreeg een kamer onder het schuine dak toegewezen. Alles was aanwezig, een tweepersoonsbed, nachtkastje, linnenkast, bureau met stoel en een leunstoel. Het was sober en landelijk gehouden. Het was een heerlijke kamer. Emma viel er meteen voor.
'Lijkt het je wat?'
'Hij is prachtig, Tricia.'
'Mooi. Luister, Emma, als jij je spullen uitpakt, zet ik de schotel in de oven. Dan kunnen we over een half uur eten. Goed?'
'Prima,' stemde ze in.
Ze wilde een goede gast zijn, dus pakte ze gehoorzaam haar koffer uit. Ze hing en legde kleren in de linnenkast, maar eigenlijk hoorden ze in de cottage in Roundwood te zijn. Ze was hier om verkeerde redenen. Wat voor goeds kon er komen van Paige een poosje niet zien? Ze miste hem nu al. Ik ben verbannen, dacht ze.
Beneden klonk het gekletter en gerammel van keukenspulletjes. Tricia was bezig met het avondeten. Als het net zo goed smaakte als het rook, werd het een heerlijk maal.
Emma mocht dan tegen haar zin in Donegal zijn, aan haar gast-

vrouw zou het niet liggen om een succes van haar verblijf te maken. Ze had haar nog maar net een uur geleden leren kennen, toch had ze al kunnen vaststellen dat Tricia raad wist met onhandige stiltes en onduidelijke situaties. De aanleiding van haar verblijf in het noorden was niet fraai, ze had hierdoor wel Tricia ontmoet. Ze leek haar alleszins een type dat ze graag mocht.
Emma liep naar beneden. 'Is er nog tijd om de rest van mijn spullen uit de auto te halen?'
Tricia keek op het klokje van de magnetron. 'Je hebt nog tien minuten.'
De tafel was al gedekt. Er brandden kaarsen. In plaats van dat de kaarsen een zwaar romantische sfeer creeërden, werd het er eerder landelijk gezellig door. Als er al een gesprek ging volgen, dan werd het er één met de ellebogen op tafel en niet eentje met suggestieve stiltes. Dat paste ook beter bij Tricia. Emma merkte het vonkje van belangstelling voor haar gastvrouw op. Dat was een groot verschil met de bedreigende wezenloosheid die ze eerder die dag had ervaren.

Emma schoof haar lege bord een eindje verder op tafel. Ze had met smaak haar portie van de ovenschotel verorberd, terwijl ze dacht dat ze geen trek had. Piekeren maakte kennelijk hongerig.
Tricia nam het initiatief. 'Zo, en vertel me nu eens: wie is Emma Terheyden?'
Daar zat ze, een Nederlandse die geen Nederlandse meer was, nu zelfs verdreven van haar nieuwe huis en haard, met een relatie die van onzekerheden aan elkaar hing.
'Iemand die een leuk leven had,' verzuchtte ze.
Tricia gaf een scheve, begrijpende glimlach ten beste. 'Een beetje de weg kwijt, hè?'
'Ik ... denk ... dat je dat wel weet. Je hebt Maeve gesproken.'
'Ze heeft niet zoveel verteld, hoor. Ze zei alleen dat het min of meer een noodgeval was. Dat het voor haar Nederlandse schoondochter het beste was om even uit de vertrouwde omgeving weg te zijn.'
'Eh ... ja, waarschijnlijk wel.' Emma was er nog altijd niet zeker van. 'Mijn relatie is in een crisis beland.'
'Oh.' Tricia was geenszins geschokt. Ze luisterde alleen aandachtig. 'Is hij vreemdgegaan?'

Emma was geshockeerd door het feit dat een bijna-vreemde zoveel directheid aan de dag legde. Zonder inleiding maakte ze het beladen onderwerp bespreekbaar. Ze werd erdoor overrompeld en voor ze het wist, had ze, naar waarheid, geantwoord: 'Niet hij. Ik.'

Maeve liet zich als een pubermeisje op de grond zakken tussen de hondenmanden. De Retrievers, Flaherty en O'Shea, kwamen aan haar snuffelen. Ze vertrouwden dit afwijkende gedrag niet. Ze kriebelde beide honden in hun dikke vacht in de hals.
'Oh jongens, ik kan niet geloven wat ik gedaan heb!' riep ze uit tegen haar trouwe viervoeters. 'Is de wereld gek geworden of ben ik het?'
Het was een onwerkelijke dag geweest, na het onwerkelijke intermezzo in de voorbije nacht. Ze had Emma overgebracht wat Paige had gezegd. Hij had uit kwaadheid gezegd dat ze moest vertrekken. Toen ze met haar schoondochter in gesprek was, leek dat ook de beste oplossing. Op die manier konden beiden afkoelen. Eenmaal bij dat besluit aangekomen, was er opeens ontzettend veel te doen. In die koortsachtigheid was er geen plaats voor andere gedachten. Maeve was van mening dat Emma onmiddellijk moest vertrekken voordat de twee in onmin geraakte geliefden elkaar nog meer pijn aandeden. De schade moest zo beperkt mogelijk blijven. In haar zorg om Paige en Emma wilde ze de hele geschiedenis uit het roddelcircuit houden, dus had ze haar zoon voorzien van een smoes.
Emma was vertrokken naar Donegal.
Nu leek het uit elkaar halen van haar zoon en schoondochter de snelste weg naar een definitieve scheiding. Als ze iets goed had willen doen, had ze de breuk moeten proberen te lijmen. Wat had haar bezield om Emma een verblijf elders op te dringen?
Het was de gedachte aan Tricia geweest.
Tricia O'Connor woonde aan de andere kant van Ierland. Als er afstand moest zijn tussen Paige en Emma, was het huisje vlak bij de oceaan in Donegal een goed adres. Een gastvrij adres, dat was Tricia wel toevertrouwd.
Die twee meiden, Emma en Tricia, zouden elkaar wel liggen. Daarvan was Maeve overtuigd. Jammer dat de problemen tussen Paige en Emma de aanleiding waren voor de kennismaking.

Hoewel Emma bij Tricia zonder twijfel in goede handen was, was het feit dát ze er was, verkeerd.
Maeve had gezegd dat ze wilde helpen, maar ze was daarin veel te ver gegaan. Toen ze eenmaal op de gedachte aan Tricia was gekomen, had ze niet meer getwijfeld of dit wel de goede oplossing was.
Het kwam in haar straatje te pas, bedacht Maeve. Haar eigen redenen om Emma in Donegal te krijgen, moest ze achteraf toegeven, hadden meegewogen.
'Jongejonge,' verzuchtte ze, terwijl ze moeizaam overeind krabbelde, 'heb ik de poppen even goed aan het dansen. Heb ik voor mijn eigen doel een relatie nu voorgoed naar de knoppen geholpen? Ik zal nog eens mijn hulp aanbieden.'
Had ze nu nog niet geleerd dat bemoeienis van ouders, sowieso van een derde partij, in een relatie nu net precies het verkeerde was? Ze had alleen maar moeten luisteren. Daarmee was ze precies in haar moederrol gebleven. Nu was ze haar boekje ver te buiten gegaan. Het was tevens voor haar eigen, onuitgewerkte plannen dat ze Emma op pad had gestuurd. Nu voelde het niet meer zo goed dat ze haar zaken uit handen had gegeven.

'Had je een affaire met die man met wie je bent vreemdgegaan?' Tricia zei het op een manier of ze bedoelde: Had je liever walnotenijs?
Emma was verbaasd over de drempelloosheid in Tricia's benadering. Uit haar toon sprak geen ranzige nieuwsgierigheid, maar belangstelling naar de persoon die ze voor zich had, met de bedoeling een beeld te vormen.
Ze wilde terughoudend reageren, maar bedacht toen dat ze die reserve verspeeld had door toe te geven dat ze was vreemdgegaan. Bovendien had ze niets te duchten van Tricia. Haar zelfverzekerde gastvrouw had geen belang meer bij haar leven als ze weer uit Donegal vertrok. Hier kon ze haar hart luchten. Wellicht nam dat de last van haar gemoed, al gingen de problemen daardoor niet weg.
'Nee,' gaf Emma toe, 'we hebben één keer ... eh ... gezondigd.'
'Was je verliefd op hem?'
'Nee, ook niet. Ik hou van mijn vriend, Paige O'Brien.'
'Waarom heb je het dan gedaan?'

'Ik weet het niet ...' fluisterde Emma. Hoe kon een daad die destijds dreef op passie nu zo zinloos lijken? Zozeer iets dat niet bij haar paste.
Het gesprek ging niet verder. Emma geeuwde van vermoeidheid. 'Ik vergeet mijn manieren!' zei Tricia. 'Je hebt vast een zware dag achter de rug. Misschien zelfs wel een zware nacht, door je getob. En dan ook nog die rit hiernaartoe. Duik maar lekker je bed in!'

'Heb je plannen voor vandaag?' vroeg Tricia op zondagochtend aan de welvoorziene ontbijttafel. Bij het zien van Emma's schouderophalen, stelde ze voor om naar het strand te gaan. 'Het is een lekkere wandeling en als we lopend gaan, gaat mijn auto niet zo stinken.'
Emma hapte toe, wat Tricia's bedoeling was geweest. 'Stinken? Waarnaar?'
'Naar het zeewier. Ik ga naar het strand om zeewier te verzamelen.'
'Waarom doe je dat?'
'Om hier in mijn tuin te laten rotten en er naderhand mijn aardappelen in te planten.'
'Ik ga mee,' besloot Emma, die het weleens wilde zien.
Dat Tricia iets met eten had, was Emma al duidelijk. De gewone ovenschotel van gisteravond was beter dan die van een doorsnee thuiskok. Het ontbijt oversteeg het gemiddelde met overmacht. Met een vriend die tot de beste koks van Ierland behoorde, kende Emma de fijne verschillen. Tricia's ovenschotel was geen samenraapsel van ingrediënten, het was een uitgelezen combinatie die de smaakpapillen streelde. Emma proefde het vele werk eraan af. Dat het Tricia zo makkelijk afging, wees op ervaring. Het grote fornuis stond er niet per ongeluk.
Tijdens het ontbijt dreven alweer de heerlijkste geuren uit de oven door het huisje. Op het gas stond een pan te pruttelen. Tricia pakte de zaken grondig aan. Een strandwandeling betekende een dag aan de kustlijn doorbrengen en daar hoorde een goedgevulde picknickmand bij. Het versgebakken sodabrood ging mee, tezamen met een taart die ze de vorige avond had gebakken toen Emma al in bed lag. De stevige wortelsoep ging in een thermoskan.

Goed aangekleed gingen ze op weg met een volle rugzak en een lege mand voor het zeewier. In een opwelling had Emma nog een schetsblok in de rugzak gestopt.
'Is het er wel goed weer voor?' vroeg Emma, met stemverheffing boven een straffe wind uit.
'Er kan een spat regen vallen, maar we smelten niet.' Tricia antwoordde met de typische Ierse gelatenheid ten opzichte van het weer.
'Ik begin altijd tegen de wind in,' zei Tricia, toen ze op het strand aankwamen. Hun haar waaide in het gezicht en de wind liet hun ogen tranen.
Emma volgde eerst met de handen in de zakken, maar ze kreeg er schik in en begon zelf ook naar de slierten te zoeken.
Na een paar uur tegen de wind in gelopen te hebben met een mand die steeds voller raakte, maakten ze rechtsomkeert. In een ondiepe kuil vonden ze een beschut plekje om wat te eten.
'Hoe voel je je?' vroeg Tricia.
Emma's blik dwaalde over de zee. 'Ik weet het niet. Achtenveertig uur geleden had ik nog een relatie, al hing er dan een dreiging over. Ik weet niet of er nog iets van over is. En het wordt er voor mij niet duidelijker op nu ik hier zit. Niks ten nadele van jou, hoor.'
'Ik begrijp je wel. Je wereld staat behoorlijk op zijn kop, hè?'
'Ja, zeg dat wel. Ik blijf mezelf kwalijk nemen wat ik gedaan heb en ik weet niet hoe ik het moet goedmaken. Ik ga eraan kapot.'
'Ik ken je nog niet goed, maar het lijkt me niets voor jou.'
'Dat is het ook niet. Hoe het dan ook heeft kunnen gebeuren?'
'Misschien is het wel goed voor je om erover te praten,' veronderstelde Tricia. 'Wil je 't vertellen? Hoe is het gebeurd?'
Er klonk alleen vriendelijke belangstelling uit haar woorden, geen bemoeizucht.
Gek genoeg had Emma daar helemaal geen moeite mee. Het verhaal lag vooraan in haar gemoed en leek te wachten op het juiste moment om naar buiten te komen.
'Hij logeerde in Daboecia Hall, het hotel-restaurant waarvan mijn vriend de uitbater is. Hij heette voluit Lorenzo Ramirez, een Spanjaard. Hij was ingehuurd door de mensen van de stoeterij, waarnaast mijn atelier is gelegen. Toen ik hem voor het

eerst zag, vond ik hem op Paige lijken. Vanaf dat moment wilde ik hem portretteren.'
'Vanwege die gelijkenis?'
'Nee, niet daarom. Meer om zijn uitstraling. Hij had iets ... mysterieus. Hij kwam twee avonden in de week, zo'n zes weken lang. Ik heb gewerkt en gewerkt maar van een portret kwam het niet. Ik wilde overbrengen wat hij uitstraalde. Hoe harder ik dat wilde, hoe minder het me lukte, ondanks het feit dat ik hem grondig bestudeerd heb.'
'Maar?' spoorde Tricia aan.
'Er was ... aantrekkingskracht. Het hing in de lucht. Blikken, handgebaren, stembuigingen. Ik merkte dat hij me te veel deed. We raakten in gesprek tijdens die sessies. Hij deed me bekentenissen. Hij vroeg mijn discretie.'
Tricia knikte, ten teken dat ze het verhaal volgde. Zag Emma echt niet wat er werkelijk was gebeurd? Ze besloot haar mening hierover nog even voor zich te houden. Ze kende Emma net sinds de vorige dag. Het was te vroeg om conclusies te trekken en oordelen uit te spreken.
'En toen?'
'Op een avond wilde hij zien hoever ik was gevorderd met zijn portret. Hij mocht het niet zien. Ik schaamde me voor mijn armzalige pogingen. Hij zei iets over kwetsbaarheid en dat ik dat best mocht laten zien. Hij kuste me en ...'
Emma haperde. Opeens besefte ze dat ze heel persoonlijke kwesties deelde met een vrouw die ze amper kende. Even tevoren had het nog zo terecht gevoeld. Gaf ze zich niet te veel bloot?
Aan Tricia lag het niet. Die zat er nog steeds, op de geruite plaid, haar handen op haar opgetrokken knieën. Zwijgend, rustig en standvastig. De wind blies haarlokken voor haar blauwe ogen, maar de blik erin bleef onveranderd. Ze bleef dat kalme vertrouwen uitstralen. Er ging geruststelling van haar uit. Emma's verhaal was veilig bij de Ierse.
Ietwat timide, het waren tenslotte intieme feiten, vervolgde Emma: 'Er was geen houden meer aan. Voor ik het wist, lagen we te vrijen. Ik moet bekennen dat ik niet heb tegen gestribbeld.'
Door het hele verhaal te vertellen, kwamen de emoties van dat

moment weer boven. Het was de crux van een passionele daad tegenover een loodzware veroordeling, waartussen Emma beklemd was geraakt. Ze wilde er niet weer om huilen, maar kon niet helpen dat er tranen over haar wangen liepen.
Tricia zei niets. Ze stond op en liep naar de branding. Haar zwijgen zei meer dan woorden. Ze gaf Emma de gelegenheid om tot zichzelf te komen.
Emma pakte haar mobiel uit de rugzak. Ze wilde Paige bellen. Waarom wist ze zelf niet. Om te zeggen dat ze goed was aangekomen? Niet erg passend. Ze had geen oproepen gemist. Zou Paige nog kwaad zijn? Ja, natuurlijk was hij nog steeds kwaad, bedacht ze. Het was niet niks wat er was gebeurd.
Het mobieltje ging terug in de tas en ze haalde haar schetsblok eruit. Ze schetste het panorama dat zich voor haar uitstrekte. Het zeewater had geen egale kleur. Ze zag hier en daar lichtere plekken, als wolken in de lucht. De zee ging zo tekeer dat er een waternevel meters ver over het strand sproeide. Haar haar was er weerbarstig van geworden. Het zout had zich met haar tranen vermengd. Het schetsblok was een beetje vochtig. Haar potloodstreken kerfden een beetje in. Emma probeerde met kleurpotlood de kleuren van de zee te benaderen. Ze prentte ze goed in. In Tricia's huisje, beschermd tegen de elementen, zou ze ze precies weergeven. Hier regeerde de zee en die had niet veel op met kunstzinnigheid. Emma hield nog niet op. Op onbetrouwbaar geworden papier schetste ze Tricia's gezicht, zoals ze dat daarnet had gezien. Haarlokken in de war, maar met die onverstoorbaar kalme blik. Er ging rust en wijsheid uit van haar jonge Ierse gastvrouw. Ze leidde een sober maar goed leven. Emma vroeg zich af of Tricia ook weleens zo hevig in verwarring was geweest als zij nu.
Er viel een schaduw over het schetsblok. Tricia was terug.
'Gaat het weer?' vroeg ze.
'Ja. Hoe wist je dat ik ...'
'Ik hoefde alleen maar naar je verhaal te luisteren. Je bent een gevoelig mens, Emma.'
'Ben je altijd zo tactvol?'
'Verwacht geen meeprater. Ik ben een beetje thuis in menselijke emoties, maar ik heb ook mijn eigen meningen.'
Emma wilde het schetsblok dichtklappen. Tricia stak haar hand

uit. 'Mag ik?' Ze lachte bij het zien van haar eigen gezicht. 'Je kunt het dus wel snel.'
'Als er geen afleiding is in de vorm van sensuele geladenheid,' antwoordde Emma, die wist waar Tricia opdoelde.
Ze pakten de spullen in, vouwden de plaids op.
'Wil je me helpen met koken?'
'Wel ja,' stemde Emma in, 'bij jou is het niet zo riskant als bij Paige, denk ik.'
Tricia lachte alweer. 'Hoe bedoel je?'
Terwijl ze op weg gingen naar Tricia's huisje, vertelde Emma het verhaal van haar pogingen om opgenomen te worden in Daboecia Hall. Hoe ze daarbij verschillende baantjes had bekleed. Tot ze uiteindelijk bij Paige in de keuken terechtkwam.
'Hoe dichter bij Paige aan het werk, hoe groter het fiasco. Hij is echt een schat, maar ik kan niet met hem werken. Als hij kookt voor het restaurant, is hij een ware dragonder. Dan wordt hij een heel andere man dan die met wie ik een liefdesrelatie onderhoud.'
Tricia lachte met Emma mee. Ze hoorde dat Emma in de tegenwoordige tijd sprak. 'Daar ben je dus mee gestopt.'
'Ik heb ontslag genomen.'
Lachend verlieten ze het strand.

Bij het huisje viel Emma opnieuw het bordje Te koop op. 'Wil je hier vandaan, Tricia?'
'Willen is niet het goede woord. Ik zou liever blijven, maar ik moet de realiteit onder ogen zien. Mijn toekomst is nogal onzeker, moet je weten.'
Emma schrok van deze mededeling. Zo rustig was Tricia's leven helemaal niet. Daarover had ze niet gesproken. Ze had geduldig Emma de gelegenheid gegeven haar verhaal te doen, terwijl ze zelf genoeg problemen had. Bij Tricia's grootmoedigheid stak dat gewentel in haar problemen schril af.
'Je maakt me nieuwsgierig,' zei Emma, die opeens vastbesloten was de aandacht de andere kant uit te laten gaan.
Tricia zocht haar sleutel. 'Het is gauw verteld. Het enige dat ik kan, is koken. Maar niemand in de omgeving heeft een kok nodig.'
'Je verhuurt toch je huis als Bed and Breakfast?'

'Emma, geef je ogen eens goed de kost. Hoeveel ik ook van Donegal houd, het is een uithoek. Ik krijg te weinig gasten.'
Wat had Maeve hier dan te zoeken, ging het door Emma heen.
'Maar wacht eens even ...' Ze zag in gedachten Tricia weer achter uit het hotel komen. 'Je kwam gisteravond uit de keuken van The Abbey Hotel. Werk je daar dan niet?'
'Ik heb er wel gewerkt. De mensen van The Abbey Hotel bestellen nu nog bepaalde gerechten bij mij en ik verricht er de nodige hand- en spandiensten in de keuken.'
'Maar het is geen baan?'
'Bij lange na niet. Ik doe de catering van feesten hier in de omgeving en ik verzorg lunches voor zakenmensen, zodat ze die niet in een restaurant hoeven te nuttigen. Ik maak producten in en verkoop die op de markt. Soms vragen mensen mij iets voor hen te bakken. Je ziet, ik schnabbel er op los, maar ik heb bestendigheid nodig.'
Tricia moest zichzelf bedruipen, ze was een kleine zelfstandige. In feite was Emma dat ook, alleen haar positie was veel luxer. Als haar inkomsten opdroogden, kon ze altijd nog op Paige terugvallen. Het was beslist haar keuze niet, ze wilde het nooit zover laten komen, maar die ruggensteun was er wel. Hoewel, bedacht ze met een bitter glimlachje, bestond die mogelijkheid nog wel? Of zou binnenkort haar atelier ook te koop staan?
Tricia O'Connor was kok, net als Paige. Groter was het raakvlak niet. Paige trok werk en opdrachten als een magneet naar zich toe. Hij had de middelen om de zaken groot aan te pakken. Voor hem was risico's nemen niet zo gevaarlijk. Paige zou nooit door één misser onderuit gaan. Wat een verschil met Tricia. Haar drijfveer en talent waren misschien net zo groot als die van Paige, maar omdat ze in de verlaten noordwesthoek van Ierland zat, kwam het niet van de grond.
'Heb je al plannen voor als je huis verkocht is?' vroeg Emma.
'Ik wil een appartementje gaan huren in of nabij Donegal en werk zoeken. Ik ben bang dat het niet iets wordt in de sector waarin ik nu zit.'
Ze zei het nogal onaangedaan. Ondanks de effen toon van haar woorden, begreep Emma dat Tricia binnenkort het leven dat ze kende en het werk dat ze het liefst deed moest opgeven. Stel dat

zij nooit meer kon schilderen ... of zonder Paige moest leven? Emma rilde.
'Het ergste vind ik,' vervolgde Tricia, 'dat ik het ben die een huis dat altijd in de familie is geweest, moet verkopen.'
'Wil niemand van je familie het huis terugkopen?'
'Nee, helaas. Mijn jongere broer zit in Amerika. Mijn moeder en haar man hebben een fijn huis. Neven en nichten wonen in de stad. De overige ooms en tantes vinden zichzelf te oud om zover bij alles vandaan te wonen.'
'Jij bent de enig overgeblevene die wel om dit huis geeft.'
'Ja. Je moet ook wel tegen de stilte en de eenzaamheid kunnen.'
'Heb je hier je hele leven gewoond?'
'Nee hoor, pas nadat ik getrouwd was.'
'Was je getrouwd?' riep Emma uit.
'Ik ben al negen jaar gescheiden.'
Emma viel van de ene verbazing in de andere. 'Al negen jaar gescheiden. Hoe oud ben je dan?'
'Drieëndertig.'
Maar één jaar ouder dan ik, bedacht Emma. 'Mijn hemel, Tricia, dan was je er ook vroeg bij. Hoe lang ben je getrouwd geweest?'
'Bijna vijf jaar. Ik was nog net geen twintig toen ik met John trouwde.'
Het gesprek stokte even, omdat Tricia de taken verdeelde en uitlegde wat ze van Emma verwachtte als keukenhulpje.
'Nogal een grote vergissing: mijn huwelijk,' bekende Tricia.
'Dat is spijtig.'
'Van het huwelijk heb ik spijt, ja, niet van de lessen die ik daarna geleerd heb. Ik neem het mezelf kwalijk dat ik om de verkeerde redenen getrouwd ben.'
'Hield je niet van hem?'
'Niet op de goede manier. Natuurlijk begon het met verliefdheid, maar algauw speelden er ook andere motieven mee. Ik moest iets bewijzen. Ik moest en zou mijn moeder laten zien dat ik het er beter kon afbrengen dan zij. Ik zou me niet zo laten beetnemen door mannen.'
Emma's handen lagen stil op de snijplank, ze keek Tricia niet begrijpend aan.
'Ik was me gewoon aan het afzetten tegen mijn achtergrond,

Emma. Die reactie schijnt vaker voor te komen bij kinderen van een veel te jonge, ongetrouwde moeder. Ik ben – mooi gezegd – een liefdeskind. Ik ben een bastaard. Mijn moeder heeft zich een kindje laten maken door een getrouwde man.'

Emma zweeg verbijsterd. Ze woonde nu drieëneenhalf jaar in Ierland. Ze had uit verhalen die ze had gehoord en uit de boeken die ze las, begrepen hoe men tot in de vijftiger jaren van de twintigste eeuw placht om te gaan met meisjes die in moeilijkheden geraakt waren. Die ongelukkige meisjes werden in kloosters gestopt. Soms ver weg in Engeland, waar ze na de geboorte hun kind moesten afstaan. Anderen kwamen in Ierland bij de nonnen terecht, om hun zwangerschap uit te dienen in de wasserijen die de kloosters uitbaatten. Ook daar kwam het voor dat de meisjes hun baby ter adoptie moesten afstaan. De verhalen waren schrijnend, want de zusters van liefde waren in de praktijk meestal niet zo lief.

Uit een diepgeworteld katholiek schuldgevoel moffelden Ierse ouders hun zwangere tienerdochters weg in tehuizen als na hun ongelukje bleek dat ze niet met de jongen konden trouwen. Bij het lezen van die verhalen had ze zich herhaaldelijk boos gemaakt omdat de mannen er steevast zonder represailles leken af te komen. Er waren gevallen bekend van meisjes die zwanger raakten van hun vader of broer. In de repressieve dorpsgemeenschappen van die tijd waren zulke zaken ongehoord. Al die probleempjes moesten dan in een klooster worden opgelost.

Emma had in Nederland een uiterst beschermde jeugd gehad. Haar ouders hadden haar uit overdreven zorg niet naar de kunstacademie durven laten gaan. Door die achtergrond stonden verhalen over hoe men in Ierland omsprong met ongetrouwde, zwangere meisjes ver van haar af, al nam ze zonder meer aan dat ze waar gebeurd waren. Nu stond ze tegenover een vrouw die open en eerlijk bekende dat ze uit een avontuurtje was voortgekomen. Dat ze een onwettig kind was. Tricia was niet bij haar moeder vandaan geraakt. Er was niet veel voorstellingsvermogen voor nodig om te bedenken dat haar jeugd beladen moest zijn geweest.

Talloze vragen tuimelden door Emma's hoofd. Tricia was heel openhartig geweest over haar afkomst, maar Emma durfde er niet op door te gaan. Het moest pijnlijk zijn geweest. Tact moest

in dit geval prevaleren boven nieuwsgierigheid.
Vanuit haar knielende positie voor de ovendeur tikte Tricia tegen Emma's kuit. 'Dat was wel weer genoeg over het onderwerp Tricia O'Connor. Ik wil wel eens weten hoe een Nederlandse vrouw aan een Ierse vriend komt. Zit daar geen verhaal achter?'
Tricia kwam overeind. Ze zag aan Emma's glimlach en de zachte blik in haar ogen dat ze haar gast had afgeleid.
'Dat is bijna het klassieke verhaal van een opeenstapeling van misverstanden. Wil je het echt horen?'
'Begin maar bij het begin.'
De twee vrouwen dekten de tafel in de woonkamer, terwijl Emma Tricia hetzelfde relaas vertelde als een paar weken eerder aan Lorenzo. Dat ze algauw nadat ze Paige zes jaar eerder in Alkmaar in Nederland had ontmoet, overeenkwamen samen vakantie te houden in Ierland. Paige stond op het punt terug te keren naar Roundwood, om daar de voltooiing van het restaurant te begeleiden. Emma kwam over in mei van het jaar daarop. Tenminste, dat was het plan. Maar ze zei het af. Later besloot ze toch maar wel te gaan.
In het vliegtuig werd ze ontdekt door Thomas McDonnell, die haar strikte voor het illustreren van een sprookjesboek.
Ze trok vier weken met Paige door Ierland. In die periode werden ze verliefd op elkaar, maar ze wilden het voor elkaar niet weten.
'Dus na die vier weken was het: bedankt en tot ziens?' vroeg Tricia.
'Tot nooit meer ziens, dacht ik,' corrigeerde Emma. 'Ik overtuigde mezelf ervan dat ik over hem heen was. Dat dat het beste was. Ik zou hem toch nooit meer zien.'
De schotels kwamen op tafel en ze begonnen te eten.
'Hoe heb je hem weer ontmoet?' wilde Tricia weten.
Ze volgde niet alleen geboeid het verhaal maar eveneens de uitdrukkingen en emoties van Emma.
'Door mijn uitgever in Dublin. Hij organiseerde een expositie voor mij in Ierland. Uitgerekend in Daboecia Hall, Paiges restaurant. Toen Paige zich een dagje vrij maakte voor mij, hebben we ons uitgesproken. Ik was helemaal niet over hem heen. Ik was nog steeds verliefd op hem.'

'Je bent bij hem ingetrokken?'
'In maart van het jaar daarop. Ik heb ontslag genomen, mijn huis opgezegd en ben met mijn hele hebben en houden naar Ierland gegaan.'
'Tot verdriet van je ouders?'
'Die hebben het er wel moeilijk mee gehad, ja. Maar ze zijn ook blij voor me dat ik hier gelukkig ben. Dat het allemaal zo goed gaat.' Emma verslikte zich bijna in een hap. 'Ging.'
Tricia gaf Emma geen kans om zich te verliezen in zelfverwijt. Ze gaf het gesprek een andere wending. 'Was dat niet gek? Je verhuisde van Nederland naar Ierland en ging gelijk samenwonen. Dat is een enorme verandering.'
'Ja, dat was het ook. Paige liet me een weekje op adem komen, maar toen nam hij me steeds mee naar het restaurant. Hij liet me dingen doen. Toen bleek dat ik niet geschikt was voor het horecaleven, maakte ik de keus voor het schilderen. Daarmee eiste ik gelijk mijn eigen plaatsje op. En dat was het teken dat ik erdoor was. Dat ik gewend was geraakt aan het leven in Ierland en mijn leven als Paiges vriendin.'
'Vond hij het jammer om je niet naast zich te hebben in het restaurant?'
'Ik denk dat Paige er altijd rekening mee heeft gehouden dat ik mijn eigen pad zou kiezen.'
'Klinkt dat niet een beetje als voorbestemming?'
'Nee, Paige is nog steeds een beetje bang dat hij me kooit. Hij denkt dat onze relatie in de weg staat van mijn artistieke carrière.'
'Hoe denk jij daarover?'
'Ik zie het juist andersom. Paige voegt iets toe aan mijn leven en daarmee ook aan mijn talent. Zonder Paige zou de wereld een killere plek zijn om te leven. Hij op zijn beurt, heeft weleens toegegeven dat het eigenlijk wel gunstig was dat ik niet in de Hall werk. Het vermindert de kans op bedrijfsblindheid.'
De borden waren leeg geraakt. Emma nam de vuile vaat mee naar de keuken.
Uit de manier waarop Emma over haar relatie vertelde, bleek dat de twee partners zich tot de breuk, daarbinnen als twee zelfstandige, gelijkwaardige karakters manifesteerden. Ze vulden elkaar aan, afgezien van de ongegronde angst van Paige dat hij

Emma in haar ontwikkeling beteugelde. Emma had het vertrouwen dat ze genoot een gevoelige knauw toegebracht met haar overspelige gedrag. Voor zover Tricia op Emma's woorden kon afgaan, begreep ze dat er meer voor nodig was om deze relatie te doen stranden. Dat betekende ook dat, als Emma en Paige dit te boven kwamen, hun band sterker werd dan ooit tevoren.
Tricia was gewend gasten in huis te hebben. Ze was eraan gewend dat mensen in haar leven kwamen en weer weggingen. Van de meeste gasten hoorde ze nooit meer iets. Dat weerhield haar er niet van om bij elke nieuwe gast te zoeken naar direct contact. Ze ging altijd dieper dan de oppervlakte. Elke kennismaking was voor haar waardevol. Het Ierse spreekwoord *vreemdelingen zijn vrienden die je nog niet hebt ontmoet*, ging voor Tricia met recht op. Waar minder mensen waren, werden contacten waardevoller.
Ze was opgegroeid in een ruig, dunbevolkt gedeelte van Ierland. Dat had ervoor gezorgd dat haar belangstelling naar mensen uitging. Ze was geboeid door hun levensverhalen. Zonder zelf gebukt te gaan onder hun problemen, was ze begaan met hun lot. Met Emma had ze een bijzondere connectie. Emma was om te beginnen een leeftijdgenote. Bovendien kwam ze bij Tricia logeren omdat ze op retraite was gestuurd. Dat was op zich al een interessant gegeven. Doorgaans kwamen de mensen als toerist.
Ze volgde Emma naar de keuken, ook met haar handen vol gebruikt servies en bestek.
'Emma, kan ik het huis aan jou overlaten?' vroeg ze.
'Ja, natuurlijk! Je hoeft niet op me te passen, hoor. Betekent dit dat je moet gaan werken?'
'Inderdaad. Ik heb je verteld dat ik van losse klusjes aan elkaar hang, maar de komende week heb ik het toch druk.'
Ze maakten afspraken over het eten en over de sleutel.
'Ik hoef niet bang te zijn dat je je niet zult vermaken?' vroeg Tricia, half bezorgd, half plagend.
'Weet je, eigenlijk heb ik het ook druk,' deelde Emma mee.
'Dan is het toch niet goed dat je bij mij zit?'
'Dat maakt niet echt uit. Ik kan hier ook werken. Maar ik móét werken.' Bij het zien van Tricia's gefronste wenkbrauwen, legde ze uit: 'Ik moet een aantal schilderijen inleveren voor een expo-

sitie waaraan ik ben gevraagd mee te doen.'
'Echt waar? Goh, Emma, dat is een eer, toch?'
'Dat is het zeker. De organisatie heeft speciaal gezocht naar buitenlandse kunstenaars die in Ierland wonen. Dat is al een bijzondere insteek. Daarbij wordt het gehouden in Kilkenny Design Centre. Dat is een verzamelplaats voor kunst en ambachten en het staat nogal hoog aangeschreven. Ik was verguld met de uitnodiging.'
'En terecht. Kom 'es mee.'
Emma volgde Tricia. Toen het licht aanging, zag ze dat ze in de bijkeuken stonden. De wasmachine en droger stonden er. In een hoekje stonden de stofzuiger, bezem en vloerwisser. Langs de wand was een voorraadrek.
'Denk je dat dit voor een atelier kan doorgaan, al is het dan een kleintje?'
Emma keek om zich heen. Er zat veel glas in de wand, het daglicht kon binnenstromen. Het was de zuidkant waarschijnlijk, puzzelde Emma snel uit in gedachten. De hele ruimte was nog geen achtste van haar eigen studio, maar het was beter dan zittend op je eigen bed schilderen.
'Dit is geweldig! Hier zal ik me prima redden.'
Tricia wees op een doos met kranten. 'Als je deze op de vloer legt, kun je raak spetteren.'

Later, in bed, in de knusse kamer, overdacht Emma Tricia's gebaar. Ze had haar bijkeuken afgestaan, zodat Emma kon schilderen. Dat ging een stuk verder dan een kamer verhuren. Tricia nam het allemaal nogal licht op. Het kostte haar geen moeite nog een gedeelte van haar huis in bruikleen te geven aan een gast. Iemand onderdak geven was algauw een bedreiging voor je privéleven. Tricia dacht daar duidelijk anders over. Gasten over de vloer betekende een verruiming van je ervaringen. Vreemden in huis nemen, en zeker buitenlandse vreemden, was de omgekeerde vorm van reizen. In plaats van de wereld in te trekken, kwam die bij je thuis. Dat was beslist een gedachte die Tricia zou aanhangen. Zo goed kende Emma haar inmiddels wel.
Tricia's gulle gebaar had zout in de wonden gewreven. De onbaatzuchtigheid waarmee ze haar bijkeuken had afgestaan,

had voor Emma het verschil met The Stables onderstreept. Haar gastvrouw maakte het haar naar de zin. Het kon niet zo zijn dat Emma, als dank, maar eventjes memoreerde dat haar eigen atelier zo geweldig was. Zo op haar maat gesneden. Zo van alles voorzien. Maar ook zo ver weg. Zo gemist.
Twee maanden geleden had ze Maeve stellig verkondigd dat ze niet weg kon uit The Stables. Daar was ze verankerd, vond ze. Daar lag haar artistieke basis. Ze had Maeves aanbevelingen over Donegal naast zich neergelegd. Dat is uitgesloten, had ze gezegd. Ze had de mogelijkheid niet eens overwogen. Met het vele werk in het vooruitzicht kon ze niet weg.
Het belangrijkste argument om zo honkvast te zijn, was natuurlijk Paige. Ze zag haar lief toch al te weinig door het drukke leven dat ze leidden.
En zie daar: ze zat in Donegal. En eerder op de avond had ze zichzelf horen opmerken dat het niet echt uitmaakte waar ze zich bevond. Dat ze ook hier kon werken.
Dat ze haar relatie een gevoelige slag had toegebracht, kon ze nauwelijks geloven. Wat er allemaal gebeurde in de nasleep daarvan, was helemaal ongelooflijk.
Emma rolde op haar linkerzij. Thuis, in Roundwood, rolde ze op die manier altijd tegen Paige aan. Haar rechterarm om hem heen geslagen, haar hand op zijn hart.
Haar arm had een eigen geheugen. Ze voelde Paiges warmte, zijn huid, zijn hartenklop, het op en neer bewegen van zijn borst. In werkelijkheid was het een laken waarover haar hand tevergeefs tastte naar de aanwezigheid van haar geliefde. Ze smoorde een snik in het kussen.
En Paige? Beende hij boos en verbitterd door de Hall? Of, en daar was hij meer de man naar, verbeet hij zich en liet hij niemand iets merken van zijn problemen? Welke uitleg gaf hij aan haar afwezigheid?

HOOFDSTUK 7

Tricia lag in het bed dat ze bijna vijf jaar met haar echtgenoot gedeeld had. Ze lag heel comfortabel in haar vertrouwde kamer, maar ze was klaarwakker. Ze was ingenomen met het feit dat ze Emma haar bijkeuken had aangeboden. Het was een ruimte die alleen praktisch nut had, geen woonruimte. Nu kreeg hij een heel andere betekenis. Haar gast ging er schilderen. Dat Emma talent had, was haar al duidelijk geworden door dat schetsje dat ze op het strand had gemaakt. Als ze dat al uit de losse pols neerzette, dan moesten de werken waar ze haar aandacht en concentratie in stopte heel goed zijn. En dat ging onder haar dak gebeuren.

Emma mocht intussen vergroeid zijn met haar gave, voor Tricia was het een heel nieuw terrein. Het leek haar boeiend om dat van dichtbij mee te maken. Wat had Emma ook weer gezegd? Ze schilderde niet recreatief, nee, er werd naar haar werk gevraagd. Ze werkte in opdracht, voor een expositie. Hoewel Emma er niet zo uitgebreid over had gesproken, maakte Tricia er toch uit op dat ze leefde van de schilderkunst.

Emma had bereikt wat zij op het punt stond kwijt te raken: leven van dat wat je het liefste deed. In Tricia's geval was dat koken. Ze was bij voorkeur de hele dag in de weer met haar moestuintje of met inkopen doen voor haar menu's en gerechten. Experimenteren met ingrediënten, de bereiding op het werkblad, om er uiteindelijk heerlijk van te smullen of het aan anderen uit te serveren.

Tricia wist heel goed hoe het voelde om van je favoriete bezigheid je werk te maken. De bevestiging die daar vanuit ging was weldadig. Hoe druk je het ook kon hebben, er ging rust uit van het feit dat je je plek gevonden had. Het zoeken zat er immers op.

Voor Tricia ging dat eindigen. Na in The Abbey Hotel te hebben gewerkt, zag ze kansen om voor zichzelf te beginnen. Er volgde een veelbelovende start in de catering. Ze werkte vanuit haar eigen huis. De eerste jaren had ze genoeg opdrachten. Omdat haar eigen keuken haar basis was, kon ze dat prima combineren met het verhuren van een kamer aan B&B-gasten. Een aantal jaren ging het goed. Tot de opdrachten begonnen terug te lopen. Ze zag zich genoodzaakt om haar diensten weer bij The Abbey Hotel aan te bieden. Ze kon terecht op oproepbasis. Wat niet genoeg was.

Tricia was er de persoon niet naar om door te ploeteren tot het bittere einde. Niet geplaagd door valse sentimenten nam ze een paar rigoureuze besluiten. Ze zette haar huis te koop en begon om te zien naar een andere baan. Ze hield er rekening mee dat die wellicht iets heel anders kon zijn dan kokkin.

Als ze oud en grijs was kon ze terecht zeggen dat ze had geprobeerd haar ideaal te verwezenlijken. Dat het niet gelukt was, was jammer. En waarom zou ze in een andere bedrijfstak niet gelukkig kunnen worden?

Ze was menselijk genoeg om een steekje jaloezie te voelen bij het succes van Emma op haar eigen artistieke gebied. En haar vriend, Paige, Maeves zoon, was ook al zo'n mannetjesputter. Begonnen met het hotel-restaurant, dat in enkele jaren een uitstekende naam verwierf. Maar het was hem niet genoeg. Er was een winkel bij gekomen. De producten waren te bestellen via internet. Hij pakte de zaken goed aan. In de voorbije zomer, zo had Maeve verteld, was hij om tafel gegaan met Superquinn, de Ierse supermarktketen, om een lucratief contract af te sluiten. Hoe groot moest die man nog worden? Hij had toch al alles? Tot en met een liefhebbende vriendin toe.

Hoewel, daar was toch iets misgegaan. Paige had de wind tegen gekregen, zo niet op zakelijk, dan toch wel op privéterrein.

Emma had een misstap begaan. Ze deed of daarom de wereld verging. Ze had het boetekleed aangetrokken en had zich weg laten sturen. Tricia mocht Emma, maar op dat punt kon ze haar wel door elkaar rammelen. Emma accepteerde dat ze een doodzonde had begaan waarvoor geen vergeving was. Het was geen slimme zet van haar geweest en dat mocht ze best voelen, maar zo onvergeeflijk was het niet. Ze aanbad de grond waarop Paige liep. Haar vergrijp had niets te betekenen binnen de wereld van

gevoel die ze voor haar vent koesterde. Als Paige eens had kunnen horen hoe ze eerder op de avond over hem sprak. Ze had hem onvoorwaardelijk lief. Alleen al om dat feit had hij wel wat milder over Emma kunnen oordelen.
Zuchtend draaide Tricia zich op haar zij. Zij had natuurlijk makkelijk praten. Zo goed kende ze Emma nog niet en ze wist helemaal niets van Paiges gevoelens. Toch was ze alweer bezig het leven van die twee uit te puzzelen. Ze had er niet eens iets mee nodig. Ze had zich in het levensverhaal van nieuwe mensen laten trekken. Dat overkwam haar telkens weer. Mensen waren in de meeste gevallen ook gauw vertrouwelijk met haar. Ze kreeg de boeiendste verhalen te horen. Het kwam voor dat zij zonneklaar de oplossing zag voor een probleem waar mensen eindeloos mee worstelden. Zo had ze allang door waarom Emma met Lorenzo in bed was beland. Bij gelegenheid zou ze dat haar gast op tactische wijze vertellen.
Het feit dat ze andermans problemen snel doorzag was geen vrijwaring voor die van haarzelf. Behalve dat ze nu met een paar wezenlijke problemen kampte, zat ze nog met de nodige vraagtekens over haar familiegeschiedenis.

Emma reed achter Tricia's witte bestelbusje aan. Eerst over het pad dat tot aan de cottage liep, toen op een smalle asfaltweg, waar ze stapvoets reden omdat een paar schapen niet van de weg af wilde gaan. Ze bleven voor de auto's uit trippelen.Tricia liet haar auto op het midden van de weg staan en met handengeklap en 'shoo, shoo' bracht ze de wolletjes op andere gedachten. Emma was blij dat ze de camera paraat had. Tricia zag het en wuifde het weg. 'Toerist!' schold ze lachend voor ze weer instapte.
Emma wilde canvas doeken kopen in de stad en een cd-rom met foto's moest worden ontwikkeld. Ze reed achter Tricia aan om zich de route goed in te prenten. Zo kon ze zelf weer naar de cottage terugrijden, haar gastvrouw bleef de hele dag in de stad. Een paar uur later, na in de stad te hebben geluncht, bleek het makkelijker dan ze dacht. Ze vond de cottage zonder moeite terug. Ze legde haar spulletjes op haar kamer en trok haar wandelschoenen aan. Het strand trok haar. Daags tevoren had ze er in het gezelschap van Tricia heerlijke uren doorgebracht. Omdat

schetsen zo vlak bij de branding geen goed idee bleek te zijn, nam ze haar camera mee.
Wat een goed plan had geleken, pakte anders uit. Amper op het strand aangekomen, werd Emma overvallen door de vervreemding die ze ook had ervaren toen ze vanuit Roundwood naar Donegal reed. Ze liep tegen de wind in, een beetje voorover, haar handen in de zakken. Ze wilde niet toegeven aan de aandrang die steeds harder riep: 'Wat doe ik hier?'
Paige wilde me toch weg hebben, dacht ze, wat maakt het dan uit of ik in Donegal op het strand loop.
Ze was behoorlijk in conflict met zichzelf. Die vervreemding kwam voort uit zwakheid. Een dag eerder, met Tricia bij haar, was dat niet gebeurd. Had ze gezelschap nodig om niet in een vrije val te raken? Zo gauw ze alleen gelaten werd, begon ze zichzelf de put in te denken.
Ze stapte stevig verder, om zichzelf te bewijzen dat ze ongelijk had. Ze besloot dat haar eigen gezelschap niets beangstigends was. Hoe had ze het immers al die uren gehad, alleen in haar atelier?
Ze was nog niet klaar met zichzelf. Waarom was ze hier eigenlijk? Waarom had ze zich laten wegsturen? Paige had zijn zegje gezegd afgelopen vrijdagavond, op niet mis te verstane wijze. Ze was zowat sprakeloos geweest van schuldbesef toen hij zo stond te tieren. Er was niets van haar overgebleven. Waarom had ze niet gezegd: 'En nou luisteren, jij!'
Ze had het niet gezegd. Ze had het niet meer in de hand gehad. Daarom was ze nu hier.
Ze kon teruggaan. Weer naar Roundwood. Tegen Paige zeggen: 'Hoor 'es, dit werkt niet. Laten we het uitpraten.'
Ze zag hem voor zich. Zo vreselijk kwaad en resoluut in zijn afwijzing. Daar kon ze niet tegenop. Nu nog niet.
Haar gevoel ging er dwars tegen in. Ze miste Paige. Kon ze zijn stem maar even horen. Het mobieltje lag al in haar hand. Het kon haar niet meer schelen of hij nog boos was of niet. Ze liet de telefoon overgaan en werd weggedrukt. Paige wilde haar niet spreken. Het displaytje sprong terug. Emma duwde het schermpje tegen haar mond, alsof ze het kuste in plaats van Paige te kussen. Hij wilde geen contact. Opnieuw een afwijzing. Was dit hoe het zou gaan? Met Emma die steeds contact

zocht en Paige die het verbrak? Was dit van hun relatie overgebleven? De ene helft radeloos, de andere verbitterd? Ze had zijn stem niet gehoord, maar wel een duidelijke boodschap gekregen. Ze was opnieuw overgeleverd aan twijfel en machteloosheid.
Behalve Emma was er niemand op het strand. Ze kon ongezien huilen.
Moedeloos keerde ze terug naar de cottage. De wandeling had zijn positieve uitwerking gemist. Ze schikte haar spulletjes in haar nieuwe, nog wat onwennige werkruimte. Haar plek was achter de ezel. Ten langen leste nam ze die maar in, niet met de illusie dat er iets goeds zou ontstaan nu het haar zo zwaar te moede was.

'Mag ik kijken?' vroeg Tricia, toen ze, na haar thuiskomst, Emma ontdekte in de bijkeuken. Emma deed een stap achteruit, waarmee ze haar uitnodigde.
'Wauw ...' zei ze met lage stem. 'Gewoon een stuk aangespoeld hout. Als je het zo bekijkt, is het bijzonder.'
Emma's gastvrouw stond met haar handen in de zij. Ze klakte met haar tong uit bewondering.
'Het ziet er zo ... zo niet gezocht uit. Knap hoor, Emma. Het eerste stuk voor de expositie?'
Emma haalde haar schouders op. Het was net of ze wakker werd. Ze had er niet op gerekend iets te kunnen presteren, omdat ze liep te piekeren. Maar ze had geschilderd en niet slecht ook. Het was de half vergane, verweerde boomstronk die op haar wandeling zo lang haar blik had vastgehouden. In half bewuste toestand had ze hem weergegeven. Haar geheugen had het beeld opgeslagen als gegevens op een harde schijf en via haar handen gereproduceerd. Het was niet voorafgegaan door die bekende kriebel in haar buik, of andere tekens die ze als een prettige aandrang ervoer. Het zien van een aangenaam beeld tegen de achtergrond van een interessant kleurenspel was kennelijk al genoeg om haar te laten schilderen. Nu ze zo de voorbije middag overdacht, moest ze toegeven dat het piekeren ergens was overgegaan in diepe, stille concentratie.

Later op de avond stonden Emma en Tricia opnieuw voor het

schilderij. Met het hoofd scheef zei Tricia: 'Ik vind het nu al mooi, maar het is nog niet af, hè?'
'Nee, dat red je niet op een middag. Olieverf droogt niet zo snel. Alleen daarom al kun je soms niet meer verder werken.'
'Kun je morgen weer verder?'
'Hangt ervan af. Net hoe goed het gedroogd is.'
'Maar dan kun je morgen niets doen?'
'Jawel, hoor. Dan begin ik toch gewoon aan een nieuw doek.'
'Kun jij dat? Aan meerdere doeken tegelijk werken?'
Emma lachte om Tricia's goedgelovige bewondering. 'Jij kunt toch ook meerdere gerechten tegelijk klaarmaken?'
'Oh ... ja.' Ze dacht even na. 'Weet je al iets voor het volgende doek?'
'Soms neem ik een foto als voorbeeld. Ik heb die cd-rom laten ontwikkelen. Misschien zit daar wat tussen.'
Tricia werd geestdriftig. 'Zullen we eens kijken?'
's Ochtends had ze het schijfje bij de winkelier ingeleverd en gezegd dat alles ontwikkeld moest worden. Ze had later het pakje opgehaald en nog niet de moeite genomen om te kijken.
Emma kwam weer beneden met de foto's en zag dat Tricia er al helemaal klaar voor zat. Benen onder zich op de bank getrokken. Haar lange rok eroverheen geslagen. Het straalde de vertrouwelijkheid uit die bestond tussen twee vrouwen die al jaren vriendinnen waren. Tricia's hartelijke karakter had ervoor gezorgd dat Emma zich na twee dagen helemaal thuis voelde in de cottage. Samen foto's bekijken was iets wat erbij paste.
Bij het zien van de moestuingewassen op een paar foto's merkte Tricia op: 'Nou, Emma, als jij van een oude boomstronk een mooi schilderij kunt maken, kun je dat ook van een bos opgebonden uien!'
Emma lachte net zo hard als Tricia, niettemin vermaande ze: 'Pas op, mevrouw O'Connor, deze plaatjes schiet ik voor culinaire doeleinden!'
Ze legde uit dat ze de menukaarten voor de Hall decoreerde. Omdat ze haar atelier niet kon vol leggen met uien, aardappelen en kool nam ze er foto's van. Na wisseling van de kaart werden de oude kaarten verkocht in de Daboecia-winkel.
'Aha, dan kunnen mensen met een kleine beurs zich ook een originele Emma Terheyden aanschaffen!'

'Zo kan het wel weer!' Emma klonk streng, maar ze moest lachen. 'Kijk, hier heb je de winkel.'
'Dat is een winkel om lekker in rond te snuffelen.'
'Meer dan dat. Hij loopt goed.'
Tricia hoorde dat de woorden met achteloze trots werden uitgesproken, dat Emma zichzelf nog altijd zag als deel ervan.
Er kwamen nog een paar foto's van de winkel, tot Emma haar hand voor haar mond sloeg. Tricia zag de verschrikte reactie én de man op de foto. Ze nam het stapeltje over. Met zijn zwarte haar had hij voor een Ier kunnen doorgaan, maar zijn gebruinde huid en donkerbruine ogen verraadden zijn Zuid-Europese afkomst. De camera liet hem onverschillig. Hij had op geen enkele foto iets gemaakts. Tricia zag hem zowel lachend als ernstig afgebeeld. Door de verschillende gelaatsuitdrukkingen en invalshoeken heen zag ze wat Emma bedoelde met zijn mysterieuze uitstraling. Het gelaat van de Spanjaard verenigde trots en melancholie. Duidelijk niet ijdel, dat gaf hem net dat onnoembare wat een man aantrekkelijk maakt.
'Dit is hem dus.'
De conclusie was overbodig geworden door Emma's reactie, maar die knikte als antwoord.
Tricia bekeek ze opnieuw. 'Ik zie wat je bedoelt, Emma. Hij is mooi, ver voorbij zijn uiterlijkheden.'
Emma had zich klein gemaakt op de bank, haar knieën opgetrokken tot onder haar kin.
'Zo'n man ...' begon Tricia en Emma viel haar haperend en timide in de rede: '...kun je ... alleen maar ... liefhebben.'
'Want dat was het, hè? Je hield van hem.'
'Ja. Op een bepaalde manier.' Opnieuw verborg Emma haar gezicht achter haar handen. Het was liefde geweest, al die verwarrende en bevochten gevoelens. Geen moment had ze Lorenzo begeerd als haar eigen man. De liefde die ze voor de Spanjaard had gevoeld, was totaal anders dan die ze voor Paige voelde. Twee verschillende dingen die naast elkaar konden bestaan. Hadden kunnen bestaan. Alleen was zij er verkeerd mee omgegaan. Emma had hem willen vangen. Op doek, hartstochtelijk gepenseeld. Maar Lorenzo was niet te vangen. In gevangenschap verloor hij zijn glans. Zijn vrijheid verhoogde zijn aantrekkelijkheid.

Ze bekende: 'Ik hield van hem om wat hij was. Om de manier waarop hij het leven leefde. Om de vrijheid in zijn karakter, om het ongrijpbare wat om hem heen hing. Iets minder dan het beste van mezelf kon ik hem niet geven. Het lukte me niet om hem te schilderen. Daarom heb ik ... mezelf ... aan hem gegeven.'
Jezelf geven als het kostbaarste geschenk, dat was waarvoor de liefde bestemd was. Zo bekeken was het geen misdaad. Maar zowel Lorenzo als Emma hadden buiten de feiten gerekend. Beiden hadden een relatie. Van Emma's door liefde ingegeven bedoelingen bleef in de ogen van anderen niet meer over dan een vulgair slippertje.
Tricia dacht na over deze bekentenis. Een vergelijkbaar gegeven had geleid tot haar verwekking.
De foto's van Lorenzo lagen nog tussen hen in op de bank.
'Ik genoot van zijn gezelschap. Al leek hij totaal misplaatst in mijn studio, ik vond het fijn om bij hem te zijn.'
Zonder zich af te wenden van de Spanjaard, wiens verstilde blik haar gevangen hield, zei Tricia: 'Daarin school nu juist het gevaar. Jij zat met die man in je atelier. Zijn aantrekkingskracht had al effect op jou. Je was vele avonden bezig met zoiets indringends als poseren. Dat is niet vol te houden. Tenzij je van beton bent.'
Emma zag in dat ze in haar eigen val was getrapt. Tricia had het alweer door. Nu zij het zo bondig verwoordde, leek het allemaal zo simpel. Ze was te betrokken geraakt om het nog te kunnen overzien.
De ware toedracht was boven water gekomen. Het veranderde niets aan het feit dat ze Lorenzo nog steeds hoog had zitten.
'Dank je,' fluisterde Emma.
Tricia's wenkbrauwen gingen omhoog. 'Waarvoor?'
'Voor je begrip.'
'Och Emma, ik ben een buitenstaander. Ik kijk er anders tegenaan dan jij. Ik zie ook wel dat wat jij voor Lorenzo voelt geen bedreiging is voor je relatie met Paige.'
'Paige denkt er anders over. Hij is nog steeds kwaad.'
'Heb je hem gebeld? Heeft hij dat gezegd?'
'Ik heb hem wel gebeld, maar hij drukte me weg. Dat was voor mij duidelijk genoeg.'

Tricia borg de foto's op in het mapje. Ze maakte een fles wijn open en schonk in voor Emma en haarzelf.
'Als Paige geen contact met je wil, op wie ben je dan aangewezen?'
Emma pakte het glas aan. 'Op mezelf.'
'Juist. En ga daar nu eens van uit.'
'Dat is moeilijk. Voor zover ik weet, heb ik nog een relatie en ga ik uit van mijn plaats daarin.'
'Het feit dat jij over de schreef gegaan bent, heeft een wig tussen jullie gedreven.'
Emma's wijsvinger trok de rand van het glas na. 'Ja, ik heb een talent om mijn leven te verknallen.'
Ze dreigde terug te zakken, de moed te verliezen nu Tricia de zaken zo voorstelde. Maar dat had ze er niet mee voor, zij had een heel andere bedoeling.
'Oh ja! Zelfmedelijden! Daar hebben we wat aan!' Het klonk boos. Emma keek haar niet-begrijpend aan.
'Dat weten we nu wel. Dat jij de aanstichtster bent van het kwaad. Het gaat erom: hoe nu verder? Niet: hoe nu achteruit!'
'Er gaat van alles door mijn hoofd. Zelfverwijt, schuldbesef, boosheid, ook naar Paige. Ik kom er niet uit. Ik weet niet hoe ik verder moet. Ik heb zo lopen piekeren op het strand dat ik dacht dat ik er niet van kon schilderen.'
'Straf jezelf niet nog meer door te denken dat je talent het laat afweten omdat jij met problemen loopt.' Tricia nam een slok wijn. 'Kijk dan toch naar wat je gemaakt hebt vanmiddag. Het is prachtig!'
'Ik ben daar zelf ook verbaasd over. Het is net of ik uit een geheime bron put die losstaat van problemen of stemmingen.'
'Nou, gelukkig maar.' Tricia zweeg even en keerde terug naar het punt dat ze wilde maken. 'Kan Paige naar believen beschikken over jouw leven?'
Emma had maar zelden iemand ontmoet die op zo'n manier doorvroeg. Die confronteerde. Zij zat in de problemen, maar Tricia leidde het gesprek. Ze keerde de onderste steen boven, zo diep ging ze op de onderwerpen in. Ze was zeer betrokken, maar zonder eigenbelang. Bij Tricia ging het erom dat de ander er beter van werd, niet zijzelf. Zo had Emma haar ondertussen leren kennen. Dus gaf ze antwoord, al vervulde de vraag haar

met weerzin. Ze trok er een dienovereenkomstig gezicht bij.
'Nee.'
'En toch zit je hier.'
De waarheid kwam steeds hard aan. Emma slikte even en bracht toen naar voren. 'Vergeet niet waarom ...'
'Dat zal ook niet vergeten worden. Maar jij doet het voorkomen of er na jouw zondeval geen leven meer mogelijk is.'
'Ik weet me ook geen raad. Paige ...'
'Nee, nee, ik wil even niet de naam Paige horen. We gaan het over jou hebben.'
Emma voelde zich mentaal door elkaar gerammeld. Er werd haar een lesje geleerd, maar ze was nieuwsgierig naar wat die inhield. Misschien wel de oplossing? Ze was bijna op het punt om te zeggen: ik ben niet van deze toon gediend, tot ze bedacht dat Tricia's motieven onbaatzuchtig waren. Bovendien deed ze rake observaties. Een echte vriendin schuwde de waarheid niet. Emma besefte dat Tricia in de paar dagen dat ze haar nu kende zich tot een echte vriendin had ontpopt, juist door deze manier van doen.
'Je wilt toch naar hem terug, Emma?'
'Meer dan wat ook.'
'Zelfs nu hij je buitensluit?'
'Ondanks dat. Ik hoop dat dat slechts tijdelijk is.'
'Hoe wil jij naar hem terug? Als wat? Als wat voor soort vrouw? En hoe ga je dat doen?'
Emma begreep het. Er was werk aan de winkel. Langzaam brak er een glimlach door op haar gezicht. 'Juist,' zei ze.
Tricia had duidelijk gemaakt dat Emma op zichzelf aangewezen was. Dat ze het alleen moest doen, maar dat er dan nog altijd van alles mogelijk was. Van het idee kon je overmoedig worden. Alsof ze dat voelde, legde Tricia een hand op Emma's knie. 'Neem de tijd. Kom tot rust. Kom tot jezelf. Jij hebt ook een klap gehad.'

Het was bijzonder wat Tricia gedaan had. Niet alleen had ze getoond dat ze Emma vertrouwde, ze had haar ook het vertrouwen in zichzelf terug gegeven. Om zoiets te vinden bij iemand die je pas een paar dagen kende, was uitzonderlijk. Het was precies wat Emma nodig had, iemand met een heldere kijk

op de zaken. Zonder sensatiezucht, zonder te stoken, bekeek Tricia de uitgangspunten om Emma op haar mogelijkheden te wijzen. Ze kaderde Emma's overspel af als iets waarmee ze zou moeten leren verder te leven.
Voor Emma was het nog te vroeg om zich er zo vanaf te maken. Zolang Paige haar niet terug wilde, was het niet mogelijk om het af te sluiten. Toch kon ze haar verbanning benutten voor zelfreflectie, om haar houding te bepalen.
In praktische zin kon ze haar ballingschap aanwenden om de doeken voor de expositie te voltooien. In Donegal was er weinig afleiding. Geen opdrachten of klusjes tussendoor. Het was een geruststellend idee dat haar talent bestand was tegen de grote gevoelsmatige schommelingen die ze doormaakte. Wat ze ook had veroorzaakt, haar gave had ze er niet mee verknoeid. Die sprong er onbeschadigd tussenuit. Tricia had gelijk toen ze zei dat haar schilderkunst opofferen aan haar problemen een te zware straf zou zijn.

Paige sloot zijn auto af en wilde de Hall binnenlopen toen zijn broer Aidan net naar buiten stapte.
'Hey Aidan,' groette Paige.
'Hey Paige, alles goed?'
'Jazeker.' Paige antwoordde automatisch, tegen een pijnlijke steek in zijn hartstreek in.
'Echt waar?' vroeg Aidan.
'Ja, hoezo?'
'Heb het een en ander gehoord. Zo goed gaat het niet.'
'Wat bedoel je?' Paige hield zich van de domme.
'Emma is al een week weg, schijnt 't.'
'Ze is naar Donegal om te schilderen.'
De smoes van zijn moeder weergalmde als een echo door zijn mond. Voor de zoveelste keer. Hij was er gemakzuchtig in geworden. Toen Maeve hem die suggestie opperde, peinsde hij er eerst niet over haar woorden ter harte te nemen. Na een week had hij hem al tegen het hele personeel gebruikt, tegen wie ook maar naar Emma vroeg.
'In november?' schamperde Aidan.
'Ja, ze had er nu pas tijd voor, nu de cursussen zijn afgelopen.'
Het personeel had hij ermee kunnen afwimpelen. Of ze lieten

niet blijken dat ze het niet geloofden. Aidan was een sluwe vos. Hij vertrouwde het niet en liet zich niet afschepen.
'Weet je zeker dat er niet iets anders aan de hand is?'
'Dat zou ik toch wel weten?'
''t Deugt niet, Paige, het klopt niet ...'
Aidan zat er zelden naast met zijn intuïtie. Aan zijn uitgestreken gezicht was niet te zien of het nu uit bezorgdheid of nieuwsgierigheid kwam.
Het kwam Paige helemaal niet uit om uit de school te klappen. Of Aidan het nu slikte of niet, hij kreeg de waarheid niet te horen.
''t Is een beetje overhaast gegaan. De tijd begon te dringen. Emma had nog niks klaar voor de expositie.'
Werd Aidan hiermee zand in de ogen gestrooid?
'Ze had er nu toch hier ook tijd voor kunnen nemen? Vind je dit normaal?'
'Ik had haar ook liever hier, maar ach, je weet wat ze zeggen over verandering van omgeving.' Paige probeerde het aannemelijk te laten klinken.
Aidan nam zijn verlies. Hij besefte dat hij het naadje van de kous niet te horen kreeg. Hij vertrouwde de situatie geenszins. Hij schudde nadrukkelijk zijn hoofd.
Paige begreep het gebaar alsof Aidan hardop had gezegd: Mij houd je niet voor de gek, broertje.
Ook Paige zweeg, bewust, om het gesprek dood te laten bloeden. Hij bedacht dat hij beter niet kon zeggen: waar bemoei je je mee? Zo'n verdediging stond gelijk aan een bekentenis. Aidan zat toch al te dicht bij de waarheid, naar zijn zin.
'Zeg Aidan, als je het niet erg vindt, ik moet weer aan de slag.'
'Ja, ik spreek je nog.' Het klonk als een waarschuwing: ik hou je in de gaten. Doe geen domme dingen en vertel je smoezen maar aan iemand anders.
Zolang Paige weigerde de waarheid te vertellen, hoefde hij geen sympathie te verwachten van Aidan.
Het stak Paige dat hij de broer met wie hij het beste kon opschieten de waarheid niet kon vertellen. Een smoesje was hem beter uitgekomen. Hij had geen zin in een inquisitie. Dat kon hij er nu niet bij hebben. Wat hij Aidan had opgedist, werd evenmin geloofd. Paige wist dat zijn broer niet zo gauw opgaf, maar

deze keer had Aidan het betrekkelijk snel laten varen. Dat betekende hoogstwaarschijnlijk dat hij nog een keer terugkwam.
En wat had hij daarnet gezegd: ik had haar liever hier? Het was waar. Hij had Emma liever bij zich. Hij miste zijn maatje. Hij miste de enige persoon op aarde bij wie hij zo zichzelf kon zijn. Ze vulde hem aan, dat besefte hij pas nu ze weg was.
Als hij nieuwe ideeën op haar los liet, reageerde ze heel vaak anders dan hij had voorzien. Doorgaans verruimde haar afwijkende mening zijn inzichten. Emma had net dat beetje meer afstand tot de Hall dan de anderen die er werkten. Hoewel hij het had betreurd dat ze niet kon meewerken in Daboecia Hall, begreep hij later dat het een zegen was. Als ze alletwee werkzaam waren in het hotel-restaurant, was de kans op bedrijfsblindheid veel groter. Ze zorgde ervoor dat hij niet doordraafde en tegelijkertijd weerhield ze hem nooit ergens van.
Dat is ze allemaal voor mij, bedacht Paige, en wat ben ik voor haar? Hij hoorde haar stem, dik van emotie: 'Oh mijn God, Paige, wat hou ik van je.'
Waarom was ze dan verdomme vreemdgegaan, die stomme, kleine trut?
Daar was het weer. Hij was nog altijd boos op haar om wat ze geflikt had. Daarom had hij haar weggestuurd. Tegelijkertijd miste hij haar en wilde hij haar bij zich hebben.
Paiges pas vertraagde. Hij wilde twee tegenstrijdige dingen op hetzelfde moment. Hoe was dat mogelijk? En als hij dat kon voelen, kon Emma dat ook. Hield ze dan misschien nog wel van hem? Was ze verliefd geweest op die Spanjaard, terwijl ze al die tijd nog van hem hield? Psychologie was niet Paiges sterkste kant. Als hij met soortgelijke kwesties liep, legde hij ze altijd voor aan ... Emma. Hij kwam opnieuw bij haar uit.
Voorlopig was het beter dat ze wegbleef. Zijn vertrouwen was geschaad. Die pijn kon ze niet verzachten; ze had hem veroorzaakt. Hij liep stuk op de onbegrijpelijke reden achter haar daad. Het feit dat hij haar blindelings vertrouwde, had ze afgeschoten om iets dat ze niet eens kon verklaren.
Totaal onverwacht was hij geconfronteerd met Emma's ontrouw. Hij kon er geen schuld aan hebben, maar toch knaagde er schuldgevoel aan hem. Het was juist het vertrouwen dat hem blind had gemaakt. Er was nooit iets aan de hand in hun

relatie, het ging gewoon lekker. Af en toe hadden ze hun meningsverschilletjes, maar ze kwamen er altijd uit. Het was te makkelijk geworden allemaal, te gewoon. De sleur had zijn intrede gedaan. Paige hield zich vast aan de verklaring dat Emma opwinding had gezocht om de alledaagsheid te doorbreken.

Hij zou voortaan beter op haar letten. Of op zijn volgende vriendin, als het tussen hem en Emma niet meer goed kwam. De pijn zat diep bij Paige. Ooit had hij zich met hart en ziel in een affaire gestort met een vrouw die haar huwelijk voor hem verzweeg. Het had hem nog geslotener en gereserveerder gemaakt dan hij al was. Emma was er met haar standvastige liefde in geslaagd Paige vrij te maken. Daarom was de klap nu nog harder aangekomen.

Als een vlaag van zelfmedelijden hem overviel, vond Paige de vrouwelijke helft van de wereldbevolking onbetrouwbaar. Hij zag zijn opvattingen bevestigd door het bedrog van Claudia, zijn voormalige lief en de ontrouw van Emma, met wie hij zich hun toekomst had voorgesteld.

Emma nam de foto's vooralsnog niet als voorbeeld voor haar schilderijen. Ze trok er met de auto of te voet op uit. Haar zwerftochten brachten haar overal. Ze liep door turfvelden, de bogs, de zompige grond verend onder haar voeten. Het vocht dat opspatte maakte haar broek vlekkerig. Ze knielde bij de poeltjes opwellend water. Turf werd nog steeds gebruikt om mee te stoken. De overheid had het wel aan banden gelegd. Al te intensieve turfwinning bracht de natuur onherroepelijke schade toe.

Als ze daar gehurkt zat, was ze in gedachten bij de tijden in Ierland waarin men van turf afhing om het huis te verwarmen. Tijden waarin men gekarnde boter in kuipen begroef in het veen om het niet aan de pachtheren te hoeven afstaan. Dat Ierland bestond niet meer, was al verdwenen voordat zij geboren was, maar Paige had haar de verhalen verteld. Hij had ze weer van zijn vader, Patrick O'Brien.

Van de poeltjes liep ze naar de gestapelde turfblokken. Als muurtjes lagen de brokken te drogen. Emma bekeek de kleur en bevoelde de structuur. Ze rook eraan. Ze vroeg zich af of de

blokken ooit aan drogen toekwamen met de vele regen die in Ierland viel.
Op andere tochten volgde ze het water. Stroompjes die vlak langs de weg liepen, volgde ze terug tot waar ze als watervalletjes van de heuvels neerkletterden. Smalle, glinsterende, schuimende linten van water in het taaie gras, dat afgewisseld werd met bosjes russen en zegges.
Om haar geheugen te ondersteunen schetste en fotografeerde ze.
Deze uithoek van Ierland was nieuw voor Emma. Ze ontdekte het noordwesten van het land, zoals ze destijds met Paige, op hun rondreis, het centrale gedeelte had ontdekt.
De dagen waren kort, maar het licht in de ochtenduren was goed genoeg om de prachtige kleuren van het zeewater te zien. Emma liet het over haar rubberlaarzen spoelen. Sissend en schuimend bewoog de branding heen en weer. Levend water in de mooiste aquamarijnen en turkooizen. De ene keer helder en vervolgens weer troebel van het zand. Als ze verder uitkeek over de zee waren de grijsschakeringen ontelbaar.
In het kale, uitgestrekte Donegal liet Ierland zich in zijn ongetemdheid zien. Nadrukkelijker nog dan in het oosten van het land, waar ze woonde. Hier was zowat niets te beginnen op de rotsige bodem. In Donegal werd dat duidelijker dan ergens anders. De county liet zich van zijn onherbergzame zijde zien op regendagen als de wolken zwaar van het water op de heuveltoppen hingen. Lage, dreigende luchten die de begroeiing op de heuvelflanken een grauwgeel aanzicht gaven. Ondanks de weidsheid ademde de natuur dan een benauwenis uit. Het ruige Donegal was onverzettelijk en ruw, tegelijkertijd kon het er onwerkelijk zijn. Geen wonder dat hier het geloof in aardmannetjes nog leefde.
Toch had Donegal ook lieftallige kanten. Tijdens haar bezoek aan Glenveagh National Park ontdekte Emma een beeldschone vallei. Het door heuvels omringde meer leek te wachten op het moment om in een Disney-film als achtergrond te fungeren.
Emma verzamelde heel veel materiaal. Opgeslagen op foto's en in haar geheugen als ze niet ter plekke schetste. Ze had genoeg voor de doeken die ze wilde inleveren voor de expositie.
Mary Somerville, de galeriehoudster, kon gerust zijn. Emma Terheyden ging een bijzonder productieve fase in, geenszins

gehinderd door de gebrekkigheid van haar tijdelijke atelier of door haar persoonlijke problemen.
De persoon achter de schilderes zat evenmin stil. Hoe ongelukkig de aanleiding ook was geweest, het had ervoor gezorgd dat Emma zichzelf onder de loep nam. Het was meestal een ander die je de ogen opende. Zij had Tricia ervoor gehad, de buitenstaander die er nuchter en helder tegenaan keek. Ze had Emma laten zien dat er ook een andere kant aan het probleem zat. Eentje die zij niet zag, de kant waar de mogelijkheden lagen. Emma dacht er veel over na. Haar overspel verweet ze alleen zichzelf, maar het effect ervan betrof zowel haar als Paige. Ze bekeek hun relatie met andere ogen. Hoe meer ze dat deed, hoe meer ze erachter kwam dat dat hoog tijd was. Voor iemand die zo belangrijk was als Paige voor haar, nam ze hem te veel als vanzelfsprekend. Paige had, in zijn boosheid, grenzen overschreden. Ook dat mocht niet meer gebeuren. Hij had het recht niet voor haar de dienst uit te maken, evenmin als andersom. Doordat ze heel nauw bij elkaar betrokken waren, was het moeilijk de grenzen aan te geven. Nu ze letterlijk en figuurlijk afstand had moeten nemen van Paige, zag ze dat veel duidelijker. Als ze had getwijfeld aan het nut van een scheiding, dan moest ze nu toegeven dat het hielp om dingen beter in perspectief te zien.
Emma vond het kaal om haar heen zonder Paige. Ze miste hem nog altijd even erg. Daarin maakte haar gewijzigde gemoedstoestand geen verschil. Ze miste zijn droge humor, zijn neiging om het altijd beter te weten dan zij. Ze miste het gevoel van zijn huid onder haar handen, zijn haar tussen haar vingers, zijn lach en de geruststellende nabijheid van zijn grote lichaam. Ondanks dat belde ze hem niet meer.
Om dezelfde reden – dat ze Paige miste – belde ze ook niet naar Maeve. Als ze haar schoonmoeder sprak vroeg ze vast en zeker naar haar geliefde. En dat was niet de goede manier. Het kostte haar moeite, want ze was nieuwsgierig naar hem. Daarentegen was weggedrukt worden zo gênant. Dat hielp haar zich te beheersen.
Emma vermoedde dat Maeve er een soortgelijke gedachtegang op na hield. Haar schoonmoeder nam geen contact op. Ze verbeet zich hoogstwaarschijnlijk. Emma wist hoe bezorgd Maeve

om Paige en haar was. Als ze haar aan de telefoon kreeg, zou het hele conflict worden besproken. Maeve, verstandig als ze was, deed er goed aan niet tussen de twee geliefden in te gaan zitten.
Ze was uiteindelijk op zichzelf aangewezen en ze was druk bezig haar eigen pad te ontdekken.

Als Emma niet door Donegal zwierf, was ze achter haar ezel te vinden in Tricia's bijkeuken. Gewikkeld in een stille strijd, waarin ze zichzelf dwong de schuimende branding zo natuurgetrouw mogelijk weer te geven, zonder het dood te schilderen. Ze bundelde daarin de kracht van haar handen, haar ogen en haar geheugen, terwijl haar geest bezig was haar nieuwe eigenheid van alle kanten te belichten.
Het waren uren van creativiteit, gecombineerd met confronterende overpeinzingen. Door haar stille concentratie leek ze op te gaan in haar werk, maar haar gedachten gingen hun eigen gang.
Zo stond ze te werken op een vrijdagmiddag, toen ze drie weken bij Tricia was. Ze schrok toen er opeens iemand voor het raam stond die zijn hand boven zijn ogen legde om beter naar binnen te kunnen kijken.
Geschrokken en een beetje boos stapte Emma naar buiten. 'Waar bent u mee bezig?' vroeg ze, niet al te vriendelijk. Ze zag dat de man niet alleen was, zijn vrouw stond een paar meter bij hem vandaan.
De vreemdeling was evenzeer geschrokken. 'Neemt u me niet kwalijk, mevrouw. We verwachtten geen mensen. Daarom tuurde ik zo brutaal naar binnen. We zagen dat het huis te koop stond. Dat maakte ons nieuwsgierig. Bent u de bewoonster?'
'Nee, ik ben de gast van miss O'Connor. Zij is op het moment niet thuis. Het spijt me, ik kan u niet binnenlaten.'
De man knikte begrijpend. Hij overlegde met zijn vrouw in een vreemde taal. Aan de klank te oordelen vermoedde Emma dat ze uit een Scandinavisch land kwamen.
'Mijn vrouw heeft het telefoonnummer van de makelaar genoteerd. Via hem kunnen we vast wel een afspraak maken met de eigenaresse.'
'Ik weet zeker dat miss O'Connor u dan graag ontvangt.'
Emma liep met het echtpaar mee naar hun auto. Naast de ken-

tekenplaat stond DK. Tricia, dacht ze, de gegadigden voor je huisje komen uit Denemarken. Ze zwaaide het Deense echtpaar uit en liep naar binnen om Tricia een sms-je te sturen.
'Ik laat nog geen kurken knallen, hoor,' zei Tricia 's avonds bij thuiskomst. 'Kijkers zijn nog geen kopers.'
'Heb je al vaker kijkers gehad?' vroeg Emma.
'Jazeker, daarom ben ik nu zo voorzichtig. Je verheugt je over de verkoop en als het dan niks wordt, is het zo'n teleurstelling.'
Twee weken later was het voorlopig koopcontract getekend. De Denen hadden er geen gras over laten groeien. Drie dagen na hun onofficiële bezichtiging waren ze teruggekomen met de makelaar voor een rondleiding. Ze keerden terug naar Denemarken om van daaruit de koop te regelen. Ze wilden de cottage als vakantiehuis voor henzelf en voor verhuur op kleine schaal. Tricia moest de cottage na een half jaar leeg opleveren.

Emma, die langzamerhand eerder een huisgenoot dan een gast was geworden, werd ingelijfd bij het optuigen van de kerstboom en het versieren van de cottage. Terwijl ze samen bezig waren, drongen de verschillen en gelijkenissen tussen het vorige en het komende kerstfeest zich op aan Emma. Ze voelde zich zeer verplicht om terug te keren naar Roundwood, maar ze werd tegengehouden door het nog steeds voortdurende stilzwijgen van Paige. Het viel haar steeds zwaarder om daarmee om te gaan. Ze was vastbesloten om terug te keren en het goed te maken tussen hen. Ze had zich voorgenomen voortaan anders in haar relatie te staan. Met de lessen die ze geleerd had, wist ze dat ze dat kon. Het zou beter, anders en eerlijker worden dan ooit tevoren, als ze de kans kreeg.
De weken regen zich aaneen zonder taal of teken van Paige. Hij liet haar in onwetendheid over hoe het er tussen hen beiden voorstond.
Emma had tot eind januari de tijd om bij Tricia te blijven. In februari begonnen de cursussen weer en dan moest ze in Roundwood zijn. De rol als docente kon ze weer opnemen, maar was er nog plaats in Paiges leven?
Het was nogal een verschil met het vorige kerstfeest. Hoewel ze intussen gewend was aan het feit dat ze Kerstmis niet in huiselijke kring kon vieren met Paige, probeerden beiden toch tijd en

aandacht aan elkaar te besteden, voorzover de drukte in Daboecia Hall dat toeliet. In ieder geval had er harmonie tussen hen geheerst.
Het raakvlak tussen de kerstmissen in Roundwood en in Donegal, was het culinaire gedeelte. Emma had al een aantal weken genoten van Tricia's talenten op dat gebied.
Ook Tricia moest werken met Kerstmis. Het werd haar laatste kerstfeest in de cottage. Om dat te gedenken organiseerde ze op zaterdag voor Kerst een etentje, waarvoor ze haar moeder en diens echtgenoot uitnodigde. Ze deed dat met gemengde gevoelens, maar aan het dineetje zou niet te merken zijn dat ze blij was met de verkoop en anderzijds bedroefd was om de cottage te verlaten. Ze zou er alles aan doen om er een gezellige avond van te maken.
Als het om koken ging, was Tricia onvermoeibaar. Deed ze het niet voor haar werk, dan was ze er thuis mee bezig. Afgaand op de boodschappen die ze meebracht, vermoedde Emma een absoluut feestmaal. Ze was het vaste koksmaatje van Tricia geworden en hielp gedienstig mee in de keuken.

De tafel was piekfijn gedekt en de fazant stond in de oven toen de deur open ging. Emma keek er niet meer van op dat mensen zichzelf binnenlieten in Ierland, zeker niet als het familie was. Ze stond oog in oog met de vrouw die Tricia haar bijzondere achtergrond had gegeven.
Tricia had Emma van tevoren op de hoogte gebracht wat voor mensen ze mocht verwachten. 'Mijn moeder is iemand die zich heel lang naar het gezag van haar ouders heeft geschikt. Pas toen ik opgroeide, heeft ze geleerd de bekrompen ideeën van mijn grootouders van zich af te gooien. Ze is een heel prettig, nuchter mens, die over een grote wijsheid beschikt. We gaan heel goed met elkaar om nu. Dat was vroeger wel anders.'
Over haar stiefvader was ze positief, maar kort. 'Hij is precies de goede man voor mijn moeder. Verstandig en geduldig.'
Tricia stelde Emma voor aan Niamh en Shane McAfee, die op hun beurt weer nieuwsgierig waren naar de kunstenares die hun dochter in huis had. Ze wilden graag een kijkje nemen in de als atelier ingerichte bijkeuken. Het bekijken van Emma's werk brak het ijs. Er was direct een aanleiding voor een gesprek aan tafel.

Hoewel Emma tot dan toe weinig gemerkt had van Tricia's sociale leven, bestond dat wel. Het speelde zich in de stad af, waar haar ouders woonden en waar ze voor haar werkzaamheden moest zijn. Ze was discreet geweest over haar gast want de McAfees wisten niet waarom Emma bij Tricia was gekomen. Ze namen voetstoots aan dat het voor het schilderen was. In hun argeloosheid stuitten ze op de waarheid. De aanleiding was Emma's Nederlandse accent.
'Ben je beroemd in Nederland?' vroeg Shane.
Emma verlegde haar mes een millimeter. 'Ik zou het niet weten.'
Shane en Niamh keken verbaasd op. Ze lachte: ze kon deze sympathieke mensen niet op een dwaalspoor laten zitten. 'Ik woon al ruim drieënhalf jaar in Ierland. Ik woon samen met mijn vriend. Hij heeft een hotel-restaurant, honderdvijfendertig kilometer ten zuiden van Dublin.'
Haar verklaring hield meteen een nieuwe vraag in. Ze zag het aan de opnieuw opgetrokken wenkbrauwen. Wat deed ze dan in Donegal?
'We ...' Hoe bekende je dat gladjes tegen bijna-vreemden? Net als Tricia hadden haar ouders er evenmin belang bij, bedacht ze en ze gaf toe: 'We zijn tijdelijk uit elkaar. Er zijn wat ... problemen.'
'Oh, dat spijt me,' zei Niamh meelevend. 'Maar je bent jong, kind. Je bent flexibel. Als jullie werkelijk van elkaar houden, overwinnen jullie die problemen wel.'
Niamh schonk vertrouwen, net als haar dochter, alleen deed ze dat op een meer moederlijke manier.
Tricia knipoogde over tafel heen naar Emma. Ze ruimde de bordjes van het voorgerecht af. De verschillende gerookte vissoorten met dille- en mierikswortelmayonaise hadden voortreffelijk gesmaakt. Ze gebaarde naar Emma dat ze moest blijven zitten om het gesprek gaande te houden. Ondertussen zou zij de fazant in rode wijnsaus opdienen.
'Vindt u het erg dat de cottage in vreemde handen overgaat?' vroeg Emma aan Niamh.
'Ach, ik heb er niet zulke sterke banden mee als Tricia.'
'Ik zou denken van wel,' mengde Shane zich erin.
'Oh, jij doelt op dat oude verhaal,' zei zijn vrouw, en tegen Emma: 'Shane doelt op het feit dat Tricia hier in dit huis ... ' Ze

wrong haar handen onder tafel, 'nou ja ... eh ... verwekt is.'
Het viel Emma op dat dit de tweede keer was dat een onschuldige opmerking een ontboezeming uitlokte. 'Ze heeft er iets over verteld.'
Niamh kreeg een blosje, maar over haar schaamte heen vertelde ze: 'Ik kan me wel een beetje voorstellen hoe dat gegaan is. Alsof ik ben opgezadeld met een kind, maar dat is te eenzijdig. Ik was smoorverliefd op de vader van Tricia.'
Met de ovenschaal ingeklemd tussen ovenwanten kwam Niamhs dochter net de woonkamer weer binnen. Duidelijk ongemakkelijk onder deze gevoelsuiting van haar moeder zei ze met een gemaakte stem: 'Ik ben niet voor niets naar hem vernoemd.' Ze legde Emma uit: 'Ik heet voluit Patricia. Mijn vader heette Patrick.'
'Patrick O'Brien,' vervolledigde Niamh.
Emma dacht: net zoals Paiges vader, de schoonvader die ik nooit gekend heb. Net zoals duizenden mannen in Ierland.
Om Shane niet buiten te sluiten, om hem te laten weten dat haar liefde nu hem gold, pakte Niamh zijn hand. Ze ging verder met het verhaal. 'Ik was zestien toen hij het huisje huurde voor hemzelf en zijn twee zoontjes van zeven en drie jaar. Je moet je voorstellen dat het in het Ierland van vierendertig jaar geleden vrij ongebruikelijk was dat een man zonder zijn vrouw op vakantie ging. Op vakantie gaan was zelfs een vrij nieuw begrip. Hij zei dat hij zijn jongens had meegenomen voor een weekje om zijn vrouw wat rust te gunnen. Mijn moeder was van mening dat zo'n man zich niet alleen kon redden en ze stuurde mij erop af om hem te helpen met huishoudelijke zaken.'
'Mam, moet dit nu?' klaagde Tricia. 'Het is allemaal voltooid verleden tijd. Bovendien denk ik niet dat het Emma een biet interesseert.'
Emma sprak dat tegen. 'Ik ben gek op verhalen. Zo Iers ben ik ondertussen wel geworden. Het interesseert me wel, hoor.'
Tricia sloeg de ogen ten hemel en schudde het hoofd. Ze ging naar de keuken om nog meer schalen te halen. Ze was gastvrouw genoeg om de stemming niet te willen bederven, maar ze deed het onder protest. 'Prima, als jij oude koek wilt ...' Hardop zuchtend liep ze weg.
Niamh legde uit: 'Toen Tricia nog klein was, heb ik haar vragen

gedoseerd beantwoord. Toen ze oud genoeg was om het hele verhaal te horen, wilde ze dat niet. Als ik er nog 'es over begon, riep ze altijd dat ze het niet wilde horen.'
Emma herinnerde zich dat Tricia had verteld dat ze zich had afgezet tegen haar achtergrond. Dat klopte wel met wat Niamh nu zei.
'Ik was naïef en ontvankelijk, een echt plattelandsmeisje. Het idee dat Patrick zo zorgzaam was voor zijn vrouw deed me al voor hem smelten. Daarbij was het een knappe man van een jaar of dertig. Hij had zijn eigen bedrijf. Hij was mijn prins op het witte paard. Ik had niet gedacht dat hij werk van mij zou maken, omdat hij getrouwd was. Wel stiekem gehoopt. Toen het werkelijk gebeurde, was ik als was in zijn handen. Het heeft me Tricia gebracht.'
Emma merkte op: 'U was romantisch ingesteld. Het moet niet makkelijk zijn geweest om als ongetrouwd meisje een kind te krijgen. En om de dochter dan toch te vernoemen naar de vader ...'
'Oh ja, het had met praktisch zijn niets te maken. Dat werd bovendien gevoed door mijn ouders. Zij gingen gebukt onder een loodzwaar schuldgevoel, godvrezende katholieken die ze waren. Zij hadden hun dochter op het pad van Patrick O'Brien gestuurd. Daardoor was zij zwanger geraakt. Zij vonden dat het hun schuld was. Ik ben niet naar een klooster gestuurd om daar mijn baby te krijgen en het kindje voor adoptie af te staan.'
Emma pufte om op een beleefde manier uiting te geven aan haar verontwaardiging. Dat oude Ierse koppel had echt een kronkel in het hoofd.
Uit de keuken klonk nadrukkelijk en afkeurend gekletter van borden en schalen.
Niamh was het kind van een overgangsgeneratie. Zij kende verschillende tijdsbeelden. 'Het waren andere tijden, Emma. Mensen waren zo bekrompen. Bang voor de kerk, voor de pastoor zelfs. Bang voor wat de mensen zeiden.'
'Dat gebeurde natuurlijk. Dat de mensen over u praatten.'
'Jazeker,' knikte Niamh. 'Het was een schande.'
'De schande was groter,' zei Shane, 'om jongens en meisjes zo onwetend te laten.'
'Dat ben ik helemaal met je eens,' zei zijn vrouw.

'Hebt u het Patrick O'Brien laten weten? Dat u zijn kind kreeg?'
'Dat werd me ten strengste verboden door mijn ouders! Stel je voor dat je ging stoken in andermans huwelijk! Dat zou de schande nog groter maken.' Ze schraapte haar keel. 'Niettemin heb ik, kort na de geboorte van Tricia, een kopie van het geboortebewijs naar het adres van zijn firma gestuurd. Ik was zo ongehoorzaam om het er niet bij te laten zitten.'
'En?' drong Emma aan, die vermoedde dat het nu pas spannend ging worden.
'Dat was het. Het werd aan Patrick O'Brien en zijn geweten overgelaten om in het reine te komen met het idee dat hij nog een kind had.'
Emma zat zo geboeid in het verhaal dat ze er vrijelijk op los vroeg. 'Waar kwam hij vandaan?'
Niamh zuchtte en kneep één oog dicht. Dat moest van diep uit haar geheugen komen. Het kwam onbetwistbaar boven, op het moment dat Tricia met een stapel borden kwam aanlopen.
'Roundwood, county Wicklow.'
'Roundwood?' kreet Emma. Geschrokken keek ze naar Tricia. Die keek net zo geschrokken terug. Dit gedeelte van het verhaal kende zij dus ook niet, zo obstinaat had ze het buiten gesloten.
'Is er iets?' vroeg Niamh.
'Ik woon in Roundwood, met mijn vriend. Hij heet ook O'Brien. Paige O'Brien.' Emma's hart bonkte.
'Ja! Zo heette dat kleine driejarige jochie dat Patrick bij zich had en die van zeven heette ...'
'Aidan,' vulde Emma aan.
'Precies.' Niamh was wit weggetrokken. De cirkel sloot zich en dat bleef niet zonder gevolgen.
Emma leunde verlamd van schrik achterover. Ze had het goed gezien toen ze Tricia voor het eerst zag. Er was familiegelijkenis.
'Tricia,' Emma fluisterde, meer geluid kon ze niet uitbrengen, 'je bent Paiges halfzusje.'

HOOFDSTUK 8

De stapel borden kwam met een nogal onelegante klap op tafel neer.
'Ik moet even zitten.' Tricia zeeg op een stoel. Haar armen vielen slap langs haar zij. 'Zit je me nou te vertellen dat ik halfbroers heb?'
'En zusters. Zeven stuks. Vier broers en drie zusters.' Emma telde het uit op haar vingers. Ze bekeek haar gastvrouw met hernieuwde, intense belangstelling. Tricia: Paiges halfzusje.
'Zeven ... Ik kan het niet bevatten.'
Shane had de tegenwoordigheid van geest om de gebraden vogel aan te snijden. Tricia scheen haar bedoelingen te zijn vergeten.
'Heeft Patrick zeven kinderen gekregen?' vroeg Niamh. Haar ogen stonden groot in haar bleke gezicht. Ze was behoorlijk aangeslagen. 'Toen ik hem kende, had hij er vier.'
'Je wist het niet,' zei Emma zachtjes, om er nog een ontdekking aan toe te voegen: 'Paige weet het ook niet. Geen van allen weten ze het.'
'Mijn God ...' Tricia ondersteunde haar hoofd met de ellebogen op tafel. Alles wat ze van haar voorgeschiedenis wist, moest herschikt worden. Haar bestaan schudde op zijn grondvesten.
'Het lijkt wel,' zei Niamh, die Tricia's hand pakte, 'of je het moest weten.'
'Het spijt me dat je het zo moest horen.' Emma verontschuldigde zich, terwijl ze zich afvroeg of en wanneer ze dit aan Paige kon vertellen.
'Maar ... wacht 'es even ...' zei Tricia vanonder het afdakje van haar handen. 'Maeve is hier van de zomer geweest.'
'Wie is Maeve?' vroegen Niamh en Shane in koor.
'Dat is mijn schoonmoeder,' antwoordde Emma. 'Ze is in augustus drie weken bij Tricia geweest.'
'In haar eentje? Leeft Patrick dan niet meer?' Niet alleen Tricia

ontdekte een heel nieuw deel van haar leven, ook Niamh leerde allerlei nieuwe feiten kennen, zoals nu voor het eerst zelfs de naam van Patricks vrouw.
'Nee, hij is tien jaar geleden overleden. Betrekkelijk jong nog. Hij was vierenvijftig.'
'Nu ik weet van wie zij de weduwe is,' zei Tricia bedachtzaam, 'heb ik het idee dat ze hier niet alleen maar onschuldig vakantie kwam vieren.'
''t Is een beetje erg toevallig,' vond Emma.
'Ze heeft het de kinderen niet verteld. Het kan zijn dat ze het echt niet weet,' bedacht Niamh.
Emma weersprak dat. 'Dat lijkt me stug. Tricia lijkt op mijn schoonzusje Margreth. Dat zag ik bij de eerste keer al.'
Ze was het met Emma eens. 'Dat is voor een moeder bewijs genoeg. Je hebt gelijk, ze weet het.'
Tricia, die de menselijke natuur toch gauw doorzag, stond nu ook voor een raadsel. 'Met welke bedoeling is ze dan gekomen?'
'Om te zien wat voor persoon jij bent, natuurlijk,' riep Emma uit.
'En vervolgens doet ze er niets mee.'
Emma dacht aan Paige, zijn drie broers en drie zusters. De O'Briens leefden in absolute onwetendheid van het feit dat ze nog een zusje hadden. 'Nou, het is ook niet zomaar iets dat je eventjes bekendmaakt.'
De overige drie mensen aan tafel schudden instemmend het hoofd.
Door het naast elkaar leggen van verschillende feiten was er een nieuw schokkend verhaal boven water gekomen. Drie van de vier aanwezigen waren opeens verbonden aan elkaar door een man die al tien jaar dood was.
Emma verbaasde zich over de kalmte van Niamh. Toen zij in verwachting raakte door Patrick O'Brien, nam haar leven een totaal andere wending. Doordat ze een kindje kreeg, werd haar leven niet makkelijker. Patrick had nooit iets gedaan om haar te helpen. Geen regelingen getroffen voor zijn buitenechtelijke kind. Hij had zijn vierde dochter, die zijn kindertal op acht bracht, niet eens erkend.
Ze koesterde geen enkele wrok tegen de man die haar zo in de steek gelaten had. Werd haar houding nog altijd bepaald door

het feit dat ze zelf ook schuld had? Nee, daar was ze te nuchter voor. Niamh was iemand die geleerd had om te gaan met tegenslagen. Ze aanvaardde kalm het feit dat het nieuws heel omzichtig in de familie O'Brien gebracht moest worden, of misschien zelfs helemaal niet. Geen reactie van: laat ze barsten, hoe denk je dat het voor mij geweest is? De zorg van Niamh gold niet zozeer zichzelf, eerder haar dochter.

Tricia had er bewust voor gekozen om het verhaal niet te kennen. Nu werd ze er tegen wil en dank middenin geplaatst. Het verleden haalde haar onverbiddelijk in. Ze probeerde zich een voorstelling te maken van het gezin waar ze – toch in ieder geval gedeeltelijk – bij hoorde. Emma voelde met haar mee nu ze zichzelf opeens in een heel nieuw licht zag. Als de ontreddering van Tricia maatgevend was, kregen de O'Briens dat in zevenvoud.

Het was een dilemma. Moest ze zwijgen en de familie in rustige onwetendheid laten? Of moest ze spreken en de nagedachtenis van Patrick O'Brien verbrijzelen? De man die zij als een goede vader hadden gekend, had in het leven van Niamh en Tricia niet zo'n verheffende rol gespeeld.

Het waren zeven wettige kinderen tegenover één onwettige. Wat was het billijkste om te doen? De commotie die het nieuws in de familie ging veroorzaken, zou enorm zijn.

Nu Emma Tricia kende, kwam het haar onfatsoenlijk voor om haar niet in de familie te introduceren. Tricia verzwijgen was haar verraden. Dat was ook geen optie.

Emma wrong haar handen. Haar rol was al wat beladen op het ogenblik. Ze wist niet in hoeverre de familie op de hoogte was van haar bedrog. Toch was ze bang dat als zij de O'Briens vertelde dat er nog een zusje was, ze helemaal de gebeten hond was. Het vrolijke, informele karakter van het avondje was verloren gegaan. Waar het viertal de verkoop van Tricia's huisje had willen vieren, waren ze op een verpletterende waarheid gestuit.

In de dagen na het etentje waren Tricia en Emma voortdurend bezig met het familieverband en de manier waarop ze erin stonden.

Tricia verweet zichzelf dat ze nooit had willen luisteren naar haar moeder. 'Ik heb de waarheid te laat leren kennen. Als ik mijn moeder het verhaal had laten vertellen, had ik gelijk gewe-

ten wie Maeve was. Dat had een ander beeld gegeven.'
'Wat zou je hebben gedaan met die wetenschap?' vroeg Emma.
'Ik weet het niet precies, maar in ieder geval niet zo passief over me heen laten komen. Mijn wereld staat op zijn kop. Ik weet niet hoe ik hiermee moet omgaan.'
'Wat je ook doet ...'
'...niets zal ooit meer hetzelfde zijn.' Tricia keek glazig in de verte, een blik die de laatste dagen vaker voorkwam. 'Dat is een rare gewaarwording, hoor.'
'Wil je ze leren kennen, mijn schoonfamilie?'
'Ja,' zei Tricia, na enig nadenken. 'Ja, dat wil ik. Maar willen ze mij leren kennen?'
'Ik ben van mening dat ze je moeten leren kennen. Maar dat zal voorzichtig moeten gebeuren. Ik ga dat met Maeve overleggen.'
'Het leek me ook geen goed idee om op zekere dag de familie binnen te vallen en te zeggen: hoi, ik ben jullie zusje.'
Emma lachte om Tricia, die er een vertwijfeld gezicht bij trok en deed of ze zwaaide naar haar broers en zusters. 'Nee, het ligt wat moeilijker. Wil je dat aan mij overlaten?'
'Niet gaarne. Ik kan er niet tegen om toe te kijken en af te wachten, maar ik begrijp het wel.'

De dag voor Kerstmis bracht Emma een bezoekje aan de McAfees. Ze wilde het volledige verhaal horen van Niamh, over hoe ze Patrick O'Brien had ontmoet. Hoe hun affaire was verlopen. Hoe ze zich staande had gehouden nadat Tricia was geboren. Als een journalist wilde ze haar feitenmateriaal compleet hebben. Op deze manier kon ze zich het best een mening vormen. Als ze het verhaal goed kende, kon ze haar boodschap beter overbrengen.
Het beeld dat ze zich had gevormd van Paiges vader uit de verhalen van de O'Briens was maar één zijde van het verhaal. Uit het relaas van Niamh kwam een heel andere man naar voren.
Hoe langer Emma erover nadacht, hoe meer ze ervan overtuigd raakte dat Maeve alles wist. Ze wist dat Patrick nog een kind had en ze was naar haar op zoek gegaan. Het B&B-adres in Donegal was niet lukraak een vakantieverblijf geweest. Het was een doelbewuste keuze om het buitenechtelijke kind van haar

man te leren kennen. Er moest een speurtocht aan vooraf zijn gegaan.
Die gedachte had een nare bijsmaak voor Emma. Ze was door Maeve naar het noorden gestuurd om op afstand de crisis in haar relatie te beslechten. Op dat moment had het geleken of Maeve het beste voor had met haar schoondochter, of ze had gehandeld zonder eigenbelang. Maar ze had geïntrigeerd. Ze had Emma bij haar problemen betrokken. En niet op de meest sympathieke manier, vond ze. Helemaal zeker wist ze dat niet zolang ze Maeve er niet mee kon confronteren. Het feit dat Maeve geen contact had opgenomen, had een dubbele achtergrond. Nu viel het zwijgen van Maeve nog nadrukkelijker op tussen de verontruste belletjes en e-mails die ze van haar schoonzusjes en zwagers kreeg. Zelfs medewerkers van Daboecia Hall belden haar achterna. Steeds moest ze weer die halve waarheid opdissen: werken voor de expositie.
Vlak voor Kerstmis stond haar mobiel niet stil en haar mailbox stond vol. Alsmaar dezelfde vraag: je komt toch wel naar huis met de kerstdagen? En haar antwoord was onveranderlijk: nee, te druk, wil de klus zo snel mogelijk afmaken. Duld geen uitstel. Wil er niet tussenuit knijpen en dan na Kerst weer terug naar Donegal. Ik kom naar huis en blijf, of niet.
Dat was ook een halve leugen. In feite wachtte ze het verlossende woord van Paige af.
Maar Maeve had niets gevraagd. Nee, zij had haar hand al overspeeld.
Ze was opgezadeld met een taak waar ze niet om zat te springen. Als ze terugkeerde naar Roundwood, stond haar meer te wachten dan alleen een relatie weer te laten werken.
Deze aanpak was niets voor Maeve. Emma kende haar schoonmoeder als eerlijk, verstandig en wijs. Nu viel ze tegen met deze truc. Emma moest haar laten weten hoe ze hierover dacht, maar ze zag ertegen op om Maeve de les te lezen.

Het was Kerstmis. Emma was alleen in de cottage op de vreemdste Kerstdag die ze ooit had meegemaakt. Ze piekerde zich suf over de introductie van het nieuwe zusje in de O'Brien-familie. Misschien was dat één van de laatste dingen die ze ging doen in Ierland. Wat was het daarna? Afscheid van de familie

O'Brien, omdat ze geen relatie meer had? Haar atelier sluiten en terugkeren naar Nederland?
Ze had grote moeite met het feit dat ze met Kerstmis niet bij Paige kon zijn. Maar de stilte leek een muur te zijn geworden, stevig gefundeerd tussen hen in. Het werd hoe langer hoe onduidelijker wat Paige ermee bedoelde. Zweeg hij haar dood? Duurde zijn boze bui zo lang? Sloot hij haar helemaal uit zijn leven?
Het was geen vrolijk Kerstfeest. Om te beginnen was ze alleen, zij het dan in een huis dat warm en verwelkomend was. Het waren vooral haar gedachten die haar allesbehalve in een kerststemming brachten.
Er bleef niet veel over dan schilderen. Op die bewuste kerstochtend was ze te vinden achter haar ezel.
Ze werkte aan een portret.
Haar mobiel ging over. Emma pakte hem op. Haar hart maakte een buiteling. Ze twijfelde aan haar ogen toen ze zag wat er in de display stond: Paige.
'M-met Emma.' Ze had ineens zo'n haast om zijn stem te horen, ze was zo overdonderd dat hij haar belde, dat ze hakkelig en onhandig opnam. Dwars tegen haar voornemen in om Paige ferm en zelfverzekerd tegemoet te treden.
'Hoi Emma.'
Wat was het goed om zijn stem te horen! Ze drukte het mobieltje bijna in haar oor.
'Hallo Paige.' Ze wist niets meer te zeggen. Ze wilde ook niets meer zeggen. Ze wilde horen waarom hij belde, nu hij na zo'n lange stilte weer contact met haar op nam.
Hoe fijn het ook was om zijn stem te horen, ging hij een eind aan hun relatie maken?
'Hoe gaat het?' vroeg Paige.
'Naar omstandigheden goed.' Hij werkte eerst de plichtplegingen af. Ze had de tijd. 'En met jou?'
'Nou ...' Het leek of hij het één wilde zeggen, van gedachten veranderde en iets anders zei: '...druk.'
Emma hield zich ook een beetje op de vlakte. 'Dat is niks nieuws.'
'En jij? Wat ben jij aan het doen?'
'Ik ben druk aan het schilderen.'

Hoor nou toch eens, dacht Emma, wat er van ons geworden is. We waren alles voor elkaar. Nu leken ze uit hun grenzeloze vertrouwen te zijn getuimeld. Terug naar het niveau van twee oppervlakkige kennissen die elkaar na lange tijd weer spreken. Of draaide Paige om de hete brij heen? Als hij het gevoelige punt niet besprak, ging zij het dan doen? Intussen hadden ze beiden wat goed te maken.
'Zijn die doeken voor de expositie?'
'Ja, maar ik heb er nog veel meer gemaakt.'
Wat een moeilijk en stroef gesprek was dit! En het ging nog maar over koetjes en kalfjes. Had Paige nu ook zo'n knoop in zijn lijf?
'Het gaat je goed af, dus?'
'Ik mag niet klagen,' zei Emma vlak. Haar verblijf in Donegal had bewezen dat ze niet van één plek afhing om goed werk af te leveren. Sterker nog, de verandering van omgeving had haar beste werk tot nog toe opgeleverd.
'Emma, ik ...'
'Ja?'
'Ik had je goede kerstdagen willen wensen, maar ik kan het niet.'
Nu ging het de richting uit van zijn gevoelens. Kon het kwaad, als ze hem een beetje uitviste?
'Waarom niet?'
'Het klopt niet.'
Emma kreeg bijna medelijden met hem. Het was haar geliefde, de manager die zo zeker van zichzelf was, die nu zo zat te stuntelen.
'Ik heb ook wel eens andere kerstdagen meegemaakt,' bekende ze.
'Emma, ik weet dat ik razend op je ben geweest. Dat ik je heb weggestuurd. En toch ...'
'En toch ... wat?'
'Emma, dit werkt niet.'
Dan had Paige het anders getroffen dan zij. Zij was, toen ze liep te piekeren over haar in het slop geraakte relatie, opgevangen door een wijze vrouw. Tricia was een hele goede vriendin van Emma geworden. Ze huilde niet mee met de wolven in het bos. De oplossing van het probleem had ze haar confronte-

rend maar helder aangereikt. Emma had aan zichzelf gewerkt. Ze had een nieuw zelfbewustzijn ontwikkeld. Daarbij was ze nog steeds Paiges geliefde, omdat ze dat heel graag wilde. Ondanks de problemen wist Emma zeker dat hun relatie nog toekomst had. Voor haar had de periode van zo'n zeven weken zonder Paige zijn nut bewezen. Ze wilde niets liever dan met hem deze nieuwe weg inslaan. Dat klonk door in haar reactie.
'Voor mij wel.' Het enthousiasme droop eraf.
Ze hoorde hoe zijn adem stokte van schrik. Paige begreep haar helemaal verkeerd.
'Je bent ... Heb je ...' Hij kon het bijna niet opbrengen om zijn schrik in woorden uit te drukken, '...iemand anders ontmoet?'
Ze kon niet meteen antwoord geven omdat er diep in haar binnenste een stemmetje begon te zingen. Ze moest daar eerst naar luisteren. Het vertelde haar datgene wat Paige naliet haar te zeggen en wat juist daarom des te duidelijker doorklonk.
Ze voelde haarfijn hoe zijn angst toenam, naarmate ze de stilte liet voortduren. Hoewel het niet langer kon zijn dan tien seconden, merkte ze dat Paige het bestierf.
'Nee.'
Zijn opluchting golfde naar buiten in een diepe zucht. 'Ik dacht ... omdat je zei ... dat het voor jou wel werkte, dat je ...'
'Ik heb geen andere man leren kennen, Paige. Maak je geen zorgen.'
'Me geen zorgen maken? Nou, ik vind het nog steeds moeilijk. Ik heb al die tijd lopen overwegen wat ik moest doen. Vergeten kan ik het niet, maar met jou daar in Donegal kan ik ook geen begin maken met ons eroverheen te zetten.'
'En dat is wat je wilt?' Het innerlijke stemmetje liet zich niet meer het zwijgen opleggen en zong van hoop.
'Ik wil toch in ieder geval uitvinden of het nog werkt: jij weer bij mij. Daar kom ik niet achter als jij daar zit.'
In hun relatie in de nieuwe vorm was het belangrijk dat ze zich uitspraken en Paige mocht wel even preciezer zijn.
'Je wilt dat ik terugkom?'
'Dat is wat ik probeer te zeggen, ja.'
Emma wilde niets liever dan terugkeren. Maar niet in de hectiek van een op volle toeren draaiend restaurant. Als ze terugkwam,

wilde ze eerst in alle rust met Paige kunnen praten.
'Ik kom graag terug, Paige. Ik zie goede kansen voor ons samen. Als ik terugkom, wil ik daar eerst met jou over praten.'
'Op Oudejaarsavond en Nieuwjaarsdag is het restaurant gesloten.'
'Dan rij ik volgende week woensdag naar huis. Tot dan, mijn lief.'
'Tot woensdag.'
Emma hield het mobieltje vast tot lang nadat het displaytje weer teruggesprongen was. Paige wilde haar terug. Ze besefte voor welke taak ze stond: hun relatie opnieuw tot leven wekken, samen met Paige. Dat werd een immens karwei. Maar als ze het kon doen met de rust die ze had verkregen door dit gesprek met hem en met de hoop die nog steeds zong in haar hart, kon ze het aan. Veel zekerheid had ze nog niet, maar toch wel eentje: hun relatie was nog niet tot een eind gekomen.
Het liefst wilde ze gelijk vertrekken, in weerwil van de afspraak die ze met Paige had gemaakt. Als ze nu onmiddellijk afreisde, was het gedaan met haar geloofwaardigheid.
En dan was Tricia er ook nog. Na al die tijd die Emma bij haar had doorgebracht, zou het ronduit onbeschoft zijn om spoorslags te vertrekken.
Zolang ze met Paige had gesproken, had ze geen moment gedacht aan het verbijsterende feit dat het zijn halfzuster was bij wie ze zeven weken onder gebracht was geweest.

's Avonds deelde ze Tricia mee dat Paige gebeld had.
'Hoe was het voor je om zijn stem te horen?' vroeg Tricia.
Emma straalde. 'Heerlijk! Echt, ik wil niets liever dan bij hem zijn!'
'Hoe klonk hij?'
'Voorzichtig, aftastend, maar ...' Ze zweeg, zich afvragend of ze het wel mocht verklappen.
'Maar wat?' drong Tricia zachtjes aan.
Tricia mocht het wel weten, besloot ze. Bij zo'n goede vriendin kon het geen kwaad.
'Je had zijn opluchting moeten horen toen ik zei dat ik geen andere man ontmoet had.'
Op het gezicht van haar vriendin verscheen een brede glimlach.

Haar wenkbrauwen gingen even op en neer. 'Da's je onderhandelingspositie, meid.'
'Belachelijk, hè, er moet onderhandeld worden, terwijl we nog bij elkaar blijken te zijn.'
Tricia lachte om Emma's filosofische kijk op de zaak. Wat een verschil met een aantal weken geleden toen ze ondergedompeld leek in ellende. Ze hoopte maar dat Emma dit vast kon houden als ze over een week tegenover Paige stond.
Emma besefte dat ze nu heel zeker van haar zaak klonk, maar tijdens het gesprek met Paige had ze zich net zo goed eventjes heel klein gevoeld. Ze had angstig het woord afgewacht dat van haar weer een vrijgezelle vrouw ging maken, maar dat was gelukkig niet gekomen.

Hoewel ze de laatste dagen van haar verblijf in Donegal besteedde aan het afmaken van een aantal doeken, ruimde ze op de dag voor Oudejaarsdag tijd in voor een afscheidsbezoek aan de McAfees. Opnieuw kwam, bijna onvermijdelijk, het beladen thema aan bod. Dat had ervoor gezorgd dat Emma nu al een band met deze mensen had. Dat ze ze pas voor de derde keer zag, maakte niet uit. Niamh voelde kennelijk hetzelfde want ze nam Emma tegen het eind van haar bezoek in een omarming die trilde van emotie.
'Kindlief, wat staat je te wachten? Waar hebben we je ingestort?'
'Je hebt me nergens ingestort, Niamh. Het is mijn schoonmoeder met wie ik nog een appeltje te schillen heb.'
'Je bent zo kordaat, Emma.'
'Oh, nou,' pufte ze, 'hier kan ik de schijn wel ophouden, maar als ik er zo direct voor sta ...'
'Tja, wie zal zeggen hoe dat uitpakt?' Niamhs handen trilden net zo hard toen ze die van Emma vastpakten. 'Het is wel een lichtpunt dat jij en je jongeman het weer gaan proberen.'
Ze glimlachte bij het ouderwetse jongeman, terwijl het verlangen door haar heen golfde. Ze wilde zo graag terug naar Paige. Het liefst wilde ze hem helemaal overhoop halen door uitgebreid en luxueus met hem te vrijen. Maar dat moest waarschijnlijk wachten tot na dat eerste, moeilijke gesprek.

Op haar laatste avond in Tricia's huis nam Emma haar mee naar de bijkeuken.
'Wat vind jij het mooiste doek?' vroeg ze haar.
'Oh, die keuze is gauw gemaakt.' Tricia trapte argeloos in de val. 'Dat is die met die stronk, die je als eerste hier gemaakt hebt.'
'Alsjeblieft, dan is die voor jou.' Emma duwde het in haar handen.
Tricia hield het bij de hoeken vast, haar mond stond open. 'Dat kun je niet menen!' piepte ze.
'Ik meen het wel. Het is het minste wat ik kan doen na alles wat jij voor mij gedaan hebt,' besliste Emma.
'Maar het was voor de expositie,' sputterde haar vriendin.
'Ik heb nog meer dan genoeg voor Kilkenny.' Ze wees naar de doeken die op de grond door de hele bijkeuken stonden. Achttien schilderijen had ze afgeleverd in de weken die ze bij Tricia was. Ze wilde er tien inleveren voor de expositie. Zonder vooropgezet plan was ze gaan schilderijen in de bijkeuken. Naarmate er meer schilderijen gereed kwamen, werd het thema duidelijk. Het was het water in al zijn verschijningsvormen. De zee, de beekjes, de rivieren, de poeltjes in de turfvelden, de watervalletjes, het meer van Glenveagh. Groot en klein water, rustig en wild water.
'Neem het aan, dan voel ik me beter.'
'Tja, nou ja, dan graag. Dank je wel.'
'Alsjeblieft.'
Tricia wilde een plaatsje uitzoeken in de huiskamer om het schilderij op te hangen.
'Ik laat er nog een achter,' zei Emma.
'Waarom?'
'Het lijkt me vooralsnog niet verstandig om morgen hiermee te komen aanzetten.' Ze haalde het laken weg van het werk dat nog op de ezel stond.
'Ooooh!' riep Tricia uit, toen ze de afgebeelde persoon herkende. 'Het is je gelukt! Oh, wat is het een mooi portret geworden!'
Lorenzo keek vanaf het doek terug naar de toeschouwer. Hij zat voorover gebogen, zijn ellebogen op zijn knieën gesteund, zijn hoed in zijn handen. In zijn ogen lag een rustige, maar alerte blik. De mysterieuze wildheid in zijn natuur was uitgedrukt

door middel van gestileerde, doorzichtige paarden, die alle kanten uitstoven op de nagenoeg geheel grijze achtergrond. Zo was de band die hij met de dieren had in één totaalbeeld uitgedrukt. Behalve zijn mooie kop was er, op zich bekeken, weinig spectaculairs aan het portret te zien.
Lorenzo was in zittende houding afgebeeld, gekleed in een wit overhemd en spijkerbroek tegen het weinig dynamische grijs als achtergrond. Maar de paarden verhaalden over het karakter van de man. Onder zijn geciviliseerde laag liet hij zich niet beteugelen. Zijn vrijheid was zijn kracht. Als hij die verloor, verloor hij zijn glans.
Emma had zijn ongrijpbaarheid gevangen in een portret dat hem recht deed. Dat was het punt waar de prestatie lag.
Daar stond het brandpunt van Emma's crisis, gecomprimeerd op een canvas doek van negentig bij zestig centimeter. Op het eerste gezicht een onschuldig schilderij, maar in werkelijkheid eentje waarvoor de schilderes een hoge prijs had betaald.
Een tijdlang keek Tricia er zwijgend naar. Ten slotte zei ze: 'Je hebt hem te pakken.'
'Ja, de betovering is verbroken.' Emma liet haar hand over het schilderij glijden. Aan het strelende gebaar was te zien dat ze nog altijd blij was Lorenzo gekend te hebben. Ze had van de Spanjaard gehouden, zoals je houdt van een dier dat in de wildernis leeft: je weet dat je het nooit zult bezitten.
Ze kuchte het brok in haar keel weg. 'Er is maar één manier om erachter te komen hoe groot de verleiding voor je is. Dat is door eraan toe te geven. Nou, dat heb ik geweten. Dat heb ik duur moeten betalen. Voor mij was er maar één manier om van Lorenzo af te komen. Hij moest geschilderd worden. Zijn portret heeft me voor een enorme confrontatie met mezelf gezet. Maar het is me gelukt, met heel veel moeite. Het heeft gewerkt, zoals ik hoopte. Nu kan ik het afsluiten.'
Het was een bekentenis. In een paar zinnen legde Emma de kern van het probleem bloot. Ze noemde de oplossing er meteen achteraan. Met die luttele woorden liet ze zien hoezeer ze gegroeid was. Toen ze bij Tricia was gearriveerd, was ze overweldigd door haar moeilijkheden. Ze zag geen uitweg. Nu keek ze glashelder overal doorheen.
Tricia merkte het verschil in Emma's karakter op. Ze kon het

niet nalaten haar een gewetensvraag te stellen. 'Zal Paige daarvoor gaan?'
Emma wendde haar blik niet af van het schilderij. 'Meer heb ik hem niet te bieden.'
Tricia juichte in stilte. Emma had begrepen dat ze Paige niet meer hoefde aan te bieden dan haar eerlijke liefde. Meer kon ze niet geven. Paige zou daarop moeten vertrouwen. Hij moest bepalen of dat genoeg voor hem was. Emma zou tot haar grens gaan. Niet eroverheen.
Het afscheid was op handen. Veel gelegenheid om Emma te spreken was er niet meer. Wat Tricia nog te zeggen had, was niet iets wat achteraf nog wel even per telefoon kon. Het schilderij, dat ze nog steeds in haar handen hield, zette ze tegen de poten van de ezel en ze omhelsde Emma. Bij deze uiting van genegenheid reageerde Emma eerst een beetje stijfjes, maar ze glimlachte toen ze een paar dikke zoenen op haar wangen kreeg.
'Ik heb bewondering voor je,' bekende Tricia. 'Dat wat je gewend was, hield ineens op, maar je hebt je staande gehouden, nadat je in één klap uit je relatie werd gegooid. Dat niet alleen. Je bent als individu gegroeid. Dat zegt heel wat over je zelfstandigheid en je onafhankelijkheid. Je voerde het nog verder door deze confrontatie aan te gaan en hem te overwinnen. Paige weet het nog niet, maar hij krijgt meer Emma terug dan hij heeft weggestuurd. Je bent een dapper mens.'
Emma keek in de blauwe ogen van haar vriendin. Een wijze vrouw met een warm hart, dat ze op haar tong droeg. Ze mocht dan dapper genoemd worden, onder deze pluim werd ze verlegen. De strakke blik waarmee Tricia haar weerhield van wegkijken, hielp daaraan mee.
'Vind je?' vroeg ze onzeker.
Ze voelde een rukje aan haar schouder. 'Ik vind het niet. Ik weet het. Je bent er tegen opgewassen om terug te keren naar je lief.'
'Denk je dat daar zoveel moed voor nodig is?'
'Jazeker,' zei Tricia stellig, waarmee ze gelijk romantische voorstellingen verpletterde, voorzover Emma die had. 'Want het moeilijkste komt nog: de brug bouwen over de puinhoop heen.'
Emma wist echter hoe ze dat ging doen. 'Ik heb nieuwe overtuigingen gevonden.'
Ook dat was geen nieuws voor Tricia, die scherp op Emma gelet

had. 'Dat weet ik. En die zijn goed. Ik hoop dat je je daarmee niet uit het veld laat slaan.'
'Je hebt me goed in de gaten gehouden.'
Tricia's warme glimlach zei dat ze dat niet uit bemoeizucht gedaan had. 'Het was mooi om mee te maken.'
De omhelzing werd losser. Ze hielden een arm om elkaars rug. Zwijgend stonden ze in de bijkeuken, die bijna twee maanden geleden de functie van een atelier had gekregen. Hier stonden de tastbare resultaten van Emma's verblijf.
'Je krijgt je bijkeuken weer terug.' Onder de druk van de omstandigheden flapte Emma er een beetje triviale opmerking uit.
'Ook dat was mooi om mee te maken,' knikte Tricia, die het gemis van de ruimte niet eens gemerkt had. 'Hoe jij hier aan het schilderen was.'
Weer stilte. Opnieuw zulke diepe gedachten dat ze bijna zwijgend leken te communiceren.
'We zijn nog niet klaar met elkaar.' Emma's stem was zowat geluidloos.
'Nee ... schoonzusje. Dat zijn we zeker niet.' Het antwoord werd ook gefluisterd. 'Jij hebt ook dingen over mij ontdekt. Ik wacht af welke acties jij daarop gaat ondernemen.
'Ik ga iets ondernemen, dat staat vast. Maar ik zie er wel tegen op.'
'Om de knuppel in het hoenderhok te gooien? Lijkt me logisch.'
'Het zal even de tijd nodig hebben.'
'Ik heb daar begrip voor en ik heb geduld. Doe het maar liever rustig en weldoordacht dan overhaast.'

Tricia had geholpen Emma's auto in te pakken. Tassen waren opgestapeld op de passagiersplaats. De achterbank was neergeklapt om de schilderijen zo secuur mogelijk te vervoeren. Alles paste erin, maar de wagen was dan ook afgeladen vol.
'Sterkte,' zei Tricia met nadruk, voordat ze Emma voor de laatste keer omhelsde en kuste. Het was niet zomaar een thuiskomst na zomaar een vakantie. Haar vriendin werd voor een behoorlijk zware taak gezet.
'Dank je.' Emma opende het portier.
'Hou me op de hoogte, hè?'

'Natuurlijk, da's beloofd. En jij mij.'
'Zeker. Ga nu maar, voordat ik ga grienen. Goede reis.'
Emma stapte in en reed weg. Ze zag Tricia's figuurtje kleiner worden in de achteruitkijkspiegel. Ze zwaaide nog een keer uit het open raam. Na een bocht was Tricia uit het zicht verdwenen. Ze sloot het raam.
Met het verdwijnen van Tricia O'Connor uit de spiegel verdween ook Emma's zelfverzekerdheid. Haar verlangen om Paige weer te zien nam het over. Als hij enig besef had van haar gevoelens, zou dat al zijn twijfels wegnemen. Was dat maar uitwisselbaar, dacht ze, dat zou het een stuk makkelijker maken.

Op ongeveer honderd kilometer van Roundwood belde ze Paige om te zeggen dat ze in aantocht was.
'Waar ben je? In de Hall of thuis?' Dat de Hall gesloten was, betekende niet automatisch dat Paige in de cottage was.
'Ik ben thuis. Ben je er met een uurtje?' Zijn hese stem klonk zo vertrouwd. Zo geliefd. Ze wilde hem in zijn armen vliegen, maar er zaten nog honderd ellendige kilometers tussen.
'Dat moet lukken.'
'Goed zo. Ik wacht op je. Rij voorzichtig, meissie.'
Emma beet op haar lip om zich ervan te weerhouden te roepen: 'Ik hou van je!'
Ze moest haar wild kloppende hart de baas worden om het gesprek met Paige een beetje waardig in te gaan.

De waardigheid was er, maar dat razendsnel kloppende hart ook weer, toen ze voor de cottage stopte. De voordeur ging open en in een rechthoek van licht stapte Paige naar buiten. Hij lachte en Emma werd slap in haar knieën. Ze slaagde erin rustig uit te stappen en niet in haar haast in de gordel te blijven hangen. Haar alarmsysteem was evenwel niet uitgezet.
De begroeting was warm en hartelijk. Paige sloeg een arm om haar heen, kuste haar en nam de tas over. Maar hoever lag Paiges lieve welkom bij het mijnenveld vandaan?
'*Céad mile failte, a ghrà*. Heb je een goede reis gehad?'
'Prima, dank je. Het is wel een afstand, hoor.'
Paige kon niet vermoeden dat ze hem bekeek met zowel begeerte als met haar verkennersblik. Of deed hij precies hetzelfde? In

hoeverre waren ze nog partners en in hoeverre tegenstanders?
Hij had echt zijn best gedaan om haar een warm welkom te bereiden. De tafel was gedekt, kaarsen brandden. Uit de keuken dreven heerlijke geuren door het huis. In de haard knapte een vuurtje. Er stond een zacht muziekje op.
Nog steeds omarmd stonden ze in de woonkamer. 'Heb je honger? We kunnen meteen aan tafel, als je wilt.'
Emma vond zijn omarming veel te fijn om die al op te geven. 'Eventjes nog.'
Ze keken elkaar aan en lachten.
'We staan te schutteren, hè?' zei Paige.
'Ja, inderdaad,' knikte Emma. 'Nou ja, het is goed dat we het allebei toegeven in plaats van eroverheen te praten en doen of er niets aan de hand is.'
'Ik wil ook wel praten, maar ik weet niet waar ik moet beginnen,' gaf Paige toe.
'Zullen we toch maar gaan eten? Dat praat misschien makkelijker.'
Terwijl Paige de laatste dingetjes op tafel zette, keek Emma rond in de woonkamer. Thuis, ze was weer thuis. Ze was weer terug bij Paige. Dat stemde haar tot vreugde, maar ze kon zich nog niet onverdeeld blij voelen. Daarvoor was er te veel gebeurd, daarvoor moest er nog te veel uitgepraat worden.
Er stond geen kerstboom. Paige had niet de moeite genomen om er één op te zetten. Dat was ook altijd haar werk in de kersttijd. Ze kochten hem samen en Emma tuigde hem op. Het bracht des te duidelijker naar voren dat Paige ook geen fijne tijd achter de rug had. Ook hij was alleen geweest, zij het dan in een vertrouwde omgeving. Ver van elkaar hadden ze lopen tobben. Emma had rust en steun gevonden. En Paige? Hij was op zijn plek gebleven, waar hij haar afwezigheid had moeten verklaren.
'Wat heb je de familie verteld nadat ik was verdwenen?'
Paige schepte op, voor haar en voor zichzelf. 'Ik heb de smoes gebruikt die ma me had ingefluisterd. Ik heb er een hekel aan als er dingen voor me geregeld worden maar zelf wist ik niets beters.'
'Trapte iedereen daarin? Ook de mensen in de Hall?'
'Ik heb niet gevraagd of ze mijn smoesje wilden geloven.'
Onwillekeurig moest Emma lachen.

'Naarmate het langer duurde, werd het wel moeilijker. Ik zei maar dat je je helemaal had vastgebeten in het werk voor de expositie. Aidan geloofde er niks van.'
'Ah, Aidan! Hoe heb je hem op afstand gehouden?' Emma kende Paiges oudste broer als een man die geen tijd had voor flauwekul.
Paige schoof het eten op zijn bord heen en weer. 'Het was niet makkelijk, Emma.'
Het heikele punt was bereikt. Emma dacht na over hoe ze op deze opmerking moest reageren. Volgens de oude Emma, voor haar tijd in Donegal, moest ze conflictvermijdend gedrag vertonen. Niet volgens de nieuwe Emma. Ze zag Tricia's ogen voor zich. *Hoe wil je terug?Als wat voor vrouw?* Ze zou het met Paige aangaan. Haar enige zorg was hem niet af te schrikken, zodat het gesprek al eindigde voordat het was begonnen.
'Jij was het die mij wegstuurde.'
'Ja, dat weet ik!' grauwde hij. Emma knipperde niet eens met haar ogen. 'Dat loste het probleem niet op.'
'Waarom liet je mij dan niet met je praten? Je drukte me weg, als ik belde.'
'Ik was te gekwetst, Emma. Razend was ik. Ik heb je in een opwelling weggestuurd, maar een tijdlang kon ik niets van je verdragen, omdat ik het er te moeilijk mee had.'
'Tot vorige week ...'
'Ja, ik kan een probleem waar we alletwee in zitten niet alleen oplossen.'
'Nee, dat klopt. Dat moeten we samen doen. Daarom heb ik ook mijn twijfels gehad over het feit of een periode van uit elkaar zijn zinvol was.'
'Toch zei je voor de telefoon van wel.'
'Dat is waar. Uiteindelijk had het wel zin. Voor mij persoonlijk.'
Daarin was Paige nog niet geïnteresseerd. Hij was in gedachten bij de oorzaak van de moeilijkheden. 'Was je echt niet van plan om het me te vertellen?'
'Ik weet het niet, Paige. Ik kwam er niet uit. Zolang ik het verzweeg, werd ik ziek van schaamte en van mijn eigen verraad. En als ik het opbiechtte ... nou ja, je weet waartoe dat heeft geleid.'
De vraag die Paige haar stelde, kostte moed. 'Was je verliefd op Ramirez?'

'Nee. Al vond ik hem wel zo aantrekkelijk dat ik hem wilde schilderen. Ik heb pas in Donegal begrepen wat ik voor hem voelde.'
'Je geilde op hem.'
Paige liet zijn verbittering blijken. Emma viel hem niet aan op zijn woordkeus. Dit was kennelijk de zure appel waar ze doorheen moest bijten.
'Mijn streven was om uit bed te blijven, niet om erin te belanden.'
'Waarom is het dan toch gebeurd?'
'Omdat Lorenzo voor mij als een mooi, wild beest was.'
Nu lachte Paige onwillekeurig. 'Zo, hé!'
'Een prachtig, wild dier, dat je nooit kunt hebben en waarvan je toch houdt.'
'Van houden?' riep hij gealarmeerd. 'En je zei ...'
'Het was een soort liefde, maar niet die liefde die bedreigend was voor onze relatie.'
'Echt niet?'
'Nooit geweest.'
'Maar ...'
'Het was bewondering, denk ik. Vanuit dat gevoel wilde ik hem schilderen.'
'Dat is je niet gelukt,' wist Paige. Zijn onrust nam toe.
'Ik wilde hem op die manier het beste van mezelf geven. Dat lukte niet, dus ...'
'Gaf je ...?'
'...gaf ik hem mijn lichaam.'
'Dat doe je niet!' riep Paige verontwaardigd, alsof hij haar weer opnieuw tot de orde moest roepen.
'Niet als je erbij nadenkt,' zei Emma langzaam en zacht.
Paige liet dat op zich inwerken. 'Dus het was een opwelling?'
'Er is echt geen vooropgezette en weloverwogen verleidingsstrategie aan te pas gekomen.'
Hij verhief zijn stem. 'Ik vind noch het één, noch het ander erg overtuigend klinken, Emma!'
Hij had natuurlijk gelijk, vanuit zijn gezichtspunt gezien. Ze had nog maar één argument over.
'Je weet wat er gebeurde toen ik Lorenzo niet op doek kreeg.'
Het was haar uiterste bod. Was dat genoeg voor hem? En zo

niet, kon zij daar dan iets aan doen?
'Als ik je nu vertel dat het me intussen wel is gelukt?'
Paige schudde het hoofd. 'Dat is een erg mager pleidooi.'
'Onderschat de betekenis hiervan niet.'
Emma kon niet verdergaan. Het was zoals ze bij Tricia al voor zich had gezien. Paige nam het of hij nam het niet. Zijn geloof in haar moest toch mettertijd groeien. Dat gebeurde niet op slag, door één gesprek.
Paige zweeg. Hun stemmen resoneerden in zijn hoofd. Het drong tot hem door hoe ze erbij zaten. Hij had al een paar keer zijn stem verheven, gedreigd, uitgedaagd, zonder dat het effect had op zijn vriendin. Zij sprak bedachtzaam, zonder stemverheffing, haar woorden hadden een gelijke nadrukkelijkheid. Ze was ernstig, kalm en beheerst. Ze maakte meer indruk op hem dan hij op haar, als hij eerlijk was. En dat moest hij zijn, want zij was het ook. Dat hij daarom niet helemaal te horen kreeg wat hij wilde, moest hij accepteren. Emma vertelde hem de waarheid.
Ze deed dat met een mengeling van dapperheid en kwetsbaarheid. Dat ze het niet nodig vond om te schreeuwen, kwam voort uit een nieuw soort zekerheid.
Paige kneep zijn ogen tot spleetjes. Zelfvertrouwen, dat was het. Waar ze het al had als schilderes, daar had ze het nu ook als individu gekregen.
Emma bleef zonder een woord te zeggen naar hem kijken. Geen spoor van nervositeit. Niet dat bekende getik met haar duimnagel tegen haar tanden. Haar handen lagen stil, naast het bord en om de steel van haar wijnglas. Er was een nieuwe, voor hem onbekende kant aan haar gekomen. Hij kon niet uitmaken wat hij daarvan vond. Als ze boetvaardig was teruggekomen, zou hij meer macht over haar hebben gehad. Gek genoeg had dat idee hem wel aangestaan. Nu kwam ze terug als een wijzere, rijpere vrouw met een zelfverzekerdheid die niet zo gauw te schokken viel, naar nu bleek. Het mooiste was dat dat hem nog veel beter beviel. Deze Emma vormde een uitdaging. Aan de nieuwe Emma viel nog wat te veroveren. Een heel stuk dat hij nog niet had. Hij viel ervoor.
'Je bent veranderd, Emma.'
'Inderdaad.'

Haar bevestiging kwam toch nog weer als een schok. Deze nieuwe, veranderde Emma kon weleens niet zijn richting kiezen.
'Ik heb steun gevonden bij de vrouw bij wie ik logeerde. Zij hield me als het ware een spiegel voor, waarin ik zag hoe ik was geworden. Ik wilde niet langer zo zijn. Niet voor mezelf, niet voor jou.'
Paige zoog zijn adem in, maar haar hand kwam geruststellend op de zijne liggen.
'Tricia had er niet eens zoveel woorden voor nodig om mij te confronteren en mij te laten inzien hoe het anders kon.'
'Een bijdehandte tante?'
'Een echte vriendin, want zij schuwde de waarheid niet en ze had daarbij alleen mijn belang voor ogen.'
'En ze heeft lekker zitten stoken.' Paige stribbelde tegen, daarom plaatste hij opmerkingen tegen zijn veronderstellingen in. Hij had moeite met het idee dat Emma als winnaar uit de strijd was gekomen, terwijl zij de aanstichtster van het kwaad was. Het gelijk moest aan zijn kant zijn. Daarbij kon hij het niet verkroppen dat ze hem aantrok, subtieler dan bij een eerste ontmoeting, maar minstens net zo sterk.
'Tricia stookt niet. Ik zei toch net dat ze alleen mijn belang voor zich zag? Hoe dan ook, ik was vastbesloten terug te keren naar jou.'
Paige zakte in als een lek geprikte ballon. Nu het met zoveel woorden gezegd werd, kon hij zijn vechtlust laten varen. Het maakte plaats voor opluchting.
'...vooropgesteld dat je mij nog wilde.'
Dat was een punt wat hij nog te berde wilde brengen. Hij schoof zijn bord weg. Hij had geen trek meer, bovendien was het eten koud geworden. Emma volgde zijn voorbeeld. Ze had minder trek dan je zou verwachten van iemand die een lange autorit achter de rug had.
'Emma,' begon Paige. Hij was op zijn hoede, 'toen ik je belde om te vragen terug te komen, was dat een test.'
Ze fronste haar wenkbrauwen. 'Een test? Waarom moest je mij testen?'
'Nou, je kon op de gedachte gekomen zijn dat je mij niet meer zag zitten.'
'Daar is nooit sprake van geweest.'

'Nee, dat heb ik inmiddels van je begrepen.'
'Als we alles wat we net hebben besproken op een rijtje zetten, kan ik niet anders concluderen dan dat onze relatie nog levensvatbaar is.'
'Precies,' beaamde Paige.
'Ben je daar niet blij om?' Haar gezicht werd verlicht door de liefste glimlach die hij ooit van haar had gezien.
'Dat wel, maar wat je gedaan hebt, doet nog steeds pijn. Ik heb er nog steeds last van.'
Dat had ze zelf ook. Het spijtgevoel brandde nog vanbinnen. Dat wilde ze hem niet laten zien, nu ze op de goede weg waren. Ze sloeg haar ogen neer. 'En toch wil je het proberen?'
Gedurende het gesprek was Paige strijdvaardig geweest, ten prooi aan allerlei emoties. Nu nam zijn intelligentie het over. 'Sinds je bent vertrokken, loop ik erover na te denken. Wat jij had met die man was ingrijpend maar kortstondig. Het had geen bestaansrecht. Wij daarentegen wel. Het valt me niet licht om mezelf dit voor te houden, maar toch wil ik ervoor gaan.'
Hij stopte met praten. Emma keek hem aan. Daarop had hij gewacht.
'Als ik onze relatie zou beëindigen om reden van jouw overspel met Lorenzo Ramirez, zou het zijn of hij won. Dat wilde ik in geen geval. Bovendien hadden wij veel meer samen dan jij met hem. Dat moest dan toch ook zwaarder wegen?'
'Je hebt gelijk, Paige. Door samen verder te gaan, moeten we dit kunnen overbruggen.' Ze zei het vlak en rustig, maar haar hart bonkte van vreugde. Terwijl ze opstond en naar hem toeliep, zei ze: 'Ik heb nooit iets anders gewild.'
'Zeg het nog eens.' Paige draaide zich bij de tafel weg en trok haar op schoot.
'Ik hoor bij jou, Paige O'Brien.'
'Zo mag ik het horen.'
Op zijn dijen gezeten kuste ze hem, haar hand achter zijn hoofd. Zijn lippen weer op de hare te voelen, zijn tong in haar mond: het was niets minder dan een sensatie. De verleidelijke, sensuele kracht ervan stond gelijk aan de eerste kus die ze hem ooit gaf toen hij nog veroverd moest worden. Andersom gold hetzelfde. Paige kuste haar om haar als de zijne te bestempelen. Het

feit dat ze elkaar al kenden en vertrouwd waren met elkaars lichaam, versterkte dat effect nog.
Door die kus herinnerden ze zich beiden dat ze elkaar al zeveneneenhalve week niet hadden gehad.
'Hebben we genoeg gepraat?' vroeg Paige. Hij hield haar rechterdij stevig vast, zijn linkerhand kroop naar haar borsten.
'Ik geloof dat we het hebben uitgesproken, ja.' Haar lippen kwamen niet echt los van de zijne.
'Zullen we dan nu op zoek gaan naar lichamelijk overleg?' Paiges stem was dik van begeerte.
'Laten we dat maar gauw doen voordat de visite komt.'
'Visite? Wat wou jij nou?' Hij duwde zijn onderlip tegen haar hals. 'Niemand komt erin vanavond.'
Emma genoot van dit geplaag. Heerlijk vertrouwd, deel van het voorspel.
'Maken we dan geen champagne open, om twaalf uur?'
'Je moest eens weten wat ik voor jou opzij heb gezet.'
'En het vuurwerk dan?'
'Dat maken we zelf.'
De tafel, met alles er nog op, bleef ongemoeid. Paige tilde Emma op en droeg haar naar de slaapkamer. In het zachte, gele licht van de bedlampjes vreeën ze met elkaar. Of ze nieuwe geliefden waren die nog geen gezamenlijke historie hadden. Voor Emma stond op de voorgrond hoezeer ze Paige gemist had. Hoe hard ze hem nodig had. Ze vreeën als voor het eerst, maar geleid door de vertrouwensband die ze hadden. Als die niet sterk genoeg was, moest hij het worden, om indringers buiten te houden.
Na de bedreiging waaronder hun relatie te lijden had gehad, bekeek Emma haar lief met nieuwe ogen. Ze had hem zelden mooier gezien dan zo geleund tegen de kussens, prettig verfrommeld door hun vrijpartij.
'Vanwaar die frons, mijn lief?' vroeg ze.
'Wij winnen, hè, Em?'
Er zou nog weleens twijfel boven komen bij Paige. Net zoals bij haar spijt boven kwam. Ze was niet van plan om dit moment te laten verstoren door spoken.
'Lieve schat, we zijn onverslaanbaar.'
Het vuurwerk begon. Het knalde, bonkte, ratelde en siste. Achter de gordijnen lichtte het op in groen, rood en blauw.

Paige trok Emma, gehuld in haar badjas, over zich heen voor een ferme zoen.
'Gelukkig Nieuwjaar, Emma.'
'Gelukkig Nieuwjaar, Paige.'

HOOFDSTUK 9

Emma wilde het moment vasthouden. De wekker bleef onverbiddelijk iedere minuut verspringen, dus hield ze Paige maar vast. Wat ook veranderde, was haar gedachtegang. Ze liep alles nog eens door, vanaf het moment dat ze 's avonds tevoren was thuisgekomen. Het was goed gegaan. Paige had haar hartelijk ontvangen en ze hadden vrijuit en open met elkaar gepraat. Het kwam erop neer dat ze weer bij elkaar waren. Ze gingen het weer met elkaar proberen. Het begin was hoopvol.

Maar ze waren er nog niet.

Ze hadden weer voor elkaar gekozen, maar dat wilde nog niet zeggen dat de moeilijkheden nu voorbij waren. Eén gesprek kon er niet voor zorgen dat de twijfels in één klap de wereld uit waren, al was ze nog zo uitgesproken en eerlijk geweest. Emma voorzag dat Paige nog weleens met vragen zou komen. Hoe dichtbij waren dan de beschuldigingen? Wat zou er gebeuren als er wrijving tussen hen ontstond: zeg jij nou maar niks, jij bent vreemd gegaan tenslotte.

Emma kroop nog dichter tegen Paige aan. En toch kon deze hele episode niet meer als een splijtzwam werken, dat wist ze zeker. Als zij beiden, op eigen kracht, weer bij elkaar waren gekomen, dan was er niets meer dat hen uit elkaar kon halen.

Dat stemde haar gelukkig en hierdoor voelde ze zich opgewassen tegen eventuele, toekomstige problemen.

Tricia kwam in haar gedachten. Haar vriendin zat ver weg in Donegal. De afstand had ervoor gezorgd dat de belofte die Emma haar gedaan had ook verder van haar af was komen te staan. Ze zou hem houden, dat stond vast. Voorlopig was die ene heerlijke waarheid allesomvattend voor haar en ze wilde ervan genieten voordat ze de belofte aan Tricia ging inlossen. Ze was weer terug bij haar lief. Ze kon haar armen weer om hem heen slaan.

Hoe groot haar zorgen ook waren geweest en haar onzekerheid over het voortbestaan van haar relatie, zo groot was haar geruststelling nu, want ze lag toch maar mooi weer tegen Paiges grote, warme lichaam aan. Ze wilde haar man nóg even niet delen met de wereld.

Ze kon het weer doen: haar geheime, innige spelletje spelen dat bij het ontwaken hoorde. De huid tussen zijn schouderbladen kussen en zijn naam fluisteren: 'Paige ... Paige ...'

Hij rolde op zijn rug en ze wensten elkaar goedemorgen, met een kus en een omhelzing.

'Moeten we mensen zien vandaag, of niet?' vroeg ze.

'Het is me op een storm van protesten komen te staan,' zei Paige, 'maar ik heb gezegd dat je alleen van mij bent op deze vrije dag, je eerste dag terug hier. Uiteindelijk accepteerde iedereen het, maar ze willen je graag zien.'

'Er is me heel wat bezorgdheid achternagekomen in Donegal. De hele familie was betrokken.'

'Iedereen?'

'Ja, behalve ...' Emma durfde niet goed verder te praten. Zij was nu zeker niet de aangewezen persoon om verdenkingen rond te strooien.

'Ma?' vulde Paige aan.

'Eh ... ja, inderdaad.'

'Die doet al niet meer normaal sinds jij bent vertrokken. Het lijkt net of ze iets wil goedmaken nadat ze jou adviseerde om weg te gaan. Of ze het achteraf geen goed idee vond van zichzelf.'

Die schuldbewustheid van Maeve kon Emma heel goed plaatsen, maar ze zei er niets over. Het bevestigde haar vermoedens.

'Wat doet ze dan?'

'Ze houdt het huis schoon en doet de was sinds jij weg bent.'

Emma lachte omdat Paige nu juist achter deze praktische oplossing iets zocht.

'Maar daar helpt ze je toch juist mee?'

'Nou ja, dat is natuurlijk wel zo,' gaf Paige toe. Hij had altijd wat moeite een oplossing te accepteren die een ander voor zijn problemen bedacht. Hulp aannemen voordat hij erom gevraagd had, ging hem wat moeizaam af. Het amuseerde Emma telkens weer, dat trekje van Paige. Ik ben weer thuis, dacht ze en verborg haar grijns.

'Ik kan het nu weer doen. Dan is ze weer verlost van die extra taak,' zei ze.
'Dan kan ze wat aan die wazigheid van haar doen.'
'Wazigheid?' Nu schrok Emma toch. Mankeerde Maeve iets? Werd ze dement? Als Maeve echter net zo lang wazig was als Emma in Donegal was geweest, dan wees het meer in de richting van een schuldig geweten. 'Dus dat bedoel je met niet normaal doen?'
'Ja, af en toe is ze net een kip zonder kop.'
'Nou, je maakt me wel een beetje bezorgd.' Emma voelde zich een verrader. Ze kende de oorzaak van Maeves gemoedstoestand, maar ze kon niets zeggen. Nu zij de waarheid wist, was het bijna onvoorstelbaar dat Paige niets wist van zijn halfzusje.
'Vandaag kom je er niet heen, dame. Bezorgd of niet.'
'Rustig maar. Ik vind het heerlijk dat we een dagje elkaars exclusieve bezit kunnen zijn.'
'Heb je niet aan je moeder gevraagd waarom ze zo afwezig was?'
Paige verdraaide zijn stem: 'Oh lieverd, ik heb gewoon een beetje veel aan mijn hoofd.'
Zijn stem zakte weer. 'En daar moest ik het mee doen.'

Later zaten ze, gedoucht en gehuld in badjassen, aan het ontbijt. 'Heb je er met niemand over kunnen praten?' vroeg Emma. In haar hoofd verscheen een soort blauwdruk van zijn karakter en daarom voegde ze eraan toe: 'Of wilde je dat niet?'
'Ik vond het niet iets om in wijde kring bekend te maken.'
Het was een indirecte aantijging, die Emma gevoelig raakte. Ze reageerde er niet beschuldigd of gekwetst op. Er moest een brug gebouwd worden. Die werd met stekeligheden geplaveid. Zelfs Tricia had al zoiets gezegd. Emma was niet van plan klakkeloos alle bezwarende argumenten over haar kant te laten gaan. Ze vond het echter belangrijker om vast te houden aan de nieuwe, duur betaalde inzichten die ze in Donegal had opgedaan.
'Ik heb het ook niet over mijn aandeel,' zei ze op neutrale toon, 'maar over jou. Had je niet de behoefte om je hart 'es te luchten?'
'Oh, Em, daar had ik helemaal geen tijd voor. Bovendien, de

enige broer met wie ik dit had willen bespreken, kwam zelf al meteen met verdenkingen.'
De toost sprong op uit het broodrooster. Paige legde het op zijn bord. 'De persoon met wie ik echt vertrouwelijk ben, met wie ik echt kan kletsen, was weg.'
De blik uit zijn gewolkt-blauwe ogen was genoeg om haar verliefd te laten worden, als ze het niet al was. Eén zin daarvoor had hij haar geraakt met een kwetsende opmerking. Nu zat hij met zijn compliment weer op het gebied van banden aanhalen. Paige speelde een vreemd spelletje van afstoten en aantrekken. Hij was zich dat niet eens bewust. Dat was zij zich wel van zijn suggestie dat ze nog steeds zijn maatje was. Daarbij voelde het voor haar als een enorme winst dat ze de nuances nu afzonderlijk kon onderscheiden. Zonder die fijn afgestemde antenne van haar waren ze wellicht in een ruzie beland.
Ze had echt heel wat geleerd in Donegal.
Van een beetje vrouwelijk raffinement was ze echter niet vies. 'Neem ik die plaats nog steeds in?' Het was zuiver gezegd om zijn reactie te testen.
'Zie jij iemand anders?' zei Paige, lekker bot, het hele geval afdoend als niet zo belangrijk.
Emma had voor haar vertrek niet kunnen bedenken dat ze naar huis zou terugkeren met nieuwe verworvenheden. Op weg naar Donegal was ze een wanhopig en verdrietig mens geweest, die geen uitweg zag uit haar problemen. Ze had zichzelf diep laten wegzinken.
Het was door Tricia's toedoen dat ze ze te boven was gekomen. Dat er nog een stuk persoonlijke ontwikkeling achteraan was gekomen, was haar eigen verdienste.
Paige had zoiets niet meegemaakt. Geen tijd, had hij gezegd, niemand voorhanden om mee te praten. Ze wist ook dat psychologiseren hem niet zo erg lag. Zij was wel gegroeid. Lag Paige nu achter?
Ze keek naar haar lief. Zijn mooie handen waren bezig een toostje te besmeren.
Dom van me, dacht ze, zo werkt het niet. Nergens ter wereld konden mensen dezelfde groei doormaken in dezelfde periode. Zelfs al waren ze elkaar nog zo na.
Waarom zou ze gelijkheid tussen haarzelf en Paige nastreven?

Het was waarschijnlijk verstandiger om de verschillen toe te juichen. Zolang dat binnen de ruimte van hun relatie kon, was het goed.
Die gedachte stemde haar blij. Ze kon hem nog wat leren ... en hij haar.
'We hebben de zaken omgedraaid, hè?' zei ze.
'Wat bedoel je?' Paiges wenkbrauwen waren een frons.
'Wat jij net zei: Aidan kwam met verdenkingen.'
Zijn grijns zei dat hij haar begreep.
'Wat je bedoelde, was eigenlijk: hij raadde de waarheid.'
'Hm-mm.' Paige knikte. 'En die wilde ik verborgen houden.'
'Vind je het niet opmerkelijk dat we ons, zonder het van elkaar te weten, van dezelfde smoes bedienden?'
'Ja, nu je het zegt. Dat legt de zwaarste druk op jou, Emma. Maar je zei dat je gewerkt had.'
'Ik kan je geruststellen. Er liggen zeventien doeken achter in de auto.'
'Dat is best veel. Je hebt echt niet stilgezeten.'
En dat kun je ruim nemen, dacht ze. 'Ik heb meer dan genoeg doeken voor de expositie. Ik wil er tien insturen.'
'Die wil ik dan nog wel zien voordat ze weggaan.' Paige aarzelde. 'Even terugkomend op wat je net zei. Wat moeten we met dat verhaal?'
Een trage glimlach verspreidde zich over haar gezicht. 'Waarom maak je je zorgen, mijn lief? Kijk 'es naar ons, we zijn toch weer bij elkaar? Roddels, of beter, de achterhaalde waarheid kan ons niet meer deren.'
'Je meent het ook nog en het mooiste is, je hebt nog gelijk ook.'

Paige hielp met het uitladen van de auto. De tassen zetten ze op de overloop. De schilderijen stonden door de hele kamer, op stoelen, tegen tafelpoten.
'Het thema ...' stelde hij, rondkijkend, vast: '...is water.'
'Dat heb je gauw door,' plaagde Emma.
Paige bekeek de doeken en liet er zijn hoogste lof op los: 'Mooie dingen.'
'Nou, nou, en dat komt van een kenner.'
Het maakte Emma niet zoveel uit wat Paige van de schilderijen vond. Hij mocht het rotzooi vinden. Wat voor haar belangrijker

was, was de sfeer waarin ze weer bij elkaar waren. Ze genoot van haar Ierse lief.
Ze kroop in zijn arm en legde uit hoe de doeken ontstaan waren.
'Ik verlang naar The Stables,' zei ze, met haar armen rond Paiges middel.
'Morgen.' Hij kuste haar kruin. 'Je studio wacht nog wel een dagje.'
'Jawel, maar toch ... Ik wil ook weer een kijkje nemen op de Hall. Ik wil iedereen weer zien. Niet alleen jou heb ik gemist. Ik heb ze allemaal gemist.' Ze zweeg even en stelde zich de ontmoeting met Paiges zusters en de werknemers van de Hall voor. Ongetwijfeld kwamen er dan de nodige vragen op haar af. Met een iets meer timide stem voegde ze eraan toe: 'Ik zie er ook wel een beetje tegen op.'
Paige had al ruim zeven weken vragen beantwoord of ontweken. 'Je zult erdoorheen moeten.'

Hoezeer Emma er ook naar verlangde om weer als vanouds aan het werk te gaan in The Stables, het liep anders. Het was niet meer dan fatsoenlijk om als eerste bij Maeve langs te gaan. De hele familie O'Brien en alle medewerkers van de Hall waren op de hoogte van het feit dat Emma op Oudejaarsdag zou terugkeren en ze wilden haar allemaal zien, maar haar schoonmoeder ging voor. Emma wilde haar netjes bedanken voor het waarnemen van de huishoudelijke taken en zeggen dat ze dat nu zelf weer op zich nam.
Het was een bezoek dat ze alleen wilde afleggen, omdat er ook dat andere onderwerp was om te bespreken. Paige kon zich niet langer vrijmaken, dus moest ze wel alleen en dat kwam goed uit. Uit wat Paige haar had verteld over het gedrag van zijn moeder, begreep Emma dat Maeve in de knoei zat. Ze legde als het ware haar schuldbekentenis al neer. Uitstel had geen zin. Op een kromme manier wachtte Maeve af wat Emma's bevindingen waren. Hoewel ze Emma op slinkse wijze met een probleem had opgezadeld, had ze wel een juiste inschatting gemaakt van de intelligentie van haar schoondochter. Uit het feit dat Maeve geen contact met Emma had opgenomen tijdens haar verblijf in Donegal, kon herleid worden dat Maeve aannam dat ze de

waarheid zou achterhalen. Het probleem zat Maeve te hoog om erover te kunnen zwijgen, dus het enige wat ze kon doen was contact vermijden. En dat zei eigenlijk nog veel meer.
Het was deze gedachtegang die Emma hielp haar zenuwen in bedwang te houden, want, hoe sterk haar vermoeden was, zekerheid had ze nog steeds niet.
Maeve, die bezig was geweest met het opruimen van de kerstdecoraties, deed open met de slingers in haar hand.
Emma, die haar bezoek expres niet aangekondigd had, wachtte af wat haar reactie zou zijn. Maeve schrok niet van haar schoondochter, haar gezicht lichtte blij verrast op.
'Emma!' riep ze uit, ze omhelsde haar hartelijk. 'Je bent weer terug!'
'Hallo Maeve,' zei Emma, over diens schouder heen, 'ja, ik ben weer terug. Maar je wist dat ik op Oudejaarsdag terugkwam.'
'Jawel, maar nu geloof ik het pas. Nu is het pas goed.' Ze liet Emma los. 'Kom binnen. Let niet op de rommel. Ik wilde de kerstboel opruimen.'
'Als ik niet gelegen kom, moet je het zeggen, hoor.' Emma wist wel dat Maeve dat weg wuifde.
'Maak het nou! Jouw bezoek is wel even belangrijker dan de kerstboom. Ik zet gauw koffie.'
Emma volgde Maeve naar de grote, lichte keuken, vergezeld door de Golden Retrievers, Flaherty en O'Shea. Ze nam plaats aan de eettafel. Maeve leunde half omgedraaid tegen het aanrecht. Ze hield de koffiekan onder de kraan. 'Ik ben zo blij dat je weer bij Paige terug bent.'
Emma glimlachte voordat ze antwoord gaf. Ze zette in gedachten weer snel op een rijtje waarvoor dit bezoek diende en op welke manier ze haar zenuwen in bedwang kon houden. In Donegal had ze veel over de familie O'Brien geleerd, maar nog meer over zichzelf. Dat nieuwe zelfbewustzijn had haar de kracht en de wijsheid gegeven om op de goede manier de banden met Paige weer aan te knopen, of beter, te verstevigen. Zo wilde ze ook de confrontatie aangaan met Maeve. Beheerst, in de wetenschap dat ze het kon. Ze ging de waarheid niet meer uit de weg.
'Ik ben ook dolblij dat ik weer terug ben. Ik betreur nog steeds de aanleiding van mijn vertrek, maar een tijdje in een andere omgeving heeft me goed gedaan.'

'Dat stelt me gerust. Ik heb je weliswaar geholpen met dat nogal overhaaste vertrek. Op dat moment leek het het juiste. Achteraf heb ik erg getwijfeld aan die opwelling.'
Het was de perfecte opening. Emma was niet bang om Tricia ter sprake te brengen, maar Maeve gaf zelf al een voorzet.
'Was dat je enige beweegreden?' vroeg Emma.
'Ja, op dat moment leek het me het beste om dat te doen, wat Paige in zijn boosheid voorstelde.'
'Ons uit elkaar halen?'
'Inderdaad, om verdere schade te voorkomen.' Ze gebaarde naar Emma. 'Zie je wel, zelfs nu jij het zo zegt, klinkt het weer als bemoeizucht.'
'Maar dat realiseerde je je pas nadat ik was vertrokken.'
'Toen ik er nog 'es over nadacht, leek het me niet goed. Het had ook anders gekund.'
'Hoe dan?'
'Door te bemiddelen, misschien?' Maeve haalde haar schouders op.
Nee, bedankt zeg, dit was bemiddeling genoeg, dacht Emma. En Maeve had behoorlijk bemiddeld. Op een ander terrein.
'En Tricia O'Connor was de eerste die in je opkwam als vluchtadres.'
'Gezien de omstandigheden waarin jij verkeerde, leek Tricia mij een goede keuze. Kon je goed met haar opschieten?'
'Oh ja. We zijn goede vriendinnen van elkaar geworden.'
'Fijn om te horen. Uiteindelijk heb je erbij gewonnen.'
Emma lette op tekenen van toenemende nervositeit bij haar schoonmoeder. Met haar raadselachtige gedrag en het vermijden van contact had ze duidelijk in een bepaalde richting gewezen, maar nu leek ze de ontmaskering te willen uitstellen. Het vroeg om een tactische benadering. Hoe Maeve er ook in stond, als Emma beschuldigingen ging uiten, kon ze het vergeten.
'We hebben veel gepraat, Tricia en ik. Door die gesprekken heb ik een andere kijk op mezelf en op mijn relatie met Paige gekregen.'
'Oh ja, ik geloof je meteen. Daar is ze verstandig genoeg voor.'
'Ik leerde Tricia ook steeds beter kennen. Het was voor het eerst dat ik iemand ontmoette die kwam van een achtergrond zoals ik zo vaak in boeken heb gelezen.'

'Een zelfstandige heldin?' probeerde Maeve. Als afleiding was het een mislukking. De kopjes werden rinkelend op de schoteltjes gezet. Ze probeerde niet te ontsnappen, maar ze werd nerveus nu ze klem werd gezet.
'Een liefdeskind, of zoals ze zelf zei: een bastaard.'
Maeve zei niets. Ze wreef haar handen onder tafel en trok een gezicht of ze een nieuwtje hoorde. Wat jammerlijk mislukte.
'Ze heeft altijd geweten dat haar vader Patrick O'Brien heette. Maar pas toen ik bij haar was, hoorde ze dat hij jouw man was.'
'Oh!' kreet Maeve. Ze sloeg haar handen voor het gezicht. Het was een gekweld gebaar en haar uitroep bestempelde het hele verhaal als de waarheid.
In een fractie van een seconde was het gevoel van misplaatst zijn compleet. Emma was ontegenzeggelijk op de waarheid gestuit. Maeves reactie zei genoeg. Opeens hield de emotie, die haar had gedreven, op. Ze was verontwaardigd geweest. Maeve had haar op slinkse wijze opgezadeld met een missie, terwijl ze zelf al genoeg aan haar hoofd had. Ze was bij haar schoonmoeder gekomen om haar te confronteren. Nu ze de waarheid door Maeve bevestigd zag, vroeg ze zich af waar ze de moed vandaan had gehaald om haar de feiten onder de neus te houden.
Emma bedacht dat ze dat recht niet had. Het was haar plaats niet. Wie was zij nu helemaal? In een verkillend moment voelde ze zich onthecht en wenste dat ze weer terug was in Nederland, terug in een oud, simpel leven.
Dat ze hard op weg was om een succesvolle schilderes te worden, met een eigen atelier, met een lieve vriend, een mooi huis en een heerlijk leven op het Ierse platteland was ze vergeten. Ineens stond op de voorgrond dat ze Maeve verdriet bezorgde en dat haar relatie misschien nog kon afspringen om de grootse stommiteit die ze had begaan. In dat ene moment leek het of ze alles kwijt was. Het gevecht om haar leven in Ierland terug te krijgen leek beslist in haar nadeel, want ze had weer een enorme blunder begaan.
Geknield naast haar schoonmoeder, een arm om haar schouders, drong het voor het eerst tot haar door wat het voor Maeve betekende. Tot dat ogenblik had ze het geheel bekeken vanuit de visie van de O'Brien-kinderen en die van Tricia. Ze voelde verzet tegen de intrige van Maeve. Nu besefte ze pas dat deze

vrouw eigenlijk de meest bedrogene van allemaal was.
Emma wreef de schouders van de oudere vrouw. Ze leek verloren. Net zo verloren als Emma zich voelde.
Maeve deed een greep naar de doos tissues om haar tranen te deppen. 'Heb je dit aan Paige verteld?'
Emma, die trilde omdat ze de rol die ze speelde in dit geheel, niet meer aankon, zei naar waarheid: 'Nee.'
Maeve stipte precies de mysterieuze kant aan die om het verhaal heen hing.
'Toen dit uitkwam,' begon Emma, 'heb ik er veel over gepraat met Tricia. We begrepen algauw dat je speciaal naar haar op zoek bent gegaan, maar dat je je kinderen niets heb verteld. Je hebt daar vast een bedoeling mee. Het was dus niet aan mij, vond ik, om snel het nieuwtje te verspreiden.'
'Dank je dat je zo betrouwbaar bent, Emma.'
Daar denkt Paige waarschijnlijk anders over, dacht ze, met een scheve glimlach.
'Wat wil je ermee, Maeve?' vroeg ze fluisterend, maar nadrukkelijk.
'Lieve kind, ik weet het niet. Ik kom er niet uit.' Het bracht nieuwe tranen teweeg.
'Na je vakantie gaf je hoog op van Tricia.'
Ze knikte. 'Je hebt haar nu zelf ontmoet. Wat vond je van haar?'
'Tricia is geweldig. Ze is een sterke, zelfstandige en heel wijze vrouw. Een type dat je graag als vriendin wenst.'
'Of als dochter.'
'Ik ben van mening dat je Tricia verloochent als je haar niet in de familie introduceert.'
'Dat ben ik helemaal met je eens.'
'Waarom doe je het dan niet?'
'Ik zeg niet dat ik het niet zal doen. Ik vind het nu nog steeds te moeilijk. Ook voor mezelf.'
Daar was het dus weer. Die onbelichte kant van de zaak. Wat had het betekend voor Maeve?
'Na Patricks dood heb ik er jaren voor nodig gehad om dit probleem te plaatsen. Afgelopen zomer – toen pas, tien jaar na zijn overlijden – was ik zover dat ik mijn stiefdochter wilde zien. Dat ik het aankon.'
'Sinds wanneer weet je het?'

'Vlak voordat Patrick overleed heeft-ie het mij verteld.'
'Hij stierf toch aan een fatale hartaanval?' Emma begreep niet hoe Maeves man haar nog van tevoren had kunnen inlichten.
'Hij kreeg er twee, niet lang na elkaar.'
Emma begreep dat Paiges vader, toen hij zijn sterfelijkheid onder ogen moest zien, zijn geweten had willen zuiveren.
'Geloofde je hem?'
'Ik wilde hem niet geloven, maar ik kon er niet onderuit. Hij liet me een kopie van de geboorteakte zien. Daar was een briefje aan gehecht. Wacht, ik pak het even.'
Maeve liep naar haar secretaire in de woonkamer.
Het klopte met de informatie die Emma van Niamh McAfee had gekregen. Tricia's moeder had het document opgestuurd zo'n twee maanden na de geboorte van haar kindje, in juni 1969. Toen Emma haar had bezocht, had Niamh verteld dat ze vond dat ze een daad moest stellen. Op dat moment, zo bekende ze, was ze nog steeds verliefd op de vader van haar baby. Patrick had het recht om te weten dat hij vader was geworden. Niamh was op dat moment te naïef geweest om te beseffen dat hij ook de plicht had om het te weten. Om het gezin niet te verontrusten, had ze haar brief naar het kantooradres van Patrick gestuurd. Hij had niets met de informatie gedaan. Nadien was Niamh weer teruggekeerd naar het keurslijf van normen en waarden zoals die door haar ouders werden gehanteerd. Pas jaren later zou ze daaraan voorgoed ontsnappen. Patrick had nooit meer iets van zich laten horen.
Het werd aan Niamh overgelaten om in het gareel te komen met haar onmogelijke liefde, haar woede en verdriet, om nog maar te zwijgen over de praktische problemen die het opvoeden van haar dochter als alleenstaande moeder met zich meebrachten.
Hoe dat het geweten van Patrick O'Brien had belast, was een interessante vraag. Eentje waarop het antwoord niet meer kon worden gegeven.
Het document dat Maeves leven overhoop had gehaald, lag voor de greep, want ze keerde bijna onmiddellijk terug.
Emma bekeek de akte en hoorde opnieuw de stem van Niamh.
'Het werd me door mijn ouders verboden om zijn naam als Tricia's vader te laten registreren. En ik liet me dat welgevallen.'
Het regeltje waar de naam van de vader moest worden ingevuld

was inderdaad leeg. Het bijgevoegde briefje zei daarentegen veel meer:

Lieve Patrick,
Dit is het geboortebewijs van onze dochter, die ik naar jou heb vernoemd. Ik dacht dat je dat moest weten. Ik wou dat je haar kon zien. Ze lijkt op jou.
Je immer liefhebbende Niamh O'Connor.

Het vergeelde briefje sprak van een onderdanigheid die Emma had laten walgen als ze niets van de toedracht en de persoon erachter had geweten.
Twee velletjes papier lagen op de keukentafel, oud en vergeeld. Op de vouwen waren ze dun geworden. Stille getuigen van hoe een aantal levens waren beïnvloed. Met een gebaar dat als eerbied kon worden uitgelegd, schoof Emma ze weer in elkaar.
Ze bedacht wat de consequenties waren geweest van haar overspel met Lorenzo. Het had haar bijna haar relatie gekost, had haar bestaan kunnen kosten, terwijl het maar een éénmalig karakter had gehad. Patricks overspel met Niamh had een kind opgeleverd. Dat maakte de gevolgen niet te overzien.
Het drong de vergelijking op dat haar misstap bijna futiel was geweest. Ze duwde die gedachte weg. Hij deed niet terzake, zeker niet als excuus.
'Tja ...' Emma was onder de indruk van de enormiteit en de diversiteit van dit probleem. 'Dan moet je het wel geloven.'
'Zelfs als dit nog enige ruimte voor twijfel laat, dan hoef je Tricia maar te zien.'
'Dat klopt,' bevestigde Emma. 'Ik zag meteen de gelijkenis met Margreth aan haar. Hoe langer ik haar kende, hoe meer ik ook van Paige in haar zag.'
'Dat zijn de dominante O'Brien-genen.'
'Al die jaren heb je hier alleen mee getobt. Heeft niemand ooit iets aan je gemerkt? Gevraagd wat er aan de hand was?'
Paiges moeder schudde haar hoofd. 'Nee, nooit. Maar dat was ook niet zo gek. Niet lang nadat dit uitkwam, stierf Patrick. Dat je verandert omdat je in de rouw bent om je man, daar kijkt niemand van op. Ik heb me daar niet bewust achter verstopt. Ik rouwde echt.'

'Het lijkt me dat je twee verliezen te verwerken had.' Emma fluisterde. De omvang van Patricks nalatenschap tekende zich steeds duidelijker af. Ze voelde geen boosheid of verontwaardiging meer jegens Maeve. Patrick had haar opgescheept met een loodzware gewetenslast. De manier waarop Maeve daarmee was omgegaan getuigde van eindeloos geduld en opoffering. Wrok had hier geen plaats.
'Als Patrick nog had geleefd, dan had ...' begon Emma en Maeve vulde aan: 'ik nog nooit van het bestaan van Tricia geweten. Je hebt gelijk. Daar mogen we van uitgaan. Hij heeft zijn geheim tenslotte vierentwintig jaar voor me verborgen weten te houden. Dat is nou juist het punt wat me zo dwarszit.'
Opeens begreep Emma het stilzwijgen van haar schoonmoeder in de jaren na haar man's dood en tijdens haar verblijf in Donegal. 'Je schaamt je.'
De koffie was allang koud geworden. De bekentenissen vergden veel van Maeve en ze verpletterden Emma. Hun handen wilden niets liever dan elkaar vasthouden.
'Ik schaam me dood.' Het leek zowel een opluchting om het te kunnen zeggen als een bevestiging voor wat Maeve zag als tekortschieten. 'Moet je je voorstellen, Emma, daarginds in Donegal groeit een kind op. Dat kind heeft niet om het leven gevraagd. Haar vader laat zich niets aan haar gelegen liggen. Ik dacht dat ik Patrick kende, maar hij liet niets heel van zijn nagedachtenis. Bovendien vind ik mijn eigen rol niet verheffend, omdat het zo lang heeft geduurd voordat ik kennis met haar ging maken. Nadat ik mijn stiefdochter had leren kennen, durfde ik niet te bekennen wie ik was.'
'Dat vind ik niet gek, als jij je zo schaamde.'
'Maar ik had toch een verplichting tegenover Tricia!'
'Een plaatsvervangende verplichting, Maeve. Neem me niet kwalijk dat ik het zeg. Toen Patrick op zijn sterfbed alles aan jou opbiechtte, heeft hij niet meer gedaan dan het probleem bij jou neerleggen. Dat was wel het toppunt, terwijl hij het bij zijn leven ook al niet zo erg netjes heeft gedaan.'
'Je hebt gelijk. Gek genoeg trek ik het me nog altijd aan als er iets negatiefs over Patrick wordt gezegd. Ik schijn zijn nagedachtenis mooi te willen houden. Als jij hem beschuldigt, voelt dat voor mij ongemakkelijk.'

Onder druk van de omstandigheden had Emma zich laten meeslepen en onomwonden gezegd wat ze van Patrick dacht. De woorden galmden na door het vertrek. 'Sorry,' zei ze.
'Geeft niet. Ik kan het wel aan.' Maeve maakte haar handen los van die van Emma. Ze trilden hevig. 'Kijk, dit doet het met me, maar het is een opluchting om erover te kunnen praten.'
Het was aan haar houding te zien dat ze zich opgelucht voelde. Maeves rug werd rechter, alsof ze de last van zich afschudde.
'Maar een oplossing heb je niet.'
'Het blijft moeilijk, dat klopt. Moet ik het mijn kinderen wel vertellen? En zo ja, hoe? En Tricia? Is zij gediend bij de wetenschap dat ze zeven stiefbroers en –zusters heeft?'
Emma onderbrak haar. 'Nu ben je abuis, Maeve. Tricia heeft altijd geweigerd naar het verhaal van haar herkomst te luisteren. Voor hetzelfde geld was ze altijd al op de hoogte. Inmiddels weet ze alles. Ik heb haar gevraagd of ze haar stiefbroers en –zussen wilde leren kennen en ze zei ja.'
'Juist. Wel, dat weet ik dus nu.'
Emma pakte de trillende handen van haar schoonmoeder opnieuw vast, in een greep die ook niet meer zo ferm was. 'Maeve, mag ik heel eerlijk zijn?' vroeg ze.
'Oh, alsjeblieft, lieve kind. Het is ondertussen te laat voor mooie smoesjes, vind je ook niet?'
Emma knikte. Het werd hoog tijd dat de waarheid gezegd werd, maar daarom was er nog wel moed voor nodig.
'Met respect voor alles wat je hebt doorgemaakt, maar je hebt het probleem wel zelf in stand gehouden.'
Zo, het kon niet meer ongezegd worden gemaakt.
'Wat bedoel je?' Ze reageerde geschrokken.
'Noem het je moederinstinct dat ervoor heeft gezorgd dat je al je kinderen, inclusief Tricia, hebt willen beschermen.'
'Eh ...' De geheel nieuwe invalshoek trof haar als een kaakslag.
'Je houdt zoveel van je kinderen ...'
'Ook van Tricia,' wierp ze er met een klein stemmetje tussen,
'dat je ze geen pijn hebt willen doen. Je hebt alles op je eigen schouders geladen. Tot welke prijs, Maeve? Het moet je verteerd hebben. Je hebt voor ze gedacht. Je kinderen zijn volwassen. Ze zullen elk op hun eigen manier met de waarheid moeten omgaan. Bovendien ...' Emma pauzeerde even. Ze stond op het

punt om iets te zeggen waardoor ze ofwel haar schoonmoeder een oplossing kon bieden, ofwel het huis uit geschopt zou worden. Maar ze zei het toch. '...jij zwijgt nu ook. Nog steeds. Was dat niet hetgeen je je man zo kwalijk nam?'
Opnieuw kromp Maeve ineen, de handen voor het gezicht, zoals aan het begin van het gesprek toen Emma haar ontdekking op tafel legde.
Ze was te ver gegaan. Wat voor belachelijke, ondoordachte overmoed zorgde er steeds voor dat ze zulke gigantische flaters sloeg? Hoe kon ze zo onbeschoft en bot zijn tegen haar schoonmoeder? Emma wou dat ze door de grond kon.
Maeve kermde achter haar handen. Het geluid sneed Emma door de ziel. Paige schopt me alsnog terug naar Nederland als hij hoort hoe ik zijn moeder gebruuskeerd heb, dacht ze, ik heb alle krediet verspeeld.
Maeve liet haar handen zakken. Met verbazing keek Emma naar het glimlachje op haar gezicht. De honden maakten ook kleine geluidjes, gevoelig als ze waren voor stemmingen en sferen.
Emma kon niet uit over haar arrogantie.Waar haalde ze die opeens vandaan? Haar verbazing steeg tot verbijstering toen Maeve haar optrok van de stoel en haar in een innige omhelzing sloot. Zeker mijn laatste, ging het door haar heen.
Lachend, maar met de tranen nog op haar wangen, zei Maeve: 'Wat ben ik blij dat jij mijn schoondochter bent!'
Maeve hield Emma's gezicht stevig omvat, dus haar woorden klonken een beetje vervormd toen ze zei: 'Weet je het zeker? Het schijnt dat ik de meest botte opmerkingen kan maken.'
'En dat mag je en dat kun je. Je hebt me zojuist laten zien hoe het werkelijk zit. Een eigen dochter had dat waarschijnlijk niet gezien. Of het niet durven zeggen. Dat jij een schoondochter bent, geeft je net dat beetje meer afstand om het helder te zien en het te durven zeggen.'
'Dus je vindt het niet erg?'
Maeves handen lagen nu op Emma's schouders. 'De waarheid doet altijd pijn. Maar daarom moet hij nog wel gezegd kunnen worden. Ik ben blij dat je zo slim en zo moedig bent.'
Voor Emma voelde het nog niet zo goed. Maeve liet het klinken of ze uit louter goede eigenschappen bestond. Ze was net zo feil-

baar en kwetsbaar als ieder ander. Alleen wel slim genoeg om van haar fouten te leren en niet te laf om haar levenswandel onder de loep te nemen. Daar was wel eens hulp van een buitenstaander bij nodig. Emma was ervan overtuigd dat, als ze Tricia niet had leren kennen, ze niet de moed en de tact had gehad om dit gesprek met Maeve te hebben.
'Als ik je goed begrijp,' begon Emma, voorzichtig tot een conclusie komend, 'heb je zojuist min of meer gezegd dat je het inderdaad aan je kinderen gaat vertellen dat ze nog een zuster hebben.'
'Ja. Dat wilde ik altijd al, maar ik zag te veel obstakels.' Ze dacht even na. 'Ja, ik ga het vertellen. Dat geeft mij ook de kans om weer aan mijn eigen leven toe te komen.'
'Bravo!' juichte Emma. Ze kende haar schoonmoeder niet als weifelachtig maar dat was ze wel geweest waar het de geestelijke erfenis van haar echtgenoot betrof. Nu nam haar kordate kant dat gedeelte over.
'Ik ben lang genoeg opvangbak geweest, vind je niet, Emma?'
'Ik dacht het wel. Ik bewonder je moed om het roer om te gooien.'
'Moed?' reageerde Maeve verbaasd. 'Mmm, ik weet het niet. Het is ook een stukje eigenbelang om uit deze beknelling te komen.'
'Toch zul je je moed hard nodig hebben bij de bekendmaking.'
Hoewel Emma volledig op de hoogte was, piekerde ze er niet over om ook maar iets weg te geven. Maeves moment van zelfoverwinning moest helemaal de hare zijn, al zou het moeilijk worden. Ze wilde er wel graag bij zijn. 'Hoe ga je het doen?'
'Ja, daar zeg je zowat. Zoiets heb ik nog nooit bij de hand gehad. Ik denk dat ik de kinderen bij elkaar wil hebben. Ik ga het niet zeven keer vertellen.'
Emma zag de onthulling aan haar neus voorbijgaan. 'Met aanhang?'
Maeve, daarentegen, moest haar verlegenheid opzij zetten. Ze zag het publiek liever kleiner dan groter. Onder Emma's aandrang, zei ze: 'Met aanhang ... natuurlijk.'
'Nu nog een geschikt tijdstip uitzoeken.'
'Het lijkt wel of ik terugkrabbel, maar ik heb nog even tijd nodig. Je kunt het moed verzamelen noemen. Ik heb zo lang met

die veronderstellingen geleefd, nu moet ik ineens een ander standpunt innemen. Het juiste, zoals je mij terecht duidelijk hebt gemaakt. Maar ik moet eraan wennen.'

Maeve zweeg, ze dacht na. 'Het voelt als het roer omgooien, zoals je net zei. Dat is voor mij moeilijker dan voor iemand van jouw leeftijd. De jeugd is flexibel. Ik was jong in een andere tijd.'

Emma hoorde de echo van Niamh's stem: 'Het was een andere tijd, Emma!'

'Jullie generatie is mondig en wereldwijs. Die van Patrick en mij was veel bekrompener. Onze ouders hadden zoveel macht over hun kinderen. Ik heb een aantal van hun denkbeelden overgenomen.'

'Valt best mee. Juist daarom vind ik je zo'n geweldig mens. Je weet je wijsheid heel modern vorm te geven.'

'Nou, dat zie je. Niet over de gehele lijn, dus.'

'Nee, dat klopt. Maar daar ga je toch iets aan doen? Beter laat dan nooit.'

'Het bedrog van Patrick heeft me een enorme les geleerd. Over het leven en ... over mijn huwelijk.'

De onderwerpen die nauwelijks aangeroerd waren in het gesprek, kwamen nu aan de oppervlakte: de teleurstelling en de pijn die ze moest hebben ondervonden.

'Het wordt nu weleens tijd om die les af te sluiten. Het enige goede dat ik hieraan heb overgehouden is dat ik wijzer geworden ben. Gegroeid ben.'

Uit recente ervaring wist Emma: 'En groeien doet pijn.'

'En of dat pijn doet. Nu begrijp ik waarom ik het niet heb kunnen afsluiten. Ik ging er verkeerd mee om. Jij hebt mij het sluitstuk overhandigd.'

'Weet je dat wel zeker? Het lijkt mij dat je er een soort doorstart mee gaat maken.' Emma zag de storm van reacties van de zeven O'Brien-kinderen voor zich. Het was nog niet afgelopen, Maeve was pas halverwege.

'Toch wordt het niet slechter, daar heb jij mij zojuist van overtuigd.'

'Dat snap ik niet.'

'Je verweet mij daarstraks dat ik voor mijn kinderen gedacht heb. Je hebt gelijk. Daarin kun je zelfs aanmatiging zien. Als ik

het binnenkort bekendmaak, kan het gebeuren dat ik begrip krijg.'
'Die kans moet je jezelf geven. Hoog tijd.'
'Zullen ze denken dat ik naar medelijden hengel?'
'En zo ja? Wat doe je daaraan?'
'Emma!' lachte Maeve. 'Jij bent me een wereldwijze tante, zeg!'
'Dan nog maar sinds kort, hoor. Sinds Tricia me de ogen opende. Wat overigens ook behoorlijk pijn deed.'
'Ja, Tricia .... Tenslotte doen we het ook voor haar, nietwaar?'
'Ze wacht erop.'
'Dat wachten moet beloond worden. Uiteindelijk treft Tricia geen schuld. Het is een lieve meid en ik hou oprecht van haar.'
Maeve keek naar haar handen. Het was moeilijk om toe te geven hoe je door je gevoel in de boot kon worden genomen. Met het probleem waarmee Patrick haar had opgezadeld was ze niet erg rechtlijnig omgegaan. Maeve schreef dat toe aan haar eigen achtergrond. Ze was dom gehouden, geconditioneerd voor katholiek schuldgevoel. Opgegroeid om de tweede viool te spelen, achter haar man, niet gelijkwaardig aan hem. Als gevangene van een verouderde mentaliteit had ze niet geweten hoe ze moest omgaan met het bedrog van haar man. Het was ook niet niks om om te gaan met de wetenschap dat je huwelijk eigenlijk een leugen bedekte. Des te grootmoediger stak Maeves poging daarbij af om in contact te komen met het buitenechtelijke kind van Patrick. Zelfs haat was te begrijpen geweest. Het moest voor Maeve een verrassing, of zelfs een schok, zijn geweest toen ze ontdekte dat ze van Tricia kon houden.
'Ik wil me wat zekerder van mezelf voelen voordat ik het vertel.'
'Pas op, Maeve, dat kun je eeuwig voor je uit blijven schuiven. Misschien kun je een datum prikken. Dan weet je dat je op die dag je moed bij elkaar moet hebben.'
'Zit wat in.' Paiges moeder overwoog die suggestie. 'Het moeilijkste hiervan is dat ik mijn kinderen een illusie moet ontnemen. Het beeld dat zij van hun vader hebben, klopt niet.'
Emma klakte met haar tong. Dat kon ze zich goed voorstellen. Er zat echter een andere kant aan. 'Je zet jezelf er wel reëler mee neer.'
'Huh?'
'Je was bang om over te komen als iemand die naar medelijden

hengelt. Ik denk eerder dat je bewondering zult oogsten, omdat je zo dapper bent.'
'Als ik me Aidans reactie voorstel. Oef! Die heeft zo'n scherpe tong. Bij hem hoef je niet met flauwekul aan te komen.'
'Dan zal hij juist één van de eersten zijn die de waarheid accepteert.'
Wat gek, dacht Emma, dat ik me de reactie van Paiges broer beter kan indenken dan die van Paige zelf. Toch was haar vriend er ook niet één van de valse sentimenten. Hij was pragmatisch. Problemen waren uitdagingen en ze dienden te worden aangepakt, dat was meer zijn stijl.
'Ik moet het van de positieve kant bekijken,' zei Maeve met een hoofdknik. Ze leek hiermee te willen zeggen: Mocht ik het vergeten, herinner me er dan aan.
'Altijd,' ondersteunde Emma.
Haar schoonmoeder zuchtte diep en ook daarvan begreep ze de bedoeling: zo, dat was dat!
'Het is lunchtijd, Emma. Blijf je eten?'
'Hartelijk bedankt voor het aanbod, maar nee. Ik heb Paige beloofd met hem te eten in de Hall. Dus ik ga je verlaten. Gezellig ben ik, hè? Ik laat je met de rommel achter.' Ze doelde duidelijk niet op de half ontluisterde kerstboom.
Maeve was aangestoken door Emma's rotsvaste vertrouwen in de goede afloop. 'Dat geeft mij de kans om de boel weg te zetten op de plek die ik wil.'
Ze omhelsden elkaar. Maeve liep mee naar de auto. 'Eén ding wil ik je nog vragen.'
'En dat is?'
'Of je alsjeblieft niets wilt laten merken. Dat geeft scheve gezichten.'
'Mijn lippen zijn verzegeld. Ik heb wel wat anders te doen dan onrust te stoken.'

De rit van Maeves huis naar Daboecia Hall was te kort om het gesprek in gedachten af te sluiten. Toch moest het omdat in het restaurant iets van heel andere orde wachtte. Ze wilde niet tobberig binnenkomen, nu ze wist dat ze verwacht werd. Een glimlach gleed om haar mond. Dan maar een echte entree maken!
'Goedemiddag, allemaal. Gelukkig Nieuwjaar!' zei ze met luide

stem vanuit de deuropening. Zo ontging haar binnenkomst niemand.
'Ah, goodness!' Eilis sloeg een hand tegen haar hart, dat klopte onder een enorme boezem. 'Daar is ze! Oh, lassie, wat hebben we je gemist!'
Emma hoorde de stem van Eilis, maar ze zag Paige. Hij had schik om haar theatrale entree, te oordelen aan de trage glimlach die zich over zijn gezicht verspreidde. Het licht in zijn ogen was warm en zacht.
Ze verwoordde, voor allen hoorbaar, wat ze bij die blik van Paige voelde: 'Ik ben weer thuis!'
Ze wikkelde zich knus in Paiges arm, om vandaaruit kussen en handen in ontvangst te nemen en te geven. Lachend doorstond ze de goedbedoelde plagerijtjes, de schertsende opmerkingen en de al dan niet welgemeende adviezen. Voordat de lunch om was, had ze iedereen gezien en gesproken. Op de vele vragen die op haar afkwamen, gaf ze antwoord in de stijl die ze had gehandhaafd tijdens haar verblijf in Donegal, ontwijkend, zonder iemand te kwetsen, maar dus ook niet helemaal eerlijk.
Het vertroebelde de plechtigheid waarmee ze, voor het eerst sinds lange tijd, het bospaadje naar haar atelier afliep. Het weer was zo somber dat het de hele dag al leek te schemeren. Ze had vandaag niets aan het daglicht, want dat was er niet. Het was het soort weer dat eerder tot overpeinzingen stemde dan dat het inspireerde. Van schilderen zou die dag niet veel meer komen. Dat was niet zo erg. Ze zou nog wel even bezig zijn met zich weer te installeren.
Na acht weken afwezigheid ontsloot ze voor het eerst weer de deur van haar atelier. Ze bleef op de drempel staan om de geur op te snuiven. Terug in haar eigen, geliefde Stables! De kou die in de studio hing, was niet erg verwelkomend, maar Emma was te vertrouwd met het onderkomen om zich daardoor te laten afschrikken. Ze verhielp het gauw door aan de thermostaat te draaien. Ze knipte het licht aan en zette de radio aan. En er moesten kaarsen branden. Nadat ze er een stuk of zes had aangestoken, stokte ze. Ooit had ze gedacht dat ze de sfeer te romantisch had gemaakt, het er te dik had opgelegd. Dat ze daarmee Lorenzo in verleiding had gebracht. Onzin. Dit hoorde bij haar. Ze omringde zich graag met muziek en kaarsen.

Verleiding liet zich niet ontketenen door kaarslicht en de juiste cd. Zelfs een sombere januaridag kon verleidelijk zijn.
Emma haalde haar schouders op. Dat waren dingen waar ze zich voorheen mee bezighield. Wat haar aandacht vasthield, was de crux die tussen de ochtend en de middag was ontstaan.
Waar was ze nu mee bezig? In het gesprek met Maeve, dat hen beiden dichter bijeen had gebracht dan iets ooit had kunnen doen, had ze haar schoonmoeder op het punt gebracht om de waarheid te vertellen. Ze waren het er alletwee over eens dat dat het juiste was om te doen. Waarom deed ze dan zelf allerlei pogingen om haar eigen waarheid verborgen te houden? Daarstraks had ze, dicht tegen Paige aan, de ware reden achter haar afwezigheid omzeild. Ondanks de vergrote zelfkennis waarmee ze thuisgekomen was, had ze niet gezien dat ze hier en daar met twee maten mat. Of was het omdat haar eigen problemen dichterbij lagen? Zweeg ze uit zelfbescherming?
Hoe langer ze erover nadacht, hoe minder excuses ze overhield. Als zij openheid van zaken wilde geven, was daar moed voor nodig. Jawel, dan moest ze op haar tanden bijten. Het resultaat was ongetwijfeld dat ze daarmee een eind maakte aan alle praatjes en speculaties.
Nu ze het van de andere kant bekeek, zag ze steeds meer overeenkomsten met Maeve. Dit moest ook met de nodige omzichtigheid worden aangepakt. Zij moest aan dit idee wennen, hoewel het haar steeds beter aanstond. Ze moest moed verzamelen en een geschikt tijdstip vinden.
Het liefst wilde ze meteen Paige opbellen en het voorleggen, maar als hij van streek raakte door haar vraag, was het beter om hem niet tijdens zijn werk te storen. Het moest wachten tot ze hem die avond zag in de cottage.

HOOFDSTUK 10

'Wat?' blafte Paige. 'Je wilt het gaan vertellen? Na alle moeite die we gedaan hebben om het in de doofpot te stoppen?'

Emma had hem zojuist haar plannen uiteengezet. Ze had van tevoren geweten dat hij niet dadelijk enthousiast zou reageren met: 'Hè ja, laten we dat doen!' Het idee was haar zelf eerst ook vreemd voorgekomen, maar hoe langer ze het bekeek, hoe meer de schaal doorsloeg naar onthulling. Ze was er de hele middag mee bezig geweest, terwijl ze in haar atelier alles weer bedrijfsklaar maakte. Intussen had ze voor zichzelf een heel rijtje argumenten verzameld waarmee ze Paige wilde overtuigen. Ze wist dat dat haar niet binnen vijf minuten zou lukken.

'In hoeverre is het in de doofpot beland?' vroeg ze Paige. 'Je weet zelf dat Aidan het niet gelooft. Inmiddels ken ik Aidan goed genoeg om te weten dat hij zijn eigen ideeën er een keer uitflapt. Het liefst op een ongepast moment.'

'Ik kan Aidan wel aan,' mompelde Paige.

'En als er anderen bij zijn?'

Paige tuitte zijn lippen. Emma zag dat ze hem in haar denkrichting had gekregen. 'Dat wordt dan een onverkwikkelijk moment,' zei ze.

'Als-ie dat flikt, sla ik hem op zijn smoel.'

'Dat is stoerdoenerij, Paige. Voorkomen is beter. In plaats van angstig af te wachten tot Aidan zijn gifpijlen afschiet, kun je beter hem de wind uit de zeilen nemen.'

Paige haalde zijn schouders op. 'Waarom moeten we de vuile was buiten hangen? Het gaat toch goed zo?'

'Ik weet niet of het zo goed gaat. Aidan gelooft het niet en ik zie hem ervoor aan dat hij nog 'es verhaal komt halen.'

Paige bedacht zich dat hij zijn broer minder zag dan voor Emma's vertrek het geval was. Het contact verliep ook stroever.

Was dat terug te voeren op het wantrouwen van zijn broer? Als opbiechten hun verhouding verbeterde, dan was het misschien het proberen waard. Maar hij had helemaal geen zin om zich binnenstebuiten te keren!
Paige keek naar Emma, die op haar knieën voor het haardvuur zat. Ze keek hem geduldig aan, wachtend tot hij zijn gedachten erover had laten gaan.
'Ik weet niet wat er in Donegal met je gebeurd is. Wat zijn dit voor rare ideeën waarmee je nu komt aanzetten?'
'Ik vind het niet zo'n raar idee. Ik heb er lang over nagedacht en ik kwam tot de conclusie dat het personeel hoogstwaarschijnlijk ook over ons roddelt.'
'Nooit wat van gemerkt,' mompelde Paige hoofdschuddend.
'Lieve schat, dat zullen ze ook nooit doen waar jij bij bent. Als Aidan vraagtekens heeft, dan hebben anderen dat ook. Ik denk dat we erbij gebaat zijn de waarheid te vertellen.'
'Je wilt de martelares uithangen?'
'Nee, integendeel. Ik mik niet op medelijden, ik mik op bewondering, want ... er is moed voor nodig.'
'Laat het rusten, Emma. Wij pikken de draad weer op.'
'Daar hoor ik je!' Haar wijsvinger priemde in zijn richting. 'Dat is nou precies wat je erachter kunt zetten, zodat we niet als martelaren overkomen.'
'Ik begrijp je niet.'
'Iedereen kan zien dat wij weer bij elkaar zijn. Wij hebben gewonnen, zoals je eergisteren zelf zei. Daarom wil ik dat de praatjes stoppen en hoe kan dat beter dan door de waarheid te vertellen?'
'Het is toch genoeg als de buitenwereld ziet dat het weer goed is tussen ons?'
Op dat punt verschilden ze van mening. Emma ging niet eisen. Het ging haar te ver om Paige te dwingen het op haar manier te zien. Toch bleef ze op haar standpunt. 'Dat vind ik niet.'
'Emma, ik zie het zo: jij wilt ons door het stof laten gaan voor een twijfelachtig resultaat.'
Nog altijd even geduldig zei ze: 'Dat ben ik niet met je eens.'
'Wat wil je ermee bereiken, meissie?'
'Dat we de situatie weer in de hand krijgen. Dat diplomatieke gedraai van ons slaat nog eens terug in ons gezicht. Dat zal niet

gebeuren als we zelf met de ware versie komen.'
'Wat ben je er toch op gebrand! Je zet jezelf te kijk, hoor. Besef je dat wel?'
'Jazeker. Ik zei toch al dat er moed voor nodig was.'
'Ik ben er niet voor. Ik wil het laten zoals het is.'
Als je wist wat ik weet, dacht je er misschien wel anders over, peinsde Emma. 'Jammer. Ik ben ervan overtuigd dat dit verhaal blijft smeulen en dat het opnieuw vlam kan vatten.'
Paige rekte zich uit. Hij stond op om Emma op te trekken. 'Om in jouw mooie beeldspraak te blijven, lieve meid, ik ben van mening dat het vanzelf uitdooft.'
'Je weet nooit wat er gebeuren kan,' ze stonden dicht tegen elkaar aan. Zo besloten ze de meeste avonden. Nog even kletsen bij een drankje in de woonkamer. Het speciale uurtje dat ze voor elkaar vrijhielden. 'Misschien komt er nog eens een confrontatie.'
'Welnee!' ontkende Paige stellig. 'Er is al die tijd nog niets gebeurd. Als je het mij vraagt, raakt het al op de achtergrond.'
'Ik wou dat ik je kon geloven,' zuchtte Emma. Ze was weleens jaloers op hoe snel Paige klaar was met een probleem. Alleen, deze schoof hij voor zich uit.
'Ik geloof dat het bedtijd wordt!' grapte hij en duwde haar de trap op.

'Hallo, is er iemand?'
Emma herkende Maura's stem. Ze liet de computer in de steek en liep naar de werkruimte. Aidan's vrouw stond in de deuropening.
'Hallo schoonzusje!' groette Emma.
'Dag schat!' Maura kuste Emma op beide wangen. 'De deur was los, dus ben ik maar naar binnengestapt. Ik verwachtte je achter je ezel te zien, druk bezig met schilderen.'
'Ik moet ook weleens wat anders doen.'
'Al goed, meid. Ik wilde je zien. Horen hoe het met je is.'
'Goed, met mij is alles prima.' Emma ging haar voor naar het keukentje. 'Wat wil je drinken, Maura?'
'Thee, graag.'
Maura was, net als haar man, niet lichtgelovig. Aidan had de neiging om op een wat botte manier zijn visie op een bepaalde

zaak te geven. Hij kon indringend nieuwsgierig zijn, wat eigenlijk zijn bezorgdheid maskeerde. Maura kwam uit oprechte belangstelling. Ze was er niet op uit om het naadje van de kous te weten. Emma's schoonzusje liet zich niet zo gauw iets op de mouw spelden en ze oordeelde niet. Daarom was haar gezelschap zo comfortabel. Niettemin had Emma het e-mailbericht dat ze aan het tikken was, geminimaliseerd. Maura hoefde niet te zien dat ze een e-mail stuurde aan Tricia O'Connor in Donegal.
Maura werkte als administratieve duizendpoot mee in het bedrijf van haar man. Ze werkte aan huis en had kans gezien om naast die drukke werkzaamheden, vier kinderen groot te brengen. Het gezin wekte de indruk los te zijn, maar ze waren zeer aan elkaar gehecht. Maura's wereldje was klein, maar ze had zich niet laten beteugelen. De levensvreugde straalde van haar af en ze was geïnteresseerd in alles wat buiten haar referentiekader lag.
Toen Emma aanbood haar in Donegal gemaakte schilderijen te laten zien, reageerde Maura verrast: 'Oh, mag dat? Moeten die niet geheim blijven tot aan de expositie?'
Emma lachte. 'Ben je gek, joh. Je kijkt heus het mooie er niet af.'

Na Maura's bezoek voltooide Emma de e-mail aan haar vriendin.

Ben gister bij Maeve geweest. Na een lang en verhelderend gesprek zei ze het te willen vertellen aan de kinderen. Ze zoekt naar een geschikt moment. Dit wilde ik je laten weten. Ik ben opzettelijk summier, omdat ik het verhaal bij Maeve wil laten. Het ziet ernaar uit dat jij en Maeve in de nabije toekomst de kans krijgen de verhalen naast elkaar te leggen.
Inmiddels ben ik ook zover dat ik de waarheid wil vertellen aan Paiges familie en de mensen van de Hall. Ik vrees dat het anders zo'n lont in het kruitvat-ding wordt. Paige is het er niet mee eens. Hij denkt dat het al gesust is.
Het is fijn om weer bij hem te zijn, maar ik merk dat we aan elkaar moeten wennen.
Ik hou je op de hoogte. Liefs, Emma.

Op zondag was er antwoord van Tricia.

Dank voor je bericht. Wat goed dat je meteen met Maeve bent gaan praten. Ik wacht af wat er gebeurt na De Mededeling. Ik moet geduld hebben, dat snap ik, maar het is voor een goede zaak, dus dat breng ik wel op.
Wees geduldig met Paige, Emma. Je kunt niet verwachten dat hij net zo'n groeispurt heeft doorgemaakt als jij toen je hier was. Als de lont het kruitvat bereikt, dan weet ik dat je het juiste zult doen. Je bent een dapper mens. Liefs van Tricia.

Er was nog een mailtje binnengekomen. Paige had een bericht van zijn moeder doorgestuurd naar Emma.

Lieve kinderen, schoonzoons en –dochters,
A.s. zondag wil ik mijn verjaardag vieren in de oranjerie van Daboecia Hall. Het feest begint om 11 uur. Ik verzoek jullie dringend om allemaal te komen, omdat ik iets belangrijks te zeggen heb. Groetjes van mama.

Emma aarzelde geen moment. Ze klikte doorsturen aan en tikte Tricia's e-mailadres in. Eén regeltje voegde ze toe: *Het ziet ernaar uit dat je niet zo heel lang geduld meer hoeft te hebben.*
Ze verzond het mailtje en leunde achterover. In gedachten was ze al een week verder. Ze zag voor zich hoe de ochtend in de oranjerie zou verlopen. Aan de aankleding en de bediening zou niets mankeren. Het feest begon met koffie en huisgemaakte taart. Als iedereen voorzien was, kwam het grote moment. Het nieuws ging inslaan als een bom, dat wist ze zeker. Er ging een storm van uiteenlopende reacties volgen. Als de ergste schrik geluwd was, volgden de vragen.
De hele familie wist dat Emma ook in Donegal geweest was. Uitgerekend op hetzelfde adres als waar eerder Maeve had gelogeerd. Ze zou er niet aan ontkomen om ook aan de tand gevoeld te worden.
Emma schoot naar voren en klikte Postvak uit aan. In een berichtje aan Maeve, schreef ze:

Dapper dat je het gaat vertellen a.s. zondag. Ik voorzie dat mijn schoonzusters en zwagers mij ook het nodige te vragen hebben. Ik zit immers in het complot, omdat ik ook bij Tricia ben geweest. Mag ik na jou het woord nemen?

Maeve was kennelijk nog steeds bezig op de computer, want Emma kreeg vrijwel meteen antwoord.

Dat is goed. Wat heb je daar slim op doorgedacht. Zullen we elkaar dan maar sterkte wensen?

Caitlin was net zo hartelijk en warm in haar begroeting als eerder Gwyn en Margreth in de Hall en Maura in het atelier. Behendig draaide ze haar goedgevulde postuur achter de toonbank vandaan om Emma te kussen en te omhelzen. 'Ik vroeg me al af wanneer je de winkel met een bezoekje kwam vereren,' zei ze lachend.
'Zeg Caitlin, jij had ook naar de studio kunnen komen. Daar ben ik tot in de avond.'
'Dat heb ik expres niet gedaan. Jij moest eerst rustig acclimatiseren.'
Emma moest de nodige vragen beantwoorden over haar Donegal-avontuur. Daarna kwam het e-mailtje van Maeve ter sprake. Net zoals Paige een dag eerder, vroeg ook Caitlin zich af wat die belangrijke mededeling inhield.
Emma voelde zich opnieuw ongemakkelijk. Ze mocht niks zeggen, eerder al niet tegen Paige, nu niet tegen Caitlin, tegen niemand. Die twijfelachtige eer had Maeve. Omdat ze net zo goed op de hoogte was als haar schoonmoeder, voelde ze zich een verraadster. Zeker van Paige verwachtte ze daarover een paar pittige vragen. Van Paiges kant was dat begrijpelijk, voor haar was het iets om nerveus van te worden. Ze hoopte de schade te beperken door na Maeve een spreekmoment in te lassen. In dit geval gold misschien ook dat de ware versie een boel speculaties kon voorkomen. Toch had Emma niet de illusie dat één bijeenkomst alles kon afronden. De schokgolf zette zich nog wel even door in de familie.
Tegenover Caitlin moest ze opnieuw met een dooddoener van deze vraag afkomen. 'Dat zullen we moeten afwachten.'

In de dagen daarna nam haar spanning toe. Voordat ze Maeve gesproken had over Tricia was ze evenmin op haar gemak geweest. Nu was het vele malen erger. Het gevoel zondag voor een peloton te komen staan, wilde niet weg. Zo moest Maeve zich ook voelen. Voorzover Emma het kon beoordelen, was de boodschap van Maeve eenduidiger. Als ze naar haar eigen rol keek, was er sprake van belangenverstrengeling. Niemand ging geloven dat het een opwelling was geweest. Haar trip naar Donegal zou uitgelegd worden als een verkenningstocht, in het spoor van Maeve, om Tricia's komst in de familie voor te bereiden.
Verschillende keren riep ze zichzelf tot de orde. Komaan, Emma, zo achterdochting zijn de O'Briens niet. Sla ze niet zo laag aan. Het zijn allemaal weldenkende, intelligente mensen. Maar Maeve en zijzelf, in mindere mate, waren de brengers van slecht nieuws. De nagedachtenis van hun geliefde vader werd immers aan stukken geslagen. Dat werd hen vast niet in dank afgenomen.
Gelukkig was Maeve zo wijs om Tricia niet ten tonele te voeren direct na de aankondiging. Dat was te veel van het goede. Het nieuws moest eerst bezinken, dat had ze goed ingeschat.
Ondanks haar zenuwen juichte Emma Maeves toegenomen daadkracht toe. Tricia stuurde het mailtje door waarin Maeve zichzelf nogmaals voorstelde en uitlegde met welk doel ze haar had bezocht. Hoe bezwaard ze zich had gevoeld naar haar stiefkind en naar haar eigen kinderen. Ze verwees naar het bezoek van Emma en hoe ze na afloop daarvan had besloten de familie op de hoogte te stellen. Zeker nu ze, via Emma, wist dat dat ook Tricia's wens was. Maeve besloot met: Tricia, hier in Roundwood is iedereen nog in het ongewisse. Mag ik een beroep doen op je geduld? Ik neem zo snel mogelijk na de bijeenkomst contact met je op.
Bij die laatste zinnen mikte Maeve duidelijk op de hartelijke banden die tijdens haar verblijf waren ontstaan tussen haar en haar stiefdochter.
Het was een bezopen toestand, vond Emma, er moest gauw een eind aan komen. Hoeveel vergde dit van Tricia? Ze bewonderde haar vriendin om haar wijsheid en geduld. Bij Tricia was geen spoortje verontwaardiging te bekennen.

Het was zondagochtend. Dé zondagochtend. Emma was al vroeg met Paige meegegaan om alles in gereedheid te brengen. De bedrijvigheid gaf haar wat afleiding, maar de zenuwen gingen niet weg. Ze verwonderde zich over het feit dat Paige niets aan haar merkte, tot ze zich bedacht dat hij hen beiden wellicht wat speelruimte gaf omdat ze nog maar net weer bij elkaar waren. Een beetje afwijkend gedrag viel niet op, want het viel nog onder de gewenningsperiode. Zo dacht Paige er vast over. Zij moest toch ook weer aan hem wennen?
Zo op het eerste gezicht waren ze eendrachtig aan het werk, in een prettig saamhorigheidsgevoel. Emma's geweten knaagde steeds harder. Was ze nu al niet bezig hem te verraden? Deze harmonieuze sfeer was maar schijn, het was oppervlakkig. Ze kende een waarheid waarmee Paige en zijn broers en zusters het heel moeilijk gingen krijgen, waar ze zelfs boos of verdrietig van konden worden. Als ze zichzelf in Paiges plaats verplaatste, kon ze een bepaalde woede heel goed rechtvaardigen. Juist daarom was ze behoorlijk bang voor zijn reactie.

Maeve arriveerde – passend bij haar karakter – ruim voor elven. De kinderen die in de Hall werkzaam waren, waren er ook al: Paige, met Emma, Gwyn en Margreth. Grainne en Kevin waren als overig personeel opgetrommeld voor deze kleine bijeenkomst.
Bij binnenkomst uitte ze direct haar bewondering voor de keurig aangeklede zaal en de lekkernijen die al uitgestald waren. Ze nam de felicitaties in ontvangst.
Zodra ze haar kans schoon zag, nam ze Emma onopvallend apart. 'Ik ben blij dat het eindelijk zover is. Ik kon de spanning niet meer aan, maar tegelijkertijd zie ik er als een berg tegen op. Hoe heb jij het?'
'Ongeveer hetzelfde als jij. Ook ik zal blij zijn als het achter de rug is. Ik heb afgelopen week een paar keer op het punt gestaan om naar je toe te komen of je te bellen, maar steeds weerhield het idee me dat ik je met mijn nervositeit alleen maar zenuwachtiger zou maken. En dat terwijl je zelf ook al niet zo rustig kunt zijn geweest. Dus ik heb er maar van afgezien.'
'Ik heb Tricia ingelicht,' bekende Maeve.
'Ik weet het. Ze heeft je mailtjes naar mij doorge...'

'Goedemorgen, moeder!' Maura en Aidan doken achter Maeve op. Maura feliciteerde haar schoonmoeder als eerste. 'Van harte gefeliciteerd met je vierenzestigste verjaardag!'
'Dank je wel, lieve kind.' Ze keerde zich tot Aidan, die een veel koeler 'Moeder, van harte, hè?' liet horen. De vier kinderen van Aidan en Maura waren er ook. Oma werd bedolven onder handen en kussen van Liam, Killian, Freda en Bernadette.
Toen was Emma aan de beurt. Ze kon er niets aan doen dat ze scherper op Aidan lette dan op de anderen. Ongetwijfeld was zijn 'Emma, lassie,' welgemeend, maar het voelde voor haar of ze was gewogen en te licht bevonden. Een pluisje op de wind, een leeghoofd dat aan allerlei grillen toegaf. Ze schudde hem stevig de hand en smakte drie dikke zoenen op zijn harde wangen om het tegendeel te bewijzen. Het zei hem hoogstwaarschijnlijk niets.
Maeve had het druk met handen geven, dikke pakkerds te incasseren en cadeautjes uitpakken. Eindelijk was de voltallige familie aanwezig. Ze waren voorzien van koffie en gebak toen Paige zich over zijn moeder boog. 'Wil je dat ik je zo direct aankondig, ma?'
'Niet nodig, hoor, lieverd. Dat doe ik zelf wel.'
Ze voelde feilloos aan dat het gedraai op stoelen begon en de familie zich afvroeg waar nu die belangrijke mededeling bleef. Met een lepeltje tegen een kopje tikken was overbodig. Toen Maeve ging staan, werd het al stil.
Emma boog het hoofd. Ze kneep haar ogen dicht omdat ze haar hart in haar schoenen voelde zakken. Het was moeilijk om naar Maeve te luisteren, terwijl ze al wist wat ze ging zeggen. En dadelijk moest ze zelf. Maeve posteerde zich naast de tafel met het gebak en de cadeautjes.
'Lieve kinderen, schoondochters en -zoons, lieve kleinkinderen, jullie vragen je natuurlijk af waar die geheimizinnige mededeling overgaat.' Ze vouwde een vel papier open.
Wat slim, dacht Emma, zo kan ze niet haperen, had ik daar maar aan gedacht. Terwijl ze probeerde kracht over te brengen op Maeve met haar gedachten en zelf haar kalmte te hervinden, begon haar schoonmoeder te spreken.
'Ik heb er lang over nagedacht of ik jullie dit wel moest vertellen ...'

Aan haar stem was niet te horen dat ze zenuwachtig was. Ze wierp een blik over haar leesbrilletje dat halfweg haar neus stond, ze had ieders aandacht.
'Het gaat namelijk over jullie vader, mijn man. Zoals jullie je herinneren, ging hij regelmatig een weekend of een week weg met de jongens. Een mannenweekend of -week, noemde hij dat. Zo konden de dochters en ik een meidenweekend houden. Op één van die vakanties heeft hij een avontuurtje gehad. Hieruit is een kind geboren. Wat ik zeggen wil, is: jullie hebben een halfzusje.'
De reactie van de verzamelde familie was als een plotseling opstekende windvlaag. Velen hielden van schrik hun adem in. Het nieuws was zo schokkend dat ze er in eerste instantie niet met woorden op konden reageren. Voordat de verontwaardiging, de woede en het vragenvuur losbarstten, sprak Maeve verder, nu ze de aandacht van allen nog had.
'Het is de vrouw bij wie ik afgelopen zomer heb gelogeerd in mijn vakantie. Haar naam is Tricia O'Connor.'
Bij die woorden ving Emma Paiges blik. Ze wilde naar hem toegaan, hem troosten, maar zijn gezichtsuitdrukking was ijzig, zo kil woedend, dat ze op haar plek bleef. Ze wilde niets liever dan de duizend vragen die nu in zijn hoofd spookten in één seconde beantwoorden. Het was duidelijk dat hij haar verdacht. Emma was medeplichtig. Ze was een verraadster. Alweer.
Opnieuw zakte haar hoofd, terwijl de storm van vragen en uitroepen om haar heen losbarstte. Hier kon ze niet tegenop.
Als haar overspel niet de klap was die haar relatie had gedood, dan was dit het wel. Ze had voorzien dat het nieuws het effect zou hebben van een blikseminslag, maar de uitwerking op haarzelf had ze onderschat. Opeens was ze de ongewenste buitenstaander. Zij was de intrigerende, buitenlandse indringster in een familiekring die zich nu sloot om een schokkend probleem en haar erbuiten liet staan, alsof ze de dader was.
Vijf minuten geleden had alles er rooskleurig uitgezien. Zelfs haar angst voor Aidans scherpe tong was naar de achtergrond geraakt. Paige en zij hadden een nieuw begin gevonden. Fragiel, maar kansrijk. Tot Maeves woorden onherroepelijk dingen veranderden.
Emma hoorde talloze vragen en uitroepen over elkaar tuimelen.

'Waar is ze dan?' 'Wanneer is dat gebeurd?' 'Wie zegt dat ze is wie ze is?' 'Het is gewoon niet waar!' 'Zoiets zou papa nooit doen!'
De ontreddering was compleet. Gerry omhelsde Gwyn, hun dochters Nola en Imelda klemden hun moeder vast. Caitlins man, Daragh, hield zowel zijn vrouw als Margreth vast. Beide vrouwen huilden. Sinéad hield Alastairs handen vast, hun kindjes, Roisin en Colin, tussen hun knieën gevangen.
Aidan, geschrokken, bleek en met strakke kaken, stond bij zijn moeder. Zelfs voor een nuchtere, realistische man als hij was dit feit te groot om te bevatten. Emma zag dat hij Maeve vragen stelde. In het tumult kon ze zijn stem niet horen.
Haar blik gleed over Quinten, het vijfde kind van Patrick en Maeve, die aan dat feit ook zijn naam te danken had. De irrelevante gedachte kwam bij haar op dat Maeve en Niamh tegelijk zwanger waren geweest. Tricia was een paar maanden ouder dan haar halfbroer. Hij en zijn vrouw Orla waren in gesprek met Paige, aan de andere kant van de ruimte. Of beter, zij spraken tegen hem. Paige zweeg. Hij was de langste van de O'Brienmannen en het koude licht flitste in zijn ogen over Quinten's hoofd heen, richting Emma.
Ineens was ze het beu. Paige had het recht niet om zijn ijskoude woede op haar af te sturen. Zij kon er niets aan doen. Dat hij kwaad was, begreep ze heel goed. Voordat hij oordeelde, had zij recht van spreken. En dat recht ging ze nu halen. Wat was dat voor manier om haar buiten te sluiten? Niet alleen hij had behoefte aan troost, zij ook!
Ze stak de ruimte over en moest daarbij Aidan passeren. Zijn ogen volgden haar, zoals een volgspot de hoofdrolspeler op het toneel. Als een dier dat intuïtief het onheil voelt, kroop het kippenvel bij haar benen omhoog. Hij deed een stap bij zijn moeder vandaan, waardoor Emma dacht dat hij haar wilde spreken. Ze hield haar pas in en wachtte tot hij het woord tot haar richtte.
Aidan, de eerstgeborene van Patrick en Maeve, was het meest naar zijn vaders beeld geschapen. Uit verhalen wist Emma dat Patrick ook van gemiddelde lengte was geweest, maar breed in de schouders, door het zware werk dat hij deed. Aidan was bij zijn vader in de zaak komen werken nadat hij van school was

gekomen. Hij was inmiddels bijna vijfentwintig jaar bouwvakker. Al een paar jaar voor Patricks dood was hij medefirmant in het aannemersbedrijf van zijn vader geworden. Van alle O'Brien-telgen kende hij zijn vader het langste en het beste. Zo dacht hij. Tot op de dag van vandaag. De klap van het nieuws was hard aangekomen bij Aidan. Weg was de charmante schurkenglimlach die hij zo gauw paraat had. Verdwenen was de wijze blik in zijn blauwe ogen. Hij was in de war. De verontwaardiging en teleurstelling waren hem de baas. Het was hem te veel, hij moest zijn frustratie uiten. En als hij er dan toch lucht aan gaf, moest hem gelijk iets anders van het hart.
Hij pakte Emma's arm beet, losjes, maar ze voelde de kracht achter zijn greep. Emma was gealarmeerd. Dit ging mis!
'Dit schijnt het uur van de waarheid te zijn.' Uitdagend hief hij zijn kin. Hij sprak nadrukkelijk om de aandacht te trekken en die kreeg hij. Ieder afzonderlijk lid van de familie had zo zijn of haar gedachten over Emma's verblijf in het noorden. Door deze confrontatie plaatste Aidan de hele kwestie in het middelpunt van de belangstelling.
'Zijn er, wat jou betreft, ook nog niet een paar puntjes die opgehelderd moeten worden?' Hij sprak staccato, een onnatuurlijke nadruk op elk woord leggend. Zijn ogen stonden gekweld, gebroken bijna, maar zijn blik boorde zich in die van Emma.
Dat dit het gevreesde moment was dat de lont het kruitvat had bereikt, daar dacht ze niet aan. Ze was klemgezet en dacht alleen maar aan ontsnappen. Koortsachtig zocht ze naar een oplossing. Aidans fysieke kracht kon ze nooit de baas. Ze moest met woorden boven hem uitstijgen. Maar niet kwetsend, zoals hij deed. Niet nog meer pijn, ze moest redden wat er te redden viel. De boodschap moest ook onmiddellijk bij Paige binnenkomen.
Gek genoeg was het Tricia's stem die in haar hoofd resoneerde. De oorzaak van de consternatie – Tricia – inspireerde haar. '*Hoe wil je terug. Als wat voor vrouw?*'
Emma trilde over al haar leden, ze slikte van pure nervositeit, haar ledematen voelden zo koud alsof ze aan het afsterven waren. Maar haar wezen, haar kern, bevond zich in het oog van de storm. '*Dan weet ik dat je het juiste zult doen.*'
Het viel nog niet mee om het juiste doen. Ze zocht haar geest af.

De stilte duurde derhalve eventjes. Ze voelde de spanning in het vertrek oplopen. Het kwam erop aan. Ze moest nu spreken.
'Inderdaad, Aidan.' Ook Emma's kin kwam iets naar voren. Niet omdat ze hem uitdaagde, maar om te tonen dat hij haar nog niet had. Ze zocht bewust niet naar Paige, dat zou een teken van zwakte zijn. Met haar houding wilde ze Paige laten zien dat ze hem niet afviel. Hij kon op haar vertrouwen. Hopelijk begreep hij dat.
'Toen Maeve vorige week het mailtje stuurde waarin die belangrijke mededeling aangekondigd werd, heb ik gevraagd of ik na haar mocht spreken.'
Dat het in feite om een andere uitleg ging, vermeldde ze niet. Dat ze iets ging doen waarmee Paige het niet eens was, verzweeg ze ook maar liever. Uit haar ooghoek zag ze dat Paige zich oprichtte. Ging hij haar de mond snoeren? Nee, dat ging hij niet doen, dat maakte de zaak alleen maar verdachter. Hij kwam haar evenmin uit de greep van zijn broer ontzetten, omdat hij niet mee wilde doen aan deze bekentenissen. Zijn woede nam toe, dat was wel zeker. Hij voelde zich door haar verraden, aan zijn uitdrukking te oordelen. Nu ging ze ook nog dwars tegen hem in. Ze stond er alleen voor.
'Dus ik neem nu de gelegenheid te baat om te zeggen dat ik weer terug ben bij Paige. Bij de man van wie ik hou en van wie ik heb gehouden sinds hij me zes jaar geleden door Dublin sleurde. Hij is mijn enige lief. Er is nooit iemand anders geweest.'
Emma zag dat er hier en daar wenkbrauwen omhoog gingen. De aandacht voor het pas geïntroduceerde halfzusje, hoewel niet aanwezig, was afgeleid. De verzamelde familie draaide zich om naar Emma, om te vernemen hoe het nu werkelijk zat.
'Het is eveneens waar dat ik bij Paige ben weggeweest. Er waren problemen. Ik heb een grote vergissing gemaakt ... met een andere man. Ik heb daarmee onze relatie op het spel gezet. Wat ik mezelf nooit zal vergeven.'
Aidans arm viel langs zijn zij. Hij was overbluft door dit kordate, moedige optreden. Had hij een kruiperige, boetvaardige zondares verwacht? Iemand die hij de baas kon? Die hij kon terechtwijzen? Op de plek waar hij haar arm had vastgehouden, tintelde haar huid.
'Alles wat we hebben opgebouwd, is sterker, groter en belang-

rijker gebleken dan die onvergeeflijke stomme fout van mij. Dat we weer bij elkaar zijn is een teken dat onze liefde wint.'

Op een ochtend die toch al bol stond van de consternatie, was dit wel het toppunt. Emma gaf publiekelijk toe dat ze was vreemdgegaan. Je moest het lef maar hebben. Ze nam de geschokte gezichten waar. Waardoor waren ze het meest geschokt, vroeg ze zich af, door haar overspel of door het toegeven ervan.

Ze wist dat Paige haar niet zou bijvallen, hij was er faliekant op tegen, maar ze had zijn steun goed kunnen gebruiken. Ze had er lang over nagedacht en was tot de conclusie gekomen dat dit het beste was om te doen. Nu nam het surrealistische gehalte echter snel toe en wilde ze het maar liever zo snel mogelijk achter de rug hebben. Maar ze had nog niet alles gezegd.

'Ik ben een aantal weken weggeweest, omdat dat het beste leek. Maeve heeft me in de gauwigheid het adres van Tricia aangeraden. Pas later realiseerde ze zich dat ik Tricia's identiteit kon ontdekken. En dat is daar ook gebeurd.'

Dat was het. Geen geheimen meer. Haar kin zakte op haar borst. Juist of niet, ze had het gezegd. Het was eruit. Nu was ze leeg. Het was alsof ze voor dit moment had geleefd, voor deze climax. Nu wist ze zich geen raad meer.

Er werd een arm om haar heen geslagen. Maeves stem was bij haar oor. 'Fantastisch gedaan, meid. Dat had niemand je kunnen verbeteren. Wat een moed!' Ze schudde Emma zachtjes door elkaar en kuste haar op de wang. De onthulling die Maeve gedaan had, moest net zoveel van haar gevergd hebben als die daarnet van Emma. Hoe kon ze dan nog de energie opbrengen om haar te prijzen?

'Ga nu maar gauw naar Paige,' fluisterde ze Emma in.

Zijn naam bracht het leven terug. Emma keek naar het plekje bij het raam. Paige was weg.

Met een vaag besef van wat de familie O'Brien en zijzelf die ochtend te verstouwen hadden gekregen, verliet ze de oranjerie. Aidan was totaal overbluft, hij klampte haar niet meer aan. Gwyn stak haar hand uit om Emma tegen te houden – om iets te vragen of te zeggen – maar Emma glipte weg naar de keuken, waar ze hoopte Paige aan te treffen. De koude die eerder haar ledematen in zijn greep had, strekte zich nu ook uit tot haar

hart. Het was angst. Ze vreesde dat Paige haar nu volledig en voorgoed ging afwijzen. Maar ze moest naar hem toe, om te zien hoe het met hem ging.
Hij was bezig bij het fornuis. Een grote pan soep warmde op boven het gas. Paige hield zijn aandacht bij het snijden van groenten. Zijn handen werkten snel en bedreven. Het viel Emma op dat hij een klusje deed dat hij makkelijk aan Grainne of Kevin had kunnen overlaten. Hij hield het hoofd gebogen. Zijn schouders stonden strak. Zijn hele houding drukte afweer uit.
Emma legde een hand tussen zijn schouderbladen. 'Gaat het?'
'Wat denk je zelf?' Zijn stem was toonloos en kil. Hij hield niet op met wat hij aan het doen was. Hij was er niet voor haar en het interesseerde hem niet dat zij er voor hem was.
'Jij dramt gewoon je zin door, hè?' Het was een conclusie in de vorm van een vraag.
'Nee. Het was voor mij ook niet makkelijk.' Haar hand gleed van zijn rug. Paiges huid was lang niet zo warm als gewoonlijk. Daar had hij geen boodschap aan. Hij reageerde vanuit de pijn die hij voelde. 'Je hebt me compleet voor lul gezet.'
'Nee, dat is niet waar.'
Hij stond geen stap bij haar vandaan, maar hij was onbereikbaar.
De groenten gingen in de soep. Paiges kaken werkten. Hij kon niet uitmaken of hij de volgende woorden ging uitspreken. Deed uitspreken meer pijn dan zwijgen?
'Je wist de hele tijd van ... van Tricia O'Connor.'
Het was duidelijk dat hij de laatste woorden van haar verklaring had gemist.
'Ik heb bij toeval haar identiteit ontdekt, een paar dagen voor kerstmis.'
'Je hebt niks gezegd.' Het klonk als een beschuldiging.
'Zou je het van mij aangenomen hebben?'
Die overweging liet ze aan hem over. Dat viel verkeerd.
'Laat me met rust, Emma. Ga alsjeblieft weg.'
Langs het verstikkende brok in haar keel wist ze nog net uit te brengen. 'Ik ben in de studio.'
Hij leek haar niet te horen.
Emma boende de tranen weg, omdat ze bijna in de takken

terechtkwam naast het bospaadje dat naar de studio leidde. Hevig knipperend met haar ogen stak ze de sleutel in het slot. Ze gooide de sleutelbos op het werkblad tegen de muur. Het atelier en alles wat daarin was keurde ze geen blik waardig. Ze liep regelrecht door naar het achtergedeelte en liet zich op bed vallen. Haar snikken overstemden haar onsamenhangende gedachten. Ze wilde nergens zijn, ze wilde niet eens bij zichzelf zijn. Kon ze niet verdwijnen, oplossen in het niets? Dan waren de problemen ook weg.

Alles was verloren. De voorzichtige, hoopvolle doorstart van hun relatie was tenietgedaan door de gebeurtenissen van die ochtend. Het was al zwaar genoeg voor Paige – en zijn broers en zusters – om te horen dat ze een halfzuster hadden. Dat dat van hun vader een andere man maakte dan zij altijd hadden gedacht. Daar had zij nog een schepje bovenop gedaan. In haar eerlijke overtuiging dat ze daarmee een heleboel roddels en achterklap uit de wereld hielp, had ze alleen maar bereikt dat ze Paige kwijt raakte.

Opnieuw zag ze die strakke schouders van haar lief voor zich, zijn afwijzing. Ze kon daar alleen maar het volle gewicht van haar liefde tegenover stellen. En dat was niet genoeg. Als dat al niet meer hielp, was het voorbij.

Waar ze dacht eerlijk en wijs gehandeld te hebben, had ze geblunderd. Emma rolde zich op, haar gezicht naar de muur. De wereld mocht doordraaien zonder haar.

HOOFDSTUK 11

Emma werd wakker. Ze had een moment nodig om zich te oriënteren. Waarom lag ze midden op de dag in dit bed? Toen was alles terug. De bijeenkomst in de oranjerie. Maeves mededeling. Haar eigen verklaring. Paige die haar had weggestuurd.

Kreunend draaide ze zich op haar rug. De problemen waren niet te overzien. Opnieuw was ze verdwaald in haar eigen leven. Wat stond haar op dit moment te doen?

Haar mond was droog. In de koelkast stonden nog flesjes water. Ze zwaaide haar benen op de grond.

Paige zat aan de keukentafel. Een fles whiskey en een glas onder handbereik. Zijn haar zat in de war.

Hij was wel de laatste die ze hier verwacht had. Alsof ze twijfelde aan haar ogen, zei ze: 'Paige?'

Hij draaide zich naar haar om. Zijn bewegingen waren traag. Zijn bloeddoorlopen ogen zeiden Emma dat dit niet zijn eerste glas was.

'Je had gelijk,' zei hij. 'Ik zou het van jou niet hebben aangenomen.'

Emma schroefde het dopje van de fles. Het duurde even voordat ze zich herinnerde waar deze opmerking op sloeg. 'Het was al moeilijk genoeg om het van je moeder te horen, nietwaar?'

Paige knikte. Ze wilde tegenover hem aan tafel gaan zitten, maar hij trok haar op schoot. Ze begreep er niets van, maar ze liet hem begaan. Hij was behoorlijk dronken. Het kon haar niets schelen. Dat hij haar in beschonken toestand vastpakte, was altijd nog beter dan dat hij haar afwees.

'Ik heb een zusje.' Paiges hand gleed in haar nek. Zijn ogen mochten dan troebel zijn door de drank, ze kon de gepijnigde uitdrukking erin zien. Hij kuste haar ruw, zijn tong smaakte naar whiskey.

'Maar ik ben mijn vader kwijt.' Zijn hoofd rustte tussen haar borsten.
Emma streelde zijn wang. 'Dat was het grootste bezwaar van je moeder. Ze wilde de nagedachtenis aan je vader niet bezoedelen.'
'En dat terwijl hij haar zo'n rotstreek had geleverd.'
'Hierdoor komt je vader in een ander licht te staan en voor je moeder ... haar hele huwelijk was opeens ... ondermijnd.'
'Mijn vader was een klootzak,' deelde Paige plompverloren mee. Emma schrok ervan. Paige had zijn vader verafgood. 'Flikt mijn moeder dit en knijpt ertussenuit.'
'Naar zijn beweegredenen kun je nu alleen maar gissen.'
'Alsof die me nog wat interesseren,' mompelde hij. 'Hij had mijn moeder niet met dit mogen achterlaten. En bij leven had hij iets moeten regelen voor Tricia en haar moeder.'
Ze zwegen. Ze stoorde hem niet met flauw gezeur als: Waar denk je aan? Als hij iets wilde zeggen, deed hij dat wel. Zij had haar eigen thema waar haar gedachten omheen draaiden. Paige had niets gezegd over die andere openbaring. Kwam dat nog? Zijn kwaadheid leek gezakt. Hij hield haar op schoot en liet zich kalm haar liefkozingen welgevallen. Ze had het ergste gevreesd voor hun relatie. Hij zocht haar op nu hij troost nodig had. Dat was op zijn zachtst gezegd opvallend, nadat hij haar een paar uur eerder had weggestuurd. Hij was niet helemaal helder meer, maar ook niet zo dronken dat hij niet wist wie hij voor zich had. De gebeurtenissen van de afgelopen ochtend hadden de O'Briens overmand. Het zou even duren voordat de heftigste emoties waren gezakt en helder en nuchter denken weer de overhand nam. Ze merkte het aan Paige. Hij was beneveld, maar dat was te weinig om zijn oplossingsgerichtheid te verdringen. Eerst moesten alle kanten van het probleem bekeken worden. Het was complex. Zozeer zelfs, dat hij nog niet eens naar zijn halfzusje vroeg. Maar zijn vader was dood en Tricia springlevend. Als hij – en de rest van de familie – hadden uitgeplozen hoe ze met deze nieuwe wetenschap moesten omgaan, zou de belangstelling voor hun stiefzusje uit het noorden toenemen.
Emma bedacht hoe raar het was dat dan juist zij en Maeve de vragen over Tricia konden beantwoorden.

Dat moest ze afwachten. Net zoals ze wachtte tot Paige zijn gedachten onder woorden bracht. Net zoals ze in Donegal twee maanden had gewacht op zijn verlossende telefoontje. Nu zat ze weer geduldig te wachten tot hij duidelijk maakte wat hij vond van haar actie in de oranjerie.
Emma verstrakte in Paiges armen. Wachten was niet hetgeen waarvoor zij was bestemd. Ze was als kunstenares niet zover gekomen als ze had gewacht tot haar talent toenam. Met een beetje heldere daadkracht kwam ze verder. Ze was het wachten beu.
Voor beslissingen die binnen een relatie werden genomen, waren er twee nodig, maar ze kon zich toch alvast over haar deel uitspreken?
Haar plotselinge verstijving, die voelbare gedachte, schrok Paige op uit zijn overpeinzingen.
'Het was me het ochtendje wel,' verzuchtte hij.
Ze zweeg, met de woorden op haar lippen. Dit was ook weer zoiets dat alleen kon gebeuren als je een sterke band met iemand had: dat je op hetzelfde moment bij dezelfde gedachte uitkwam. Paiges gedachten waren wellicht wat trager door de whiskey, dus hielp ze hem een handje.
'Paige, ik weet dat je geen voorstander was van bekendmaking van mijn overspel.'
'Dat ben ik nog steeds niet,' bestreed hij.
'Maar vanochtend gebeurde precies wat ik voor me had gezien.'
'En daarna ben je weggelopen.'
'Jij was al eerder verdwenen.'
'Het komt hierop neer: jij weet niet wat er daarna gebeurd is in de oranjerie.'
'Nee ... wat dan?' vroeg Emma.
Paige zuchtte diep. Het was niet gegaan zoals hij had gewenst, maar het was evenmin verkeerd gegaan. 'Nou ... de algemene reactie was toch wel dat ze hadden vermoed wat er gebeurd was, maar het niet wilden geloven. Ze spraken unaniem hun bewondering uit over je aanpak. Aidan ook. Het was zelfs zo dat Aidan te horen kreeg dat hij je niet zo gemeen voor het blok had mogen zetten.'
Ondanks zichzelf moest Emma lachen. 'Het lijkt of Aidan aan het kortste eind trok.'

'Ja, hij had het nakijken en jij kwam als overwinnaar uit de bus.'
Paiges schouders zakten een stukje toen hij weer een zucht loosde. 'Of ik het nou wel of niet eens ben met jouw aanpak ... Ik loop daarmee achter de feiten aan.'
'Je wilde het niet, maar met mijn woorden heb ik jou niet gekwetst.'
'Ook daarin moet ik je gelijk geven. Dat is bij de familie aangekomen, hoor.'
Het kostte hem moeite het toe te geven. Hij stond met lege handen, dat beviel hem slecht, maar hij kon er niets aan doen. Opnieuw legde hij zijn hoofd tegen haar borst. Hij gaf zich gewonnen.
'Wat heb ik toch een rare vriendin.'

Het was het onderwerp van gesprek en het nieuws verspreidde zich snel. De volgende dag was het voltallige personeel van de Hall op de hoogte. Op maandag kwam Emma voor een kop koffie in de keuken van Daboecia Hall. Paige en Gwyn waren in gesprek.
'...toch logisch dat mam zich schaamde. Haar huwelijk bleek niet te zijn wat zij dacht dat het was. Bovendien heeft pa die vrouw in Donegal op een onbehoorlijke manier laten zitten,' zei Gwyn.
'Daar kon ma toch niets aan doen? Ze wist van niks. Moest zij zich daarvoor schamen?'
'Nee, natuurlijk niet, maar zo is het wel gegaan.'
De ontsteltenis waarin de familie zich nu bevond, had zij eerder gevoeld. Samen met Tricia had ze geprobeerd zo veel mogelijk kanten van de zaak te belichten. Het vergde tijd om die gewijzigde verhoudingen uit te kauwen en te plaatsen.
Het aanwezige personeel liep op tenen en met gespitste oren om niets van de sensatie te missen.
In het atelier begon Emma aan een lang e-mailbericht aan Tricia, om over de aardbeving binnen de familie te vertellen. Dat ze dacht dat ze haar relatie om zeep had geholpen, nam ze ook mee in het verhaal.
Ze was niet de eerste. Tricia antwoordde dat Maeve op zondagavond het relaas had gedaan. Aan het eind van haar uiteenzetting had ze Tricia uitgenodigd om te komen logeren, om met

de familie kennis te komen maken. Als datum had ze voorgesteld 1 maart.
Emma bewonderde Maeves aanpak. Bedaard en standvastig ging ze haar gang. Het was kortgeleden dat ze de – voor haar enorme – beslissing had genomen om haar kinderen op de hoogte te brengen. Dat was haar niet licht gevallen. Haar vastberadenheid leek er echter door toe te nemen.
Bij een bezoekje aan haar schoonmoeder bracht Emma dat ter sprake.
'Als ik Tricia niet uitnodig, doe ik maar de helft.'
Er was iets veranderd aan Maeve. Ze straalde van trots. Ze had iets gedaan wat grote moeite had gekost, maar daarmee had ze goed voor zichzelf gezorgd. Ze had een last van haar schouders gegooid. Ze ging niet langer gebukt onder een onterecht schaamtegevoel.
Maeve verheugde zich in een nieuwe, eerlijke emotie. Ze hield van Tricia, als van alle andere kinderen. Met moederlijke trots genoot ze van het idee dat ze Tricia recht ging doen.
'Ze heeft er recht op haar familie te leren kennen. Ik hoop dat mijn kinderen net zo gek op haar worden als ik ben. Ik ben trots op haar. Ze is een aanwinst.'
Dat kon Emma beamen. Zijzelf had in Tricia een vriendin gevonden. 'Dat zal ze overal zijn.'

Caitlin stond in de voor haar kenmerkende houding – handen op haar ronde heupen – op de winkelvloer. Ze hield een gesprek gaande met twee van de medewerkers van The Daboecia Shop. Uiteraard over het stiefzusje dat uit de hemel was komen vallen.
'Wat zeg je nou van je Ierse schoonfamilie, Emma?'
Emma pakte een snoepje uit de schaal die op de toonbank stond voor de klanten. 'Dat jullie een kleurrijk stel zijn,' zei Emma vervormd, met de zoetigheid tussen haar kiezen. 'En ik ben gek op jullie allemaal.'

In de drogisterij, waar Emma in de loop van de week kwam voor Paiges favoriete scheerbenodigdheden, werd ze aangeklampt door Mrs. Sheridan. Ze was de buurvrouw van Aidan en Maura én een kletskous. Eileen Sheridan moest het naadje van de kous weten. Emma liet zich niet uit de tent lokken. Het

werd haar duidelijk dat de praatjes door het dorp gonsden. Aan de bar van Daboecia Hall verschenen dorpsbewoners die zich anders nooit lieten zien. Ook om nieuws te vergaren.
's Avonds in bed vertelde Paige het lachend aan Emma. 'Een soort ramptoeristen, zou je kunnen zeggen,' grijnsde hij. 'Patrick O'Brien valt postuum van zijn voetstuk. In een gat als Roundwood is dat nieuws.'
Het kon niet zo zijn dat hij er alleen maar luchtig over deed. Daarvoor waren de feiten te wezenlijk.
Dicht bij elkaar en warm in bed, viel hij stil. Aarzelend kwam zijn vraag. 'Hoe ... hoe is ze?'
'Ze is mooi. Ze is een O'Brien. Op het eerste gezicht deed ze me aan Margreth denken. Ze draagt haar haar ook tot op de schouders.' Ze zweeg. Om uiterlijkheden ging het niet.
'Oh, Emma, het is gewoon te gek voor woorden. Een week geleden wist ik niet eens dat ik een halfzus had. Ze is al drieëndertig, nota bene. En jij kent haar wel.'
'Het wordt hoog tijd, bedoel je?'
'Ik wil haar wel leren kennen, ja. En toch ... denk ik weleens: is het echt waar? Maar als ik haar gezien heb, tja, dan is het echt waar.'
'Ik begrijp wat je bedoelt. Waarschijnlijk voelen je broers en zusters dat net zo, maar maak je geen zorgen. Tricia is wie ze is. Een verstandige vrouw. Eerlijk. Wars van gekonkel. Zelfstandig en onafhankelijk. Ze heeft al heel wat meegemaakt. Om te beginnen heeft ze moeten knokken tegen haar achtergrond. Ze is getrouwd geweest ...'
'Werkelijk?'
'Jazeker. Vijf jaar. Na haar huwelijk is ze begonnen met een cateringbedrijf en dat B&B-gebeuren. Daarvoor werkte ze in The Abbey Hotel in Donegal Town.'
'Als kokkin, dus.'
'Als kokkin, dat klopt. Chefkok zelfs een tijdje.'
Paige floot. 'Geen kleintje.'
Emma dacht aan de manier waarop Tricia met mensen omging. Hoe zij dat zelf ervaren had. Als Tricia haar plaatsje innam in de familie, zou niemand verdrongen worden. Het zou zelfs met ingetogenheid gebeuren, als ze haar vriendin goed kende. Echter, wie Tricia ooit ontmoet had, vergat haar nooit meer. Het

was een persoonlijkheid die een lange schaduw wierp. Ze beklijfde.
Emma knipte het lampje op het nachtkastje aan en stapte uit bed. Even later kwam ze terug met een mapje foto's. Paige hees zich op tot zithouding.
'Dit is 'r.'
Hij bekeek de foto. 'Leuke meid.' Hij gaf de foto terug en liet toen zo ongeveer het grootste compliment glippen dat hij Tricia kon geven. 'Net als al mijn zusters.'
Het gaf Emma zo'n goed gevoel hem dat te horen zeggen dat ze hem een dikke zoen gaf. Glimlachend stopte ze de foto terug. Ze was blij dat Paige eindelijk naar zijn zusje vroeg. Het was een teken dat het zwaartepunt zich verlegd had.
Nadat Maeve zich de afgelopen zondag had uitgesproken, had het verhaal het effect gekregen van een steen in de vijver. De rimpelingen waren nog niet uitgegolfd. Na vijf dagen kon evenmin worden gezegd dat de O'Brien-broers en zusters het al een plaats hadden gegeven. Het was te nieuw, te vers en te veelomvattend. In het beste geval begonnen ze het net zo'n beetje te beseffen. Te geloven dat het echt waar was, zoals Paige net zei.
Ze wilde het fotomapje op haar nachtkastje leggen maar haar hand bleef zweven bij die gedachte.
Het was onherroepelijk dat de familie Tricia ging leren kennen. Voor hen ging het werkelijkheid worden.
Was dat de reden waarom Patrick het bestaan van Tricia had geheim gehouden tot op zijn sterfbed? Zolang hij het wegdrukte, was het niet waar. Kon hij zich als gerespecteerd inwoner van Roundwood en als ingezeten ondernemer geen smet op zijn blazoen permitteren? Zijn geheim mocht niet aan het licht komen, omdat dat zijn veilige thuishaven bedreigde. En dat moest dan maar ten koste gaan van een vrouw en een kind voor wie hij in feite de verantwoordelijkheid droeg?
Het was maar een gedachte, maar het leek de enige verklaring. Zou Patrick, bij leven, een man zijn geweest die ze mocht? Nu ze dit wist, leek dat onwaarschijnlijk. Ze kon het echter nergens mee bewijzen, dus besloot ze deze gedachte voor zich te houden.
Waarom had hij de brief van Niamh bewaard, met de geboorteakte erin? Was dat ook weer dat ouderwetse katholieke schuldgevoel?

Hij hoefde de brief maar te zien om zich te herinneren waarom hij moest zwijgen. En daarginds, in Donegal, moest een jonge vrouw maar zien hoe ze het leven weer oppikte.
Ook Emma besloot te zwijgen. De O'Briens moesten opnieuw, zoveel jaren na zijn dood, met hun vader in het reine komen. Zijn nagedachtenis was besmeurd. Het was niet aan haar om dat nog erger te maken met dit soort insinuaties.

Het normale leven nam zijn beloop weer. Toch was het familieverhaal nooit ver. Paige was heel erg geïnteresseerd in Tricia's talenten op kookgebied. Hij vroeg Emma honderduit. Ze probeerde zo goed mogelijk haar culinaire avonturen met Tricia te herinneren.
'Op mijn eerste dag in Donegal heb ik zeewier verzameld. Tricia gebruikte dat om aardappelen in te poten nadat ze het had laten rotten.'
'Jemig, dat is ouderwets! Geweldig!' Paige genoot van dat verhaal.
'Ze zei dat het in Donegal nog best vaak voorkwam omdat de grond daar nogal schraal is.'
'Oh, lieve schat, er zijn nog wel andere manieren, hoor, om piepers op schrale grond te laten groeien.'
'Oh ... nou ... goed. Nadat ik haar beter leerde kennen, vond ik het wel bij haar passen. Ze pakt de zaken grondig aan.'
'Ze heeft dus ook een moestuin?'
'Ja, maar er staan geen fruitbomen in, zoals in die van jou.'
'Maakt ze ook in?'
'Doet ze ook, ja.'

Een andere keer vroeg Paige Emma wat ze zoal bij Tricia gegeten had.
'De meeste dagen zelfgebakken brood.' De heerlijke ontbijten stonden haar nog helder voor de geest. 'Hartige taarten, stoofschotels, ovenschotels, veel vis ...'
Paige wiebelde op zijn billen op zijn kruk in de keuken. Emma glimlachte achter haar koffiebeker. Hij reageerde alsof hij zich met zijn stiefzusje moest meten.
'Speciale dingen?' vroeg hij.
'Ik herinner me nog een fazant die ze had gebraden voor het

etentje met haar moeder en stiefvader.'
'Fazant?' Paige zat met gespitste oren. 'Die wordt bij mij altijd droog.'
Emma lachte. 'Je kunt Tricia het recept vragen.'

In de week voordat Emma met een nieuwe reeks cursussen zou aanvangen, kwam het mailtje waarin Tricia schreef dat ze Maeves uitnodiging had aangenomen. Vanaf 1 maart was ze in Roundwood voor een uitgebreide kennismaking met haar grote stieffamilie. Het huis van Maeve werd haar logeeradres. Emma was zo ingenomen met dit nieuws dat ze Tricia opbelde. Dit feit vroeg om persoonlijk contact. Na de begroeting kon Emma zich niet meer inhouden.
'Wat goed dat je komt, Tricia! Hoe lang kun je blijven?'
'Nou, dat is nog onbepaald, of Maeve moet me zat worden,' grapte ze.
'Onbepaald? Hoe bedoel je?'
'Wel, het komt hierop neer dat ik in februari mijn huis leeg ga opleveren. Ik heb mijn werkzaamheden hier beëindigd. Daarom duurde het zo lang voordat ik de uitnodiging aannam. Ik had hier het nodige te regelen.'
'Ik begrijp het. Ja, ik herinner me dat je er uiterlijk in mei uit moest zijn. Je wilde tegen die tijd ook stoppen met je huidige werk. Maar nu komt het een stukje naar voren.'
'Inderdaad. Ik heb een lang gesprek gehad met Niamh en Shane. Zij waren er ook voor dat ik de tijd moest nemen om mijn nieuwe familie te leren kennen. Als ik weg ben totdat de nieuwe bewoners komen, houden zij een oogje in het zeil bij mijn huisje.'
'Dus je bent helemaal vrij als je hierheen komt?'
Emma kende Tricia niet als een stilzitter. 'Ja, ik kan bijvoorbeeld Maeve helpen als haar Bed and Breakfast activiteiten weer beginnen.'
'Dat is geen volledige baan, hoor.'
'Ik wil op internet de vacatures in de gaten houden.'
'In Donegal?'
'Ja.'
'Maar je hebt geen huis meer.'
'Shane en Niamh zijn bereid mij onderdak te bieden tot ik zelf

een appartementje heb gevonden in Donegal Town.'
'Er staat je niets meer in de weg,' concludeerde Emma gerustgesteld.
'Jij ziet mij op één maart verschijnen,' zei Tricia.

Emma ging op de terugweg van een bezoek aan de groothandel in Avoca bij Maeve langs. Er was maar één onderwerp mogelijk: de komst van Tricia.
Maeve was er druk mee bezig. 'Kom 'es mee,' zei ze en troonde Emma mee naar één van de logeerkamers.
'Ik ben 'm aan het opknappen voor Tricia.' Ze zwaaide de deur open.
'Heb je in je eentje die hele kamer behangen?' Emma stapte naar binnen en bekeek het resultaat. Een smaakvol behangetje sierde de wanden van Tricia's toekomstige kamer. Het zat er strak op. 'Mooi ... en knap gedaan, hoor.'
Maeve legde uit wat ze allemaal nog meer wilde doen aan de decoratie en de inrichting.
'Zoals ik Tricia ken, vindt ze het leuk om er zelf ook nog wat aan te doen,' merkte Emma op.
'Ja! Oh ja, dat zou best eens kunnen. Zal ik dan maar niet ...' Het temperde Maeve in haar enthousiasme.
'Lijkt het je niet leuk om nog wat aan de verbeelding over te laten? Dat je het samen met Tricia completeert?'
'Dat is een aardig idee. Dat geeft ons wat te doen.' Emma's schoonmoeder overwoog het. 'Ja, je hebt gelijk. Ik zet de belangrijkste dingen erin en de rest zoeken we samen uit.'
Ze verlieten de logeerkamer en liepen naar de keuken.
'Je kunt het afronden voordat je eerste gasten komen, want dat is toch met ingang van april, hè?'
'Ja, ja. Ik heb in ieder geval een maand de tijd om aandacht aan Tricia te besteden.'
'Ze heeft er zelf ook ruimschoots de tijd voor uitgetrokken.'
'Wat heeft ze dat goed geregeld, hè?'
'Het is een prettig idee dat ze niet binnen één week langs de hele familie raast en dan weer weggaat.'
'Oh nee, dat zou vreselijk zijn.' Puffend liet Maeve zich op een stoel zakken om koffie in te schenken.
'Ben je moe?' vroeg Emma

'Behoorlijk ja. Het is de afgelopen twee weken zo druk geweest. Ik heb voortdurend bezoek en telefoon. De kinderen lopen de deur plat en kennissen bellen op met vragen over mijn stiefkind.'
'En dat behangen er nog bij.'
'Dat had in de helft van de tijd klaar kunnen zijn als ik niet zoveel aanloop had gehad.'
'Waarom heb je geen hulp gevraagd?'
'Uiteindelijk wilde ik dit helemaal zelf doen,' zei Maeve een beetje verlegen.
'Je bereidt Tricia een uitgebreid en warm welkom, hoor.'
Wat kon het toch raar lopen, dacht Emma. Had Patrick de grootmoedigheid van zijn vrouw onderschat? Had hij daarom gezwegen? Hij had nooit kunnen vermoeden dat Maeve zijn buitenechtelijke kind met open armen zou ontvangen. Zijn dood had de zaken veranderd. Het bestaan van Tricia kon niet meer tussen de twee echtelieden komen te staan. Patrick kon niets meer verantwoorden. Maeve had zijn nagedachtenis een plaats gegeven. Nu ging de aandacht naar zijn levende erfenis. Emma had bewondering voor de manier waarop Maeve omging met zijn geheim. Ze was het te boven gekomen. Ze had wrok en schaamte achter zich gelaten en Patricks dochter een kans gegeven. Tricia was zich daarvan niet bewust geweest. Het had verrassend uitgepakt. Volgden de kinderen het voorbeeld van hun moeder? Gingen zij het zusje accepteren?

De cursussen en de doeken die ze zelf schilderde gaven zoveel drukte dat februari ongemerkt voorbijging.
Op de ochtend van de eerste maart, een zaterdag, stelde Emma zich voor hoe Tricia daarginds in Donegal afscheid nam van haar moeder en Shane en in haar witte bestelwagentje op weg ging.
Ze hield zich bezig met haar werk, maar controleerde vaker dan anders of er e-mail was. Tegen beter weten in liep ze op een telefoontje te wachten. Tricia zou pas tegen de avond arriveren. Van Donegal Town naar Roundwood was niet bepaald een wandelingetje. Er was nog helemaal niets te melden. Bovendien had Maeve in een collectief mailtje de hele familie verzocht om niet als een invasie haar huis te bestormen op de eerste de beste

avond dat Tricia er was. Ze wilde haar het tempo laten bepalen. Als er een plan uitrolde, was dat gauw genoeg aan de familie bekendgemaakt.
Emma had er begrip voor maar ze had er niettemin moeite mee. Tricia was niet alleen een stiefzusje van de O'Briens, ze was ook haar vriendin. Ze moest wachten tot ze de gelegenheid kreeg om haar te verwelkomen.
Met een gevoel van teleurstelling sloot Emma die dag haar atelier af. Ze liep te wachten op een berichtje van Tricia, wat niet zou komen. Het was maar goed dat ze voor die avond had afgesproken om met Deirdre, die in de Daboecia Shop werkte, naar de bioscoop te gaan. Anders zou de zaterdagavond zich maar eindeloos uitstrekken.
Paige was, zoals van een kok verwacht mocht worden, tot in de late uurtjes bezig. Er stond voor die avond een diner gepland voor dertig personen.
Na een goede film en een gezellige borrel in een kroeg na afloop op de zaterdagavond, brak de zondag aan. Ook op die dag was Emma in haar atelier, maar er was tijd geweest voor een uitgebreid ontbijt en de zondagskranten, samen met Paige, in de cottage.
Zondag was net zo goed een dag om te schilderen als de andere dagen, maar er hing een meer ontspannen sfeertje omheen. Alsof de rustdag uitstraalde dat het iets kalmer mocht. Het mocht op die dag, het moest niet.
Emma was bezig met een doek dat heel wat van haar fijnschildertechniek vergde. Ze was net prettig genesteld in haar concentratie, met de film van de voorbije avond nog in haar hoofd, toen de telefoon ging.
Ze viste het mobieltje uit haar broekzak en nam op.
'Hoi, met Tricia,' klonk het nadat Emma zich gemeld had.
'Hé, hallo zeg, goedemorgen!' Ze juichte bijna. 'Wat ben ik blij dat ik van je hoor! Alles goed?'
'Alles is prima. Ik ben heelhuids gearriveerd gisteravond en daarna tot in de grond verwend door Maeve.' Tricia vertelde hoe de hernieuwde kennismaking met haar stiefmoeder was verlopen. Nadat ze verteld had dat ze al lekker geïnstalleerd was, kwam ze terzake. 'Ik heb hier nog iets van jou.'
'Van mij? Hoe kan dat nou?'

'Nou zeg, Emma, het feit dat je bent vergeten wat het is, is een goed teken,' lachte Tricia en vervolgde cryptisch: 'Bruine ogen, zwart haar ...'
'Oh jee!' Emma wist het weer. 'Het portret van Lorenzo!'
'Precies. Ik weet niet wat ik ermee moet doen. Hier heeft het niet echt een plaats.'
'Zal ik het dan maar even komen ophalen?' stelde Emma voor. 'Kan ik je gelijk even zien.'
'Dat bedoelde ik te bereiken met mijn vraag.' Ze lachte weer.

In de deuropening van Maeves woning hadden ze gedrieën al schik om de rollen die nu omgedraaid waren. Maeve was nu gastvrouw en Tricia gast, in plaats van een half jaar eerder andersom. Emma en Tricia omhelsden elkaar hartelijk.
'Drink je koffie met ons, Emma?' vroeg Maeve.
'Ja, graag, maar ... ga je nu niet tegen je eigen afspraak in? De familie mocht niet zomaar komen binnenvallen, voordat jullie een plan hadden bedacht hoe het wel moest.'
Maeve was veel te goed gehumeurd om zo strikt te zijn. 'Ach, je bent er nu toch.'
'Dan blijf ik. Eerst zet ik het schilderij in de auto. Dat ga ik zo dadelijk vergeten. Zo verstrooid ben ik wel.'
Emma volgde Tricia naar de vers behangen slaapkamer. Eén van de eerste dingen die haar opviel, was dat het schilderij met de aangespoelde boomstronk al een plaats had gekregen.
Tricia zag dat Emma ernaar keek. 'Ik heb een stukje Donegal meegenomen.'
'Als remedie tegen heimwee?'
'Als ik heimwee krijg, ga ik terug. Maar als de rest van de familie een beetje op Maeve lijkt, krijg ik geen heimwee.'
Ze kreeg het portret van Lorenzo overhandigd. 'Dit paneeltje stop ik heel ver weg, ergens achter in mijn atelier. Als ik nog eens in verleiding kom, hoef ik het maar voor de dag te halen om me weer op het rechte pad te krijgen.'

Rond de keukentafel bespraken ze hoe de toer langs de familie ging verlopen. Omdat Paige bijna niet los te weken was uit Daboecia Hall, stelde Emma voor dat ze haar stiefbroer in zijn natuurlijke habitat moest leren kennen. 'Eerst een rondleiding

door de Hall en haar keuken en tuinen en dan lekker eten in het restaurant?'
'Lijkt me fantastisch!' stemde Tricia in.
'Ik moet het nog wel voorleggen aan Paige. Als hij het goed vindt, moet hij ook de datum maar prikken. Hij heeft nogal een volle agenda.'

Paige had geen moeite met Emma's plan. Dat ze zijn levenswerk en trots in haar plannetje voorop had gesteld, streelde hem. Hij zocht direct een datum uit.
Op de voorgestelde woensdag arriveerde Tricia in haar witte bestelwagen bij Daboecia Hall, met Maeve aan haar zijde.
Paige en Emma wachtten hen op in de deuropening. Met zijn arm om haar heen geslagen zei hij: 'Gek genoeg bood zo'n beetje iedereen aan om vanavond te werken.'
'Hoe zou dat toch komen?' meesmuilde Emma.
Paige schudde zijn stiefzusje de hand. Emma zag dat de twee elkaar scherp opnamen en ze zag de familiegelijkenis nogmaals – en nu van dichtbij – bevestigd.
Paige was de O'Brien-telg van wie Tricia het meeste wist, uit Emma's verhalen. Het waren luttele indrukken om op af te gaan maar Emma dacht wel dat haar vriend en haar vriendin een goede band met elkaar zouden krijgen.
Niet alleen was Tricia familie van Paige, ze was ook een vakzuster. De rondleiding was niet zomaar gedaan. Elk onderdeel van de Hall maakte zoveel los bij beiden dat ze niet uitgepraat raakten. Of het nu de keuken, de voorraadkamer, de koelcel of de moestuin was.
In de keuken waar het meeste personeel zich bevond, werd Tricia gevolgd door zes paar nieuwsgierige ogen. Ze gaf iedereen een hand. Zo gauw ze verder liep, werd ze van top tot teen opgenomen. Emma twijfelde er niet aan of ze werd besproken zodra ze met zijn vieren de keuken verlieten.
Paige vertelde dat Eilis de volgende dag cottage cheese met kruiden ging maken. Iemand had ernaar gevraagd in de winkel. Het zou, bij wijze van experiment, verkocht worden.
Tricia bood spontaan aan te komen helpen.
Paige, overbluft, antwoordde: 'Eh ... ja ... waarom niet?'
Eilis werd in het gesprek betrokken om af te spreken hoe laat

Tricia aanwezig moest zijn. Het was snel geregeld.
Later dan gepland gingen ze aan tafel. Paige nam deel aan de maaltijd die hij eerder zelf had voorbereid. Het hoofdgerecht werd gevormd door lamstajine. Emma wist dat hij de laatste tijd in de ban was van stoven in de Marokkaanse tajine, dus ze had al zoiets verwacht.
'Wat is die aparte smaak?' vroeg Tricia 'Citroen?'
'Gezouten citroenen, naar Marokkaans recept.' Paige groeide van trots, hij kon zijn stiefzusje iets nieuws bijbrengen. 'Ik heb citroenen in de kas. Eilis weckt ze met zout en citroensap.'
'Dat wil ik ook leren,' verzuchtte Tricia.
'Dat kan, hoor,' beloofde Paige.

Emma ging volgens haar vaste gewoonte een kop koffie halen in de keuken van Daboecia Hall, alvorens ze haar werk begon in haar atelier. Toen ze dat donderdags na het dineetje deed, was Tricia al bezig Eilis te helpen met het maken van cottage cheese. Na een begroeting ging ze door met haar werk en het gesprek dat ze voerde met Kevin over het verkopen van haar auto. De bestelwagen had ze niet meer nodig, zei ze, ze wilde nu liever een leuke, kleine sedan. Kevin zou haar een keer meenemen, beloofde hij. Een vriend van zijn broer handelde in tweedehands auto's. Allicht had hij wat staan dat Tricia beviel.
Ze was aan het werk of ze dat al jaren in de Hall deed. Het gesprek tussen haar en Kevin ging van een leien dakje. Het ijs was gebroken.
Emma was graag nog even gebleven om er meer van mee te maken, maar ze moest zelf ook aan het werk. Ze ging echter niet weg voordat Tricia had beloofd dat ze na afloop van haar bezigheden een kijkje kwam nemen in The Stables.
Halverwege de middag werd ze opgeschrikt door Tricia's stem. 'Ik heb je gevonden!'
Emma wipte van haar kruk. 'Hai! Kom verder!' Ze legde snel palet en penselen neer.
'Waar ben je mee bezig?' vroeg Tricia. Ze kwam bij de ezel staan. 'Joh, wat stichtelijk. Een kerkinterieur? Het is heel mooi, Emma.'
'Dank je,' zei Emma, die, als ze zich geen raad wist met haar figuur, haar handen in haar achterzakken perste.

Van de ezel verlegde Tricia haar aandacht naar de rest van de studio. Emma vertelde het verhaal van de metamorfose van de oude paardenstal tot schildersatelier. Hier en daar viel Tricia in. Ze wist het nodige van The Stables, dat had Emma haar al verteld toen ze bij haar in Donegal verbleef. Nu kon ze het geheel met eigen ogen aanschouwen.

In het woongedeelte achter de studio verbaasde ze zich over het comfort. 'Je hebt hier alles. Je zou hier kunnen wonen.'

'Het is inderdaad heel luxe, maar het bewijst ook zijn nut. Dankzij een visionair als Aidan ben ik hier heel netjes neergezet.'

'Wat een type is dat, hè, de oudste O'Brien? Nu ik hem ontmoet heb, zie ik helemaal voor me hoe hij je op de hak nam op die bewuste zondagochtend.'

'Ja, dat was schrikken, maar het is goed afgelopen. Overigens, ik mag mijn zwager graag, hoor, begrijp me goed.'

Tricia had inmiddels al haar stiefbroers- en zusters en hun families ontmoet. 'Ik ben in een heel bijzondere familie terechtgekomen. Heel verschillende types, maar allemaal aardig.'

Emma was blij dat ze Tricia even voor zichzelf had. In het keukentje bood ze haar iets te drinken aan. Het was tijd om bij te kletsen.

'Heb je het naar je zin?' vroeg Emma.

'Ik heb het uitstekend naar mijn zin. Ik heb het zelfs zo naar mijn zin dat ik moet oppassen niet te lang te blijven.'

'Daar hoef je je voorlopig nog geen zorgen om te maken. Je bent hier nog niet eens twee weken.'

Een gast als Tricia, vertrouwde Maeve Emma op een keer toe, was niemand tot last. In huis gedroeg ze zich als een welopgevoede dochter. Ze hield zich aan de huisregels en hielp mee in de huishouding. Met haar voorliefde voor koken nam ze die taak weleens over van haar stiefmoeder. Als ze niet bij Maeve in huis was, en dat was hoe langer hoe minder, was ze in de keuken of in de tuin van de Hall te vinden of in de Daboecia Shop.

Haar bestelwagen had plaatsgemaakt voor een kleine donkerblauwe Peugeot, gekocht bij het bedrijf dat Kevin had aangeraden.

Door haar belangstelling voor van alles en nog wat was ze al

gauw een geziene figuur in de familie en in een groeiende kring eromheen.
Regelmatig dook ze op bij Emma in de studio, voor een kletspraatje en een blikje van haar geliefde tonic. Het kreeg al meer het karakter van een pauze, want Tricia was na een week of zes min of meer fulltime aan het werk. 'In dat prachtbedrijf van je vriend,' zoals ze het omschreef.
'Je voelt je hier thuis, hè?' vroeg Emma. Het was meer een vaststelling van iets dat overduidelijk was.
'Ja, daar kleeft eigenlijk maar één bezwaar aan.'
'Welke dan?'
'Dat ik misschien al langer gebleven ben dan fatsoenlijk is.'
'Welnee! En waar naartoe moet je terug? Je kunt toch blijven?'
'Daar gaat het niet om, Emma. Ik ben hier te gast en dat kun je niet te lang zijn. Daaraan zijn grenzen, zo voel ik dat.'
'Ik was nog langer bij jou dan jij hier, tot nog toe.'
'Dat was anders.'
'Dat zie ik niet zo. Bovendien ben jij nou niet bepaald een dood gewicht.'
'Ik moet echt nadenken over mijn vertrek.'
'Je hebt nog geen baan in Donegal. Je kunt makkelijk blijven.'
'Het vinden van een baan duurt inmiddels te lang. Dat kan ik niet meer als argument aanvoeren.'
'Als die baan op zich laat wachten, beloof me dan één ding.'
'Wat dan, smekeling?'
'Dat je blijft tot de expositie geopend wordt.'
'Dat is goed. Dat is ook een mooi ultimatum. Daarna moet ik gaan.'
'Zo bedoelde ik het niet.' Waar Emma dacht dat ze een slim plan bedacht had, werd het omgedraaid.
Er was geen speld tussen te krijgen. Tricia was vastbesloten. 'Zo bedoel ik het wel.'

De expositie werd geopend op 2 mei. Paige had met de boekingen in de Hall rekening gehouden met deze datum. Alleen de bar was open, dat kon Peter in zijn eentje af.
Op vrijdagmiddag vertrok een groot deel van de familie richting Kilkenny in twee door Aidan beschikbaar gestelde busjes. Hijzelf en Maura waren van de partij. Hun zoons hadden

bedankt, de dochters gingen wel mee. Alleen Alastair kon niet mee. Hij was op werkweek met zijn klas. Zijn vrouw Sinéad had oppas voor de kleintjes geregeld, zodat ze zelf mee kon. Er gingen 18 mensen vanuit Roundwood naar Kilkenny Design Centre.
De organisatie had flink uitgepakt, rond de opening was een compleet feest gebouwd. Er speelde een band. De catering was perfect verzorgd. De burgemeester verrichtte de officiële opening.
Na zijn openingstoespraak waren er nog meer speeches. Tussendoor was er weer muziek. Op het kasteelplein was zoveel te beleven dat Emma en haar gevolg er een tijdlang niet aan toe kwamen om in de paviljoens te gaan kijken naar haar werken.
Tussen de kunstenaars, kunstliefhebbers en andere belangstellenden liepen galeriehouders en agenten, op zoek naar artiesten die ze konden strikken voor hun zaak. Emma ontdekte Mary Somerville, die nieuwsgierig was naar de overige water-schilderijen.
Nadat ze een goede indruk had gevormd van de betekenis van dit feest, ging ze met haar schoonfamilie naar haar eigen werken. Hier lagen kansen voor toekomstige opdrachten. Ze legde de speciaal voor de gelegenheid ontworpen visitekaartjes bij haar doeken neer.
'Je krijgt een goede neus voor zaken, kleintje,' fluisterde Paige haar in. Trots stond hij naast zijn vriendin, die op haar beurt heel blij was dat ze eindelijk weer eens met haar vriend op stap kon.
Er liepen hostesses rond om geïnteresseerden te wijzen op de aanwezige kunstenaars. Op die manier kwamen er ook een paar mensen op haar af. Dat leverde boeiende gesprekken op en mogelijke opdrachten.
Het gezelschap vertrok weer richting Roundwood. Emma nam zuchtend plaats in de bus en gaf zich over aan het gevoel van euforie dat zich van haar meester had gemaakt. Er waren felicitaties geweest, complimentjes, belangstellende vragen en leuke contacten met mensen die wellicht een opdracht voor haar hadden. Daarbij had ze zoveel moois gezien. Het had haar tot haar kruin gevuld met enthousiasme. Ze was een beetje van de

wereld. Als iemand van haar schoonfamilie haar iets vroeg, knikte ze alleen of gaf afwezig antwoord.

Een paar dagen later genoot ze nog na van de inspiratie die het bezoek aan de vernissage in Kilkenny Design Centre had achtergelaten. Ze ging op in een techniek die ze had gezien op de expositie en die ze nu zelf nabootste. Daarom keek ze niet op toen de deur openging.
'Hallo! Je tonic staat koud, hoor!' riep ze, in de overtuiging dat het Tricia was.
'Nee, dank je,' zei een stem die niet van haar vriendin was.
'Oh, Paige, lieverd, jou had ik niet verwacht.'
'Nee, dat was duidelijk.' Paige lachte om zijn vriendin. Haar linkeroor was voor de helft groen en boven haar rechterwenkbrauw zat een paarse veeg. Het was te zien dat ze weer helemaal was opgegaan in haar werk.
'Kun je je gezicht even wassen? Ik kan niet praten met iemand die een half groen oor heeft.'
'Oh!' Ze ging al naar de keuken om een washandje te pakken.
Nadat ze haar gezicht had gewassen, zei Paige: 'Ik wil wat met je bespreken.'
'Wat klinkt dat serieus.'
'Ik ben benaderd door Food and Wine Magazine. Ze hebben me gevraagd om recepten voor het blad te schrijven. Het gaat om een vast stukje redactie.'
Emma haalde hoorbaar adem. Ze zag klaarhelder voor zich wat dat kon betekenen voor Daboecia Hall. Ze wist ook dat Paige op dit verzoek zou ingaan. Voordat hij verder vertelde, waren felicitaties op zijn plaats.
'Jongen, proficiat! Dat is geweldig! Dit is een buitenkans!' Ze omhelsde hem en zoende hem stevig.
In elkaars armen ging hij verder: 'Ik wil het dolgraag doen. Maar dan moet ik een gedeelte van mijn werk in de keuken opgeven. Er komt dus plaats voor een chefkok. Ik wil Tricia vragen. Wat vind je ervan?'
'Dat is een perfecte keuze, lieverd.'
'Maar zal ze het willen?'
Alsof het ingestudeerd was, stapte zijn stiefzusje op dat moment binnen.

'Ik kom voor mijn blikje!' kondigde Tricia vrolijk aan. Toen pas zag ze Paige en Emma omarmd staan. 'Oh ... kom ik ongelegen?'
'Nee hoor. Kom verder.' Emma wenkte.
Paige wond er geen doekjes om. 'Tricia, als ik je vroeg om chefkok te worden in Daboecia Hall, zou je dat willen overwegen?'
'Nee,' zei Tricia ferm.
'Nee?' echoden Paige en Emma tegelijk.
Tricia trok een gezicht of dat voor haar een uitgemaakte zaak was. 'Ik zou het zonder een moment te twijfelen aannemen!'
Ze lachten alledrie. Opgelucht.